Les Chemins d'Ève

DU MÊME AUTEUR

Un homme comme tant d'autres,
  Tome 1 : *Charles*, Libre Expression, 1992 ; collection Zénith, Libre Expression, 2002.
  Tome 2 : *Monsieur Manseau*, Libre Expression, 1993 ; collection Zénith, Libre Expression, 2002.
  Tome 3 : *Charles Manseau*, Libre Expression, 1994 ; collection Zénith, Libre Expression, 2002.
La quête de Kurweena, Libre Expression, 1997.
Héritiers de l'éternité, Libre Expression, 1998.
Les Funambules d'un temps nouveau, Libre Expression, 2001. Grand Prix du livre de la Montérégie 2002, catégorie roman – Prix Alire. Réédition, *Les Chemins d'Ève*, tome 1, Libre Expression, 2002.

LITTÉRATURE JEUNESSE :

Émilie, la baignoire à pattes, Héritage, 1976.
Le chat de l'oratoire, Fides, 1978.
La révolte de la courtepointe, Fides, 1979.
La maison tête de pioche, Héritage, 1979.
La dépression de l'ordinateur, Fides, 1981.
Une boîte magique très embêtante, Leméac, 1981.
La grande question de Tomatelle, Leméac, 1982.
Comment on fait un livre ?, Méridien, 1983.
Bach et Bottine (roman et scénario), Québec Amérique, 1986.
Le petit violon muet, Le Groupe de divertissement Madacy, 1997.
Émilie, la baignoire à pattes, Québec Amérique, 2002.

BERNADETTE RENAUD

Les Chemins d'Ève

Tome 2

Libre Expression

Données de catalogage avant publication (Canada)

Renaud, Bernadette

Les chemins d'Ève, tome 2

ISBN 2-7648-0031-2 (v. 1)
ISBN 2-89111-981-9 (v. 2)

I. Titre.

PS8585.E63F85 2002   C843'.54   C2002-941588-8
PS9585.E63F85 2002
PQ3919.2.R46F85 2002

Maquette de la couverture
FRANCE LAFOND
Infographie et mise en pages
SYLVAIN BOUCHER

Libre Expression remercie le gouvernement canadien
(Programme d'aide au développement de l'industrie de l'édition),
le Conseil des Arts du Canada et la Société de développement
des entreprises culturelles du soutien accordé à
ses activités d'édition dans le cadre de leurs programmes
de subventions globales aux éditeurs.

Éditions Libre Expression
7, chemin Bates
Outremont (Québec) H2V 4V7

Dépôt légal :
4e trimestre 2002

ISBN 2-89111-981-9

À ma mère
pour son amour indéfectible

1

En ce bel après-midi de mai 1973, Marie-Andrée Duranceau sortit d'un pas alerte de la caisse populaire où elle travaillait, à Montréal, et elle regarda, amusée, joyeuse, le reflet de sa chevelure dans la porte vitrée.

Après les cheveux crêpés et gommés de fixatif, puis les coupes courtes à la garçonne, les cheveux se portaient maintenant longs et flottaient librement sur les épaules. À leur manière, ils témoignaient, en ce début des années soixante-dix, du rejet des normes rigides et contraignantes des décennies précédentes et accentuaient encore bien davantage le mouvement de libération amorcé dans les années soixante. Les vêtements n'étaient pas en reste. Les chemisiers moulaient les poitrines et il arrivait à Marie-Andrée, chez elle, de se libérer de son soutien-gorge. Après les minijupes, qui avaient surtout avantagé les femmes minces, et encore, en position debout, les jupes, souvent longues jusqu'aux chevilles, étaient étroites à la taille avec une amplitude à l'ourlet, pour ne pas entraver la démarche. C'était parfois malcommode, surtout dans les escaliers roulants du métro, mais cet inconvénient était anodin en comparaison avec la sensation délicieusement féminine d'être libre de marcher, se pencher et s'asseoir à sa guise.

Marie-Andrée était heureuse et, pour un peu, elle aurait sauté à cloche-pied sur le trottoir. La jeune femme de taille moyenne, au visage ovale et aux traits réguliers, avait des yeux expressifs qui trahissaient son farouche désir de liberté. Une telle sérénité joyeuse l'habitait qu'elle dégageait beaucoup de charme sans même s'en douter.

Le cœur à la fête, elle fit son court trajet en métro machinalement, puis acheta du vin, une habitude acquise après ses vacances en France, à l'été 1969, quand elle allait avoir vingt ans. Elle choisit un mouton-cadet, son préféré, et, continuant sur sa lancée, s'offrit quelques fleurs à la boutique du coin. «Une promotion, ça se fête!» se dit-elle. La première à rentrer à l'appartement, comme cela lui arrivait souvent, elle déciderait sur place si elle préparerait un souper pour fêter sa bonne nouvelle ou si elle proposerait aux trois autres d'aller au restaurant. Ou encore – et son cœur palpita – elle le proposerait peut-être seulement à un seul d'entre eux, Ghislain Brodeur, le grand roux aux yeux verts, rencontré fortuitement à Paris, quatre ans auparavant.

Le message téléphonique de sa meilleure amie, Françoise, lui revint en mémoire. Elle l'avait reçu à son travail, mais elle avait choisi de rappeler de l'appartement pour pouvoir commenter abondamment et en toute liberté l'événement inattendu qui lui arrivait. L'idée d'inviter aussi Françoise et son mari, Jean-Yves, l'effleura, mais ce dernier, jeune médecin, ne serait sans doute pas disponible à une heure d'avis. De toute façon, elle était fermement décidée à fêter ce soir, quels qu'en soient la manière ou les gens avec qui elle le ferait.

Profondément fière d'elle-même, elle pensa à Luc, son jumeau à l'indépendance presque arrogante, qui travaillait dans une banque. «Ouais, il est déjà comptable, lui!» Ce détail la dépréciait : n'étaient-ils pas entrés sur le marché du travail en même temps, la même semaine? Mais elle refusa de s'attarder à cette inégalité tant elle se languissait de claironner sa nouvelle.

La promotion d'aujourd'hui lui rappela celle qui, à son ancien emploi, lui avait été soufflée par une collègue intrigante dont, réalisa-t-elle, amusée, elle avait oublié le nom, tant cela lui paraissait loin. La situation avait cependant eu un dénouement heureux. Comme cette injustice s'ajoutait à la fin pathétique de sa première histoire d'amour, Marie-Andrée, dans la peine et la colère, avait opéré des changements radicaux dans sa vie. Elle avait remis sa démission et, tout aussi impulsivement, avait décidé d'aller passer trois semaines en France avec Pauline, sa belle-sœur au corps délicat et au visage toujours savamment maquillé, l'épouse de son frère aîné Marcel, un dessinateur industriel trapu et à l'ossature carrée.

D'agréables souvenirs chassèrent les douloureux. C'était au cours de son voyage en France qu'elle avait rencontré Ghislain Brodeur, d'abord dans les soubresauts de l'avion qui traversait une zone de turbulence, et ensuite à l'église Saint-Séverin, à Paris, où elle avait été fascinée par sa flamboyante chevelure rousse. Et, au retour du vol nolisé, à Dorval, il l'avait délibérément croisée pour lui remettre son nom et son numéro de téléphone sur un bout de papier avant de se fondre dans la cohue, avec ce qu'elle avait interprété comme de la discrétion mais qui, maintenant qu'elle le connaissait depuis quelques années, se révélait nettement de l'indépendance.

Elle sourit au souvenir du papier égaré dans l'énervement et la fatigue du retour de voyage. Ne sachant trop si elle était désolée ou non de l'avoir perdu, elle avait alors pris le temps de s'adapter à son nouveau travail de caissière à la caisse populaire de son quartier, où pour la première fois elle travaillait dans un milieu entièrement francophone, ce qui lui plaisait beaucoup.

Plusieurs semaines plus tard, elle avait retrouvé inopinément les coordonnées de l'inconnu rencontré à Paris, dans la poche de sa veste jean, et elle s'était découverte plus réceptive à ce que la vie pouvait lui offrir dans l'immédiat. Sans trop savoir ce qu'elle en attendait, elle avait cependant ressenti des papillons dans l'estomac en lui téléphonant. Elle avait oublié son visage, mais se souvenait par contre avec acuité de sa chevelure rousse qui flamboyait dans la lumière. Semblant content de son appel, il lui avait spontanément proposé qu'ils se revoient et se racontent leurs voyages. Ce n'était évidemment qu'un prétexte, même s'ils avaient beaucoup ri de leurs anecdotes respectives lors de leurs retrouvailles.

Prenant cette fois le temps de l'observer et de l'écouter, elle avait mieux cerné qui était Ghislain Brodeur. De deux ans son aîné, il était grand et musclé; son visage était harmonieux et ses cheveux, encore plus roux que dans ses souvenirs. Le sourire toujours aussi moqueur, il lui avait révélé qu'il considérait le travail comme une nécessité pour gagner sa vie et s'en acquittait honnêtement, sans plus. Depuis la fin de son secondaire, il travaillait au ministère fédéral du Revenu, au centre-ville. Il était affecté au service des renseignements à la clientèle; il l'avait été au comptoir puis au téléphone, et il était revenu au comptoir parce qu'il préférait le contact direct avec le public. D'ailleurs il aimait être entouré, et il était servi : les bureaux du ministère comptaient plus de mille personnes.

C'étaient ses loisirs qui recevaient le meilleur de ses énergies. Jouir de la vie, sortir, fumer de la marihuana de temps en temps, discourir pendant des soirées entières avec son groupe d'amis et d'amies, faire du sport, en groupe évidemment, tout cela constituait l'essentiel de sa vie.

Marie-Andrée, qui venait de se libérer de sa liaison amoureuse décevante ainsi que de l'emprise aimante mais parfois lourde de sa mère, revenait aussi de son premier voyage à l'étranger avec un désir de liberté décuplé. Dans les circonstances, elle avait été séduite par cette recherche du plaisir qui l'habitait et qui contrastait avec l'éducation rigide, ou du moins sérieuse, qu'elle avait reçue et le train de vie raisonnable qu'elle avait continué de mener, même en appartement à Montréal, avec son jumeau Luc.

Dans le milieu où Ghislain évoluait, elle s'était spontanément sentie libre. Libre d'agir, de penser, de s'amuser, de vivre à sa guise, quoi! Elle avait goulûment savouré cette liberté gratuite et s'y était épanouie comme si elle avait toujours agi ainsi, avec la certitude de plus en plus profonde qu'il s'agissait là de sa vraie nature.

De son côté, Luc, son jumeau et colocataire, avait accueilli de plus en plus souvent à leur appartement sa nouvelle copine Dominique, du moins jusqu'à leur rupture orageuse. Après un bref intermède, la pétillante Élise l'avait remplacée et Marie-Andrée s'était vite sentie de trop dans l'appartement. Ghislain l'avait-il compris? Quelques mois après leur rencontre à Paris, une chambre s'était libérée dans le grand logement qu'il partageait avec d'autres colocataires, et il la lui avait offerte avec empressement.

Normalement, la jeune femme aurait été offusquée de se faire offrir la chambre disponible; c'était, somme toute, simplement devenir sa colocataire au lieu de sa copine. Mais cette mentalité-là datait d'avant ce qu'elle appelait *les grands bouleversements de 1969*.

Cette année-là avait marqué un tournant dans l'Histoire, avec les premiers pas d'un humain sur la Lune. Ses parents avaient parlé avec incrédulité durant des mois de cette réalisation technologique impensable à leurs yeux, plausible à ceux de leurs enfants et tout à fait naturelle à ceux de leurs petits-enfants. Cette année-là, Marie-Andrée aussi, à son échelle individuelle, avait marché dans le sentier de sa vie, celui qu'elle avait décidé de tracer selon ses aspirations et ses valeurs personnelles, et cela avait compté bien davantage pour elle que les premiers pas d'un humain sur la Lune.

Aussi, après un réflexe de déception (qui la déçut elle-même), elle accepta avec empressement d'habiter un espace qui lui appartiendrait totalement, en décidant de taire et de refréner toute attente sentimentale par rapport à cet homme indépendant, aussi attirant fût-il. Elle n'allait pas compromettre si tôt sa

14

liberté de cœur, et ce, même si une partie d'elle-même avait confusément souhaité le contraire.

Dans l'appartement vieillot mais spacieux où habitait Ghislain, vivait aussi sa sœur Monique, plus jeune que Marie-Andrée de quelques années, une fille de petite taille et potelée, mais aussi rousse que son frère, et encore plus extravertie que lui, et qui, à l'époque, venait de commencer des études en coiffure. À première vue, elle semblait aussi indépendante que son frère aîné, mais ce n'était qu'une façade. Profondément anxieuse, elle recherchait désespérément à se faire aimer d'un homme, un homme qui l'épouserait et lui assurerait la protection et la sécurité dont elle avait été privée durant toute sa courte vie.

Il y avait aussi Patrice, un étudiant en philosophie, au milieu de la vingtaine, à la stature moyenne et à la voix discrète et douce. Il était si calme et si pondéré, comparativement aux deux autres, que sa présence équilibrait les énergies du groupe.

La nouvelle venue avait été acceptée d'emblée par le trio qui, dans les faits, était composé de trois individualistes. Leur vie de bohème, dans ce grand appartement défraîchi aux meubles plus qu'usagés, et où le ménage ne semblait jamais fait, avait exercé sur elle une grande fascination, comme si elle s'était trouvée dans un lieu de vacances où tout est permis, parce que tout était temporaire et qu'elle se sentait en transit, comme durant les vacances, justement.

À cette époque du début des années soixante-dix, les idées à la mode prônaient *l'amour et non la guerre*, et la philosophie du *Peace and love*, abondamment commentée par les médias, était adoptée

15

par de plus en plus de jeunes, déçus des modèles de couples de leurs aînés. Cela convenait fort bien à Marie-Andrée, inconsciemment réticente à s'engager amoureusement une seconde fois, d'autant plus que Ghislain ne semblait pas souhaiter un rapport autre que sexuel et amical. Aussi passaient-ils la nuit ensemble de temps en temps. Mais, aussi indépendants l'un que l'autre, ils considéraient leurs ébats comme de bons moments partagés plutôt que l'expression d'un sentiment profond.

La jeune femme se l'était avoué honnêtement : parce qu'elle avait goûté à une sexualité très satisfaisante avec son premier amant, son corps avait souffert du sevrage qu'elle s'était imposé. Il lui arrivait donc d'accueillir un copain de passage dans sa chambre. L'amour libre, cela ne signifiait-il pas aimer sans contraintes, au gré du moment? Mais, au fond de son cœur, elle était restée fidèle, sans trop l'admettre, à l'attente d'un grand amour, et elle se le reprochait quand elle en prenait conscience, en de brefs instants vite oubliés. Quoi qu'il en soit, elle n'allait pas se priver, jusqu'à que cela arrive –, si cela arrivait un jour –, d'ébats qui séparaient raisonnablement la sexualité et l'amour.

Il lui était cependant arrivé d'envier Françoise, son amie Françoise, plus grande qu'elle et un peu maigrichonne, aux cheveux auburn. Celle-ci avait rencontré très tôt Jean-Yves, l'homme de sa vie, et elle avait accepté sans arrière-pensée sa demande en mariage, réalisant ainsi son rêve secret : se marier avec un homme qu'elle aimerait. Comme Marie-Andrée l'avait enviée d'avoir vu si rapidement ce qu'elle voulait dans la vie! *Qui* elle voulait, en fait!

Le mariage réussissait à sa grande amie. Celle-ci avait continué à travailler et venait de terminer son bac en traduction, en suivant des cours du soir. Tout cela avait toutefois accaparé beaucoup de son temps et de son énergie. C'était aussi le cas de Jean-Yves qui terminait son internat. Ils considéraient qu'ils avaient toute la vie devant eux pour reprendre le temps qu'ils s'étaient fait gruger quotidiennement par leurs études et qui aurait dû être consacré à leur vie de couple. Françoise était fière de permettre à l'homme qu'elle aimait de terminer ses études de médecine, puis de s'installer professionnellement. La situation était provisoire et dans quelques années, l'an prochain peut-être, elle pourrait enfin cesser de travailler et commencer à élever la famille qu'elle espérait tant. Et elle avait souhaité à sa meilleure amie de trouver, comme elle, un homme à aimer et qui l'aimerait, et de vouloir fonder une famille avec lui.

Marie-Andrée soupira involontairement. «C'est pas demain la veille!» Malgré ses bonnes résolutions, cohabiter avec Ghislain l'avait rendue de plus en plus amoureuse de lui, à son corps défendant. Mais elle refusait de se l'avouer parce que lui, de son côté, protégeait jalousement son indépendance. Alors, songer à former un couple avec lui frôlait presque l'utopie!

En cette fin d'après-midi, complètement absorbée par son présent – sa promotion inattendue à la caisse –, elle ressentait une grande confiance en elle et en la vie. La jeune femme s'avoua belle, reconnut qu'elle était jeune, autonome et tout lui parut possible. Elle pensa à sa mère, là-bas à Valbois, dans la région de Granby, et à son père, à la retraite après tant d'années dans les chantiers hydroélectriques. Ses parents ne s'étaient pas vraiment réhabitués à vivre ensemble, sans doute parce qu'ils avaient passé la majeure partie de leur vie conjugale loin l'un de l'autre, l'un à gagner la vie de la famille, l'autre à élever seule cette famille.

La jeune femme, qui allait avoir vingt-quatre ans, eut l'impression que la vie de sa mère, l'altière Éva Métivier, devenue madame Raymond Duranceau, s'était déroulée comme au siècle dernier, selon des valeurs depuis longtemps démodées : devenir l'épouse d'un homme, être complètement dépendante financièrement, ne pas contrôler le nombre d'enfants qu'elle aurait et encore moins le moment de leur arrivée, rester prisonnière d'une maison et de travaux domestiques, obéir aux valeurs de l'Église comme à celles de ses parents, etc. Fallait-il s'étonner, alors, des lueurs fugitives de ressentiment dans les yeux d'Éva?

Sa fille frissonna malgré elle et savoura, comme une drogue puissante, l'ivresse de sa liberté, de son autonomie, et de tous les possibles auxquels elle avait droit, dans ces années soixante-dix où les emplois pleuvaient et les salaires grimpaient comme jamais. Une fausse note se glissa dans ses réflexions euphoriques. Elle était consciente que si elle avait été un homme son nouveau salaire aurait été supérieur. Mais elle préféra se concentrer sur la fierté de recevoir cette promotion et sur le fait qu'elle aurait bel et bien une augmentation de salaire.

Parvenue à destination, Marie-Andrée gravit le large escalier extérieur tout droit, puis entra dans l'appartement aux vastes pièces et aux plafonds élevés et moulurés. Bien sûr il était défraîchi, mais personne ne s'en souciait, pas plus elle que les autres colocataires. Déposant le vin sur la table de la cuisine, elle s'empara d'une bouteille de chianti vide, enchâssée dans son panier de paille, qu'elle remplit d'eau avant d'y plonger les fleurs, qu'elle souleva ensuite légèrement d'un geste désinvolte en les étalant, pour donner une forme arrondie et plus spontanée au bouquet.

Selon son habitude, elle alla ensuite changer de vêtements, comme elle le faisait chez elle, adolescente, endossant une tenue plus décontractée. Cela lui attirait quelques moqueries de Ghislain qui voyait là un asservissement à des habitudes démodées. Ce à quoi elle rétorquait que la liberté, justement, c'était de choisir ses propres critères.

Ayant ouvert sa garde-robe, elle fit glisser quelques cintres sur la tringle. «Qu'est-ce que je vais mettre?» Tour à tour défilèrent une jupe longue fleurie en coton indien, des pantalons *pattes d'éléphant* vert et jaune, dont les côtés extérieurs des jambes contrastaient avec les deux laizes intérieures de couleurs différentes, puis des jeans, etc. En fait, il lui était difficile de choisir le vêtement sans savoir comment elle fêterait sa promotion. Cuisinerait-elle pour la tribu? Inviteraient-ils des copains et copines? Ghislain et elle s'offriraient-ils un massage sensuel en faisant brûler de l'encens après un repas arrosé de mouton-cadet? Elle opta finalement pour un chemiser ajusté et une longue jupe portefeuille, tous deux roses, en coton indien léger, plus ou moins transparent. Cela la changeait tant du tailleur classique de son premier emploi au milieu des années soixante (même s'il était très seyant) qu'elle éclata de rire à ce souvenir.

Se tournant et se retournant devant le miroir, elle se trouva mignonne à croquer et souhaita, dans un désir impulsif, le corps et les caresses de Ghislain. Dans les faits, elle était seule à l'appartement et elle soupira, déçue. En jetant un coup d'œil à sa montre, elle réalisa qu'il était trop tôt pour rappeler Françoise qui ne revenait de travailler que vers dix-sept heures trente.

Une porte claqua et des pas discrets se firent entendre. «Patrice», devina Marie-Andrée. Elle alla à sa rencontre, impatiente d'annoncer sa bonne nouvelle à quelqu'un, et le regarda s'avancer vers elle. Ses longs cheveux blonds retenus par un bandeau sur le front à la mode amérindienne, le jeune homme portait une chemise à fleurs par-dessus un pantalon de coton indien ample et avait des sandales aux pieds, même si on n'était qu'en mai. Il avait l'air bien dans sa peau et Marie-Andrée lui sourit spontanément, heureuse de cette belle journée.

En voyant la jeune femme, resplendissante dans les vêtements légers qui oscillaient à chacun de ses mouvements, Patrice eut dans les yeux une lueur d'admiration qui se mua vite en désir. Il réprima aussitôt l'envie qu'exprimait son regard explicite et salua Marie-Andrée d'une exclamation anodine. Comme à l'accoutumée. Sa colocataire feignit de ne pas avoir décelé le regard de désir; elle lui savait gré de ne pas avoir insisté pour répéter la nuit qu'ils avaient passée ensemble, l'année précédente. Ce soir-là, ils avaient bu un peu, beaucoup parlé et fumé de la marihuana après l'amour.

– Le nirvana…, avait-il murmuré d'un ton extatique qui avait inquiété sa partenaire d'un soir.

20

Marie-Andrée avait eu un soupçon : était-il amoureux d'elle? Avec le temps, elle avait fini par se persuader que des ébats sexuels pouvaient se vivre sans
connotation amoureuse, surtout de la part des
hommes. Et voilà qu'il lui avait peut-être fait
l'amour... par amour! Elle en avait été touchée.

Il était vrai que ses grands idéaux et ses rêves
d'expériences mystiques la fascinaient. Elle qui avait
délaissé toute pratique religieuse depuis son adolescence, elle s'étonnait que quelqu'un puisse pos-
séder autant de certitudes spirituelles. Patrice était
aussi un adepte du yoga, cette discipline à la mode,
et elle avait écouté avec intérêt ses explications sur
les postures du corps qu'il prenait, tous les matins,
en faisant ses exercices. Cela lui semblait relever de
la haute voltige, dans certains cas. Quand elle l'avait
vu se tenir tout droit... mais à l'envers, la tête servant
d'appui pour tout le corps, les pieds en l'air, elle
l'avait carrément admiré. Il affirmait aussi qu'avant
de s'adonner à ses exercices et à ses méditations il
avait été très emporté, parfois même colérique. Cela
lui semblait un peu difficile à imaginer, lui connaissant un caractère facile et agréable. Un changement
aussi radical, s'il était vrai, était plus de nature à
inquiéter Marie-Andrée qu'à la rassurer. Un dicton
ne disait-il pas : *À trop vouloir faire l'ange, on finit
par faire la bête!*

Quoi qu'il en soit, elle revenait toujours à sa
conclusion : elle ne voyait pas pourquoi il fallait
libérer l'âme du corps, entre autres par la pratique
du yoga, comme si le corps était un poids à traîner.
Pourquoi fallait-il le discipliner au point qu'il ne
semble plus exister? Après tout, être un humain,

n'était-ce pas d'abord et avant tout avoir un corps? Et s'en servir? Et même en jouir, comme ce soir, si cela était possible, avec Ghislain?

– T'as l'air contente, commenta Patrice.

Ramenée à l'instant présent, elle fut sur le point de lui offrir la primeur de sa nouvelle, mais elle hésita devant l'incongruité de la situation. Lui annoncer cela, à lui, si détaché de toute ambition! Mais sa hâte de partager l'événement l'emporta.

– J'ai eu une promotion aujourd'hui! répondit-elle, radieuse, regrettant tout de même un peu que son interlocuteur ne puisse apprécier cette nouvelle à sa juste valeur, comme l'aurait fait Ghislain.

– Ah oui? C'est quoi?

– Caissière principale! annonça-t-elle avec emphase.

Il était heureux de sa joie, même s'il ne savait pas vraiment en quoi consisterait son nouveau travail.

– Alors il faut fêter ça! proposa-t-il spontanément.

Ils se servirent un apéritif et, affalés sur des coussins par terre, au salon, ils parlèrent de tout et de rien. Ils aimaient, de temps en temps, discourir sur des idées nouvelles véhiculées par des livres à la mode, comme *Le matin des magiciens*, ou encore du dernier livre du Tibétain Lobsang Rampa. Il lui confia soudain son grand projet : un long pèlerinage à Katmandou, au Népal, peut-être aussi en Inde ou au Tibet, pour une immersion dans des valeurs religieuses complètement différentes de celles de leur enfance. Enthousiasmé, il était beau à voir; un feu intérieur rayonnait sur son visage et le rendait petit à petit très désirable. Elle refusa l'envie de lui qui pointait en elle et l'encouragea à réaliser ce voyage, lui souhaitant sincèrement de trouver ce qu'il cherchait.

La conversation sur ce projet de grands espaces et de quête mystique la coupa petit à petit de la réalité et Patrice, qui l'observait avec attention, jugea le moment venu de mettre un disque. Quand il eut trouvé celui qu'il cherchait, il sortit le trente-trois tours en vinyle de sa pochette cartonnée usée et mit le disque sur la table tournante. Quand il déposa doucement l'aiguille dans le sillon, des accords de cithare jaillirent. Cette musique envoûtait Marie-Andrée, et il le savait. Comme il savait aussi que Ghislain rentrerait tard ce soir parce qu'il allait au cinéma avec une collègue de travail, Mariette. Et Monique ne rappliquerait pas tôt, non plus, parce qu'elle avait dit, ce matin, qu'elle allait souper avec deux copines qui travaillaient au même salon de coiffure qu'elle. En principe, il aurait la jeune femme pour lui tout seul, pour profiter de sa présence, de ce tête-à-tête. Et il en souhaita davantage.

La faim commença à se manifester. Marie-Andrée consulta sa montre. Dix-huit heures déjà? Elle fit la moue, déçue. Quand Ghislain n'était pas là à six heures, il rentrait tard ou pas du tout. Et elle se rappela, elle aussi, qu'il allait au cinéma avec une collègue. Elle refusa l'agacement de la jalousie, mais admit être déçue de ne pas fêter sa promotion avec lui. Puis, un léger dépit se pointa, qui la rendit soudain plus attentive aux manœuvres discrètes mais déterminées de Patrice. L'air «détaché des réalités terrestres», celui-ci lui proposa négligemment qu'ils se cuisinent un repas ensemble.

Elle soupçonna un glissement possible vers un autre type de partage, ce qui le rendit encore plus attirant. Mais elle était ambivalente. Pour gagner du temps, elle voulut joindre Françoise; le téléphone sonna en vain. Elle y vit un signe complice du hasard et elle anticipa la suite de la soirée avec une lueur coquine dans le regard et un émoi très agréable. En la voyant entrer dans la cuisine, Patrice le devina et réprima un grand sourire confiant.

La bouteille de vin ouverte, ils retournèrent au salon, déposèrent les petits plats sur une nappe par terre, entre les coussins. Il mit un autre disque de musique indienne et dévora sa compagne des yeux. Assise en tailleur au milieu des coussins dans ses vêtements roses, elle lui apparut comme une fleur de lotus sur les coussins verts, une fleur avec un corps de femme, et éminemment désirable.

À la fin du repas, détendu, heureux et légèrement ivre, comme elle aussi d'ailleurs, il se rapprocha d'elle. Leurs regards s'offrirent l'un à l'autre. Marie-Andrée eut une brève pensée pour Ghislain, le roux flamboyant, qu'elle chassa aussitôt. « Il n'avait qu'à être là. » Elle était jeune, libre et l'amour était là, à portée de main. En une sorte de revanche pour sa mère, qui n'avait peut-être jamais connu de jouissance sexuelle de sa vie, du moins à ce qu'elle avait laissé entendre, Marie-Andrée voulut profiter encore plus de sa liberté pour donner à son corps ce que la vie pouvait lui offrir de meilleur en cet instant. Alanguie, sensuelle, elle accepta totalement le désir qu'elle avait de lui. Il la prit dans ses bras, respirant plus vite, oubliant tout principe d'ascèse pour envelopper la femme convoitée de son désir profond et passionné d'humain – et de mâle –, et il lui fit l'amour avec une passion empreinte de tendresse qui combla la jeune femme abandonnée entre ses bras.

La sonnerie de la porte retentit et troubla à peine la fin de leurs caresses. La sonnerie retentit de nouveau, presque avec impatience ou nervosité. Marie-Andrée s'étira en riant et regarda Patrice d'un air si comblé qu'il se releva à demi pour lui embrasser encore le ventre et les cuisses.

– T'attends quelqu'un? demanda-t-il à regret.

– Non... Mais il faut que j'appelle Françoise, de toute façon, répondit-elle, déçue elle aussi.

Déjà le quotidien les rattrapait, et tous les deux en éprouvaient du regret. Ils se rhabillèrent. Elle alla passer un coup de peigne dans ses longs cheveux pour chasser toutes traces de leurs ébats. Il ramassa les plats vides, embrassant en passant Marie-Andrée qui rassemblait maintenant les coussins éparpillés. Ensuite seulement, et en soupirant, elle alla ouvrir la porte, souhaitant que le visiteur importun se soit éclipsé entre-temps.

Effectivement, elle ne vit personne et allait refermer quand elle aperçut Françoise, de dos, assise sur la dernière marche de l'escalier. Ses cheveux auburn, qu'elle portait maintenant très longs, elle aussi, flottaient au vent. Sans les mouvements dansants de ses cheveux, on aurait pu croire à une statue et non à une femme vivante.

– Françoise? s'exclama Marie-Andrée avec étonnement.

Quand la visiteuse se retourna lentement, Marie-Andrée réprima une exclamation de stupéfaction. Françoise avait les joues pâles, comme sans vie, et ravagées par les larmes. Son regard était d'une telle tristesse qu'elle en resta saisie, d'autant plus que sa meilleure amie sanglotait sans retenue, sans pudeur, comme ça, assise en haut d'un escalier extérieur, ignorant les passants curieux qui levaient la tête vers elle. Marie-Andrée l'amena dans sa chambre, essayant de comprendre ce qui lui arrivait.

– C'est fini! C'est fini!

– Fini? Mais qu'est-ce qui est fini? demanda Marie-Andrée qui ne comprenait rien.

– Il m'a quittée…, hoquetait-elle. Il est parti!

Avait-elle bien entendu? Jean-Yves aurait quitté Françoise? Ce n'était pas possible! Le couple modèle n'existait plus? Déjà? Elle eut mal. Pour sa grande amie. Et pour elle. Comme si cet échec amoureux lui prouvait, une fois de plus, que l'amour n'existait pas.

Se reprochant de penser à elle dans un moment aussi triste pour sa meilleure amie, elle l'entoura de ses bras en lui disant doucement :

– Depuis quand ça ne va plus entre vous deux? Vous aviez tellement l'air de… d'être…

Elle se tut. Comment aurait-elle pu prononcer un mot aussi déplacé, en cet instant, que *heureux*?

– Je voudrais mourir… Je voudrais mourir…

Marie-Andrée avait déjà vécu le déchirement d'une séparation et cette douleur lui revint brusquement, insistante, aussi vive qu'autrefois. Elle avait mal pour leurs deux souffrances et s'en voulait de ne pouvoir prendre sur ses épaules la peine immense de son amie si chère. Mais c'était impossible et elle ne put qu'accueillir Françoise dans son chagrin comme celle-ci l'avait fait pour elle, dans une douleur si semblable. Comme Françoise à l'époque, Marie-Andrée ne pouvait rien faire sinon prendre son amie dans ses bras comme une enfant en détresse et compatir à sa peine. L'autre pleurait, s'effondrait, se défaisait. Tous ses rêves flottaient à la dérive, arrachés de sa vie par le départ de l'homme aimé.

Épuisée, Françoise renifla, se moucha, s'essuya les yeux et les joues du revers de la main comme une petite fille rageuse. Maintenant elle s'en voulait de s'être ainsi abandonnée sans pudeur. « Ma foi, elle va s'excuser ! » pressentit Marie-Andrée, abasourdie, avant d'entendre, effectivement :

– Excuse-moi.

Françoise repoussa une longue mèche de cheveux derrière son oreille d'un geste las. Son amie la regardait, incrédule. « Mais qu'est-ce qu'elle croit ? Que l'amitié ne sert que pour les bons moments ? Et moi, quand je vivais ma peine, est-ce qu'elle pensait de moi ce qu'elle pense d'elle-même aujourd'hui ? Que j'étais… » Elle ne trouvait pas le mot. Aussi demanda-t-elle spontanément :

– Qu'est-ce que tu penses de toi, en ce moment ?

– Je ne suis pas fière de moi…

– De toi ? s'exclama Marie-Andrée avec une pointe de colère. Et de quoi donc ? D'avoir été abandonnée ?

Le mot cruel griffa le cœur de Françoise. Oui, elle se sentait abandonnée. Et humiliée. Pour elle, les deux émotions allaient de pair. Mais quelle importance les mots avaient-ils ? Sa vie se heurtait à un mur ou faisait face à un vide, elle ne savait plus. Toutes ses certitudes, tous ses projets venaient aujourd'hui, après un mois de déni, de peine, de discussions, d'espoir et de colère, de s'écrouler d'un coup, dans une phrase définitive. Au lieu de vivre une grossesse tant souhaitée, elle se retrouvait du jour au lendemain sans mari, sans avenir, sans enfants. Ses rêves, sa vie de couple, les projets avec Jean-Yves, tout s'effondrait, pêle-mêle, en miettes. Démunie devant les débris de ce qui avait été sa courte vie amoureuse – plus ou moins un an de fréquentations et pas tout à fait quatre ans de mariage –, elle se sentait, à même pas trente ans à peine, une vieille femme, meurtrie, comme transparente puisque plus rien ne l'habitait.

– Je ne suis pas fière de moi…, répéta-t-elle en larmoyant, en une sorte de conclusion à son monologue intérieur.

Une bouffée de colère flamba en Marie-Andrée. Françoise subissait la décision de quelqu'un d'autre; de quoi pouvait-elle être fière ou non?

– C'est sa décision à lui, si j'ai bien compris, protesta-t-elle. C'est lui qui ne devrait pas être fier.

Françoise secoua la tête, ambivalente.

– Peut-être que j'en ai pas assez fait pour Jean-Yves. Ma mère disait qu'une femme doit s'occuper de son mari, que les hommes ont besoin de sentir qu'on leur consacre du temps. Peut-être que c'est ma faute…, dit-elle en sanglotant de nouveau, ne sachant plus à quelle raison se raccrocher pour trouver un semblant de logique à sa détresse insoutenable.

Marie-Andrée retenait difficilement son indignation.

– Pas assez fait? répliqua-t-elle. Pas assez fait? T'as flambé toutes tes épargnes, tu travaillais pour vous faire vivre tous les deux, tu payais tout, tu t'occupais toute seule de l'appartement, des repas, du ménage…

– Il fallait qu'il étudie, plaida Françoise, comme pour excuser son mari.

– Toi aussi! Et tu étudiais le soir en plus de travailler le jour! Est-ce que Jean-Yves a déjà levé le petit doigt pour te faciliter la tâche, pour te permettre d'étudier, toi aussi?

– C'est pas la même chose, j'étudiais en traduction. Mais lui, ajouta-t-elle avec une lueur d'admiration spontanée, il étudiait pour devenir médecin.

Marie-Andrée reconnut cette flamme ambiguë d'admiration et d'amour : c'était celle que Muguette Blanchard, la mère de Françoise, avait eue pour son mari jusqu'à la mort de ce dernier, même s'il était malade et maussade. Cette lueur, Muguette, une grande femme aux yeux pers et aux cheveux blonds grisonnants relevés en chignon, douce et pondérée, l'avait encore maintenant, remariée depuis un an à un homme qui n'avait pas impressionné Marie-Andrée, la seule fois où elle l'avait entrevu chez sa grande amie. Et Muguette semblait tout aussi effacée qu'avec son premier mari, le père de Françoise.

En y repensant, Marie-Andrée se demanda si cette lueur n'était pas plutôt une sorte de… Elle cherchait à identifier l'émotion quand le terme exact surgit brusquement : de la gratitude. Cela pouvait-il être de la gratitude? Mais pourquoi, pour quelles raisons?

– Pourquoi est-ce que ta mère s'est remariée? demanda-t-elle impulsivement.

Françoise la regarda, étonnée.

– Ma mère? Je ne sais pas.

Elle ne le savait pas vraiment. Sa mère, toujours aussi discrète, ne s'était pas confiée à sa fille. Ou plutôt si, une fois, peut-être.

– La veille de son remariage, elle m'a dit qu'elle avait bien de la chance, à son âge, qu'un homme s'intéresse à elle.

Il y eut un silence. Les deux jeunes femmes avaient l'impression étrange de se trouver à une sorte de frontière, entre deux mondes, entre deux générations. Se pouvait-il que certaines femmes considèrent comme… une *chance* qu'un homme s'intéresse à elle ? Autrefois, aux siècles passés, pour assurer leur survie, aussi simple et tragique que cela ait pu être, oui, peut-être que ç'avait été possible. Mais maintenant, dans les années soixante-dix, cette mentalité existait-elle encore ? Les deux femmes étaient à ce point sur la même longueur d'onde que Françoise crut devoir ajouter :

– Faut la comprendre. Mon père décidait tout, même quand il était très malade. Que voulais-tu qu'elle fasse ? lança-t-elle d'un ton pathétique, qui devint pragmatique dès la phrase suivante. Sans argent, avec aucune notion de gestion, incapable de conduire une auto, toute seule, pas de métier…

Marie-Andrée refusa cette image de servitude et de soumission; elle pensa à sa mère, si autonome dans la réalité quotidienne. Un doute se profila. Sa mère était-elle aussi autonome dans les domaines affectif avec ses enfants et amoureux avec son mari ? La question lui apparut si saugrenue et indiscrète qu'elle se retrancha en elle-même et se questionna. «Et moi, est-ce que je serais comme ça aussi ?» Vivement, des images de sa cohabitation et de ses rapports sexuels avec Ghislain brouillèrent ses pensées de confusion. Elle les rejeta aussitôt. Cette situation de dépendance de la mère de Françoise n'avait aucun rapport avec elle. Avec Françoise, peut-être, mais pas avec elle. «Personne ne viendra me dire si je suis intéressante ou non. Il n'y a que moi qui ai le droit de décider comment je vais être une femme intéressante. Ma vie m'appartient !»

Elle se tut, par respect pour son amie qui, malgré leur amitié, n'avait pas à étaler sa vie de couple devant elle. La réalité quotidienne s'imposa tout à coup.

– As-tu soupé? s'informa-t-elle.

– J'ai pas faim...

– On n'a pas besoin d'avoir faim pour manger les petits plats exotiques de Patrice. Il en reste.

– Je vous ai empêchés de finir de souper.

Les yeux de Marie-Andrée pétillèrent mais elle ne souffla mot, par compassion pour l'une et par discrétion pour l'autre.

– Non, non... on placotait, c'est tout, répondit-elle évasivement. Viens, je vais te trouver quelque chose, dit-elle pour couper court à ses explications.

À la cuisine, Patrice finissait de préparer un plateau pour Françoise.

– J'ai pensé que tu n'avais peut-être pas soupé, lui dit-il gentiment, ne s'attardant pas indûment sur les yeux rougis et la mine défaite.

Elle fut profondément touchée de cette gentillesse. Un tel besoin de tendresse l'habitait, en ce moment, qu'elle accorda une importance exagérée à cette attention qui, en fait, était surtout destinée à Marie-Andrée par le biais de son amie éplorée. Et Patrice avait effectivement atteint son but; la jeune femme le regarda avec une telle reconnaissance qu'ils auraient refait l'amour sur-le-champ.

La porte du vestibule s'ouvrit et des voix animées se firent entendre. Monique rentrait avec ses deux copines, et, par hasard, en même temps que son frère qui ramenait Mariette et deux copains. Françoise se releva vivement pour fuir toute compagnie, Marie-Andrée empoigna le plateau et toutes deux s'enfermèrent à nouveau dans la chambre, d'où elles entendirent Patrice déclarer d'un ton naturel, avec une pointe inhabituelle d'arrogance, que Marie-Andrée s'était couchée tôt et ne voulait pas être dérangée.

La voix de Ghislain s'éleva ensuite. Il semblait plein d'entrain et parlait avec assurance, mais Marie-Andrée décela une contrariété dissimulée sous un ton bluffeur qui ne réussit pas à la tromper. Il était sans doute agacé de la pointe d'arrogance de Patrice et elle sourit malgré elle devant la rivalité flatteuse des deux hommes à son égard.

Retranchées dans la chambre, les filles profitèrent du brouhaha qui créa une diversion pendant quelque temps. Les voix, d'abord contenues, s'enflammèrent quand il fut question des grands événements internationaux qui avaient fait les manchettes des journaux. Ghislain et Hugo Saint-Cyr, son copain depuis le secondaire, aussi trapu que l'autre était grand et musclé, se mirent une fois de plus à défaire et refaire le monde. Tout y passa dont le coup d'État au Chili par lequel le général Pinochet avait renversé le gouvernement du président Salvador Allende, favorable au peuple. Il fut également question de la Grèce, où la république avait été restaurée. Les deux situations, à l'opposé l'une de l'autre, frappèrent l'imagination de Marie-Andrée. Elle y vit la perte de liberté chez les uns et le retour de la liberté chez les autres.

La fin de la guerre du Vietnam retint plus longtemps l'attention du groupe parce que l'un d'eux côtoyait, dans son cours universitaire, un jeune Américain objecteur de conscience qui s'était réfugié au Québec pour échapper à la police militaire. Marie-Andrée se réjouit particulièrement de cette situation;

ainsi, un simple citoyen pouvait s'opposer, individuellement, à une autorité aussi puissante que celle de l'État.

Françoise avait grignoté son repas; elle repoussa le plateau et s'allongea sur le lit en ramenant un pan de la couverture sur elle, comme pour se retrancher en elle-même. Marie-Andrée, qui la connaissait bien, respecta son besoin de retrait et de silence, et la borda gentiment, se contentant de s'étendre près d'elle, pour la réconforter par sa présence.

Dans la cuisine, le ton monta. Ghislain approuvait l'attitude de la Gendarmerie royale du Canada qui avait volé la liste des membres d'un jeune parti politique et Régis, qui venait d'adhérer à ce Parti québécois, s'insurgeait contre ce vol, encore plus inacceptable, précisa-t-il, de la part de forces policières.

– Même Nixon, aux États-Unis, doit répondre de ses actes! renchérit-il, furieux. Le scandale du Watergate n'a pas fini de nous en apprendre! Les gouvernements, ça se croit tout permis! insista-t-il.

– Si les affaires croches t'intéressent tant que ça, Régis, railla Ghislain, t'as qu'à suivre l'enquête sur le crime organisé qui vient de commencer. La mafia à Montréal, on n'a pas fini d'en entendre parler.

– La mafia à Montréal! Voyons donc! protesta Monique.

La discussion dans la cuisine créait un bruit de fond qui isolait encore davantage les deux amies, et leur procurait l'intimité dont Françoise avait besoin pour parler. Son drame individuel refit surface. Elle se rassit et commença enfin à se confier.

Au fur et à mesure qu'elle racontait les discussions acerbes et orageuses du dernier mois, les disputes déchirantes et, enfin, la scène de rupture, elle se rappelait certaines anecdotes de sa vie de couple qui, une à une, éclairaient ou du moins annonçaient la rupture définitive qui venait d'avoir lieu, quelques heures auparavant.

– Quand Jean-Yves m'a parlé de ça pour la première fois, il y a un mois, je me disais que j'avais pas vu ça venir…, murmura-t-elle. Mais aujourd'hui j'admets que, dans le fond, on n'a peut-être jamais été un vrai couple…

Ce constat fit remonter une tristesse latente qui rendit sa séparation encore plus pathétique. Marie-Andrée s'avoua que, pour sa part, elle avait toujours su, au fond, que sa liaison avec Mario n'était pas celle d'un couple, mais qu'elle se résumait à une aventure entre une jeune maîtresse et un homme marié.

– On le sait toujours…, murmura-t-elle, pensive.

– On sait quoi? s'écria Françoise avec une amertume subite. Qu'on va être abandonnée?

Marie-Andrée sursauta. Était-ce bien cela?

– Non, répondit-elle. Que ce n'est pas le bon, tout simplement.

– Mais j'ai été heureuse avec Jean-Yves! protesta Françoise qui avait un besoin vital de se raccrocher à des moments de bonheur et qui n'aurait jamais cru tant souffrir à la seule évocation du nom de son mari.

– Moi aussi, avec Mario, autrefois. Mais pour un temps. C'était peut-être le bon choix dans ce temps-là, mais c'était pas le bon partenaire pour toute une vie.

Les filles ressentirent brusquement la tension de la journée. Marie-Andrée avait pensé faire couler un bain à Françoise pour la détendre, mais il était trop tard, maintenant, pour réquisitionner la salle de bains avec tout ce monde dans l'appartement. Elle la garda à coucher et lui offrit de l'héberger, le temps de voir venir les événements, si cela pouvait l'aider.

– Quand il y a de la place pour quatre, il y en a pour cinq! l'assura-t-elle très sincèrement.

Une fois couchée, Françoise reposa la question qu'elles avaient débattue, plusieurs années auparavant, après le visionnement du film *Un homme et une femme.*

– Est-ce que ça existe, l'amour? L'amour qui dure?

Elles ne le savaient plus ni l'une ni l'autre.

– L'amitié a l'air plus sûre! rétorqua Marie-Andrée en riant pour détendre l'atmosphère.

Les deux filles s'étreignirent, rassurées de la présence réconfortante de l'autre depuis tant d'années. Françoise, plus prude que son amie, trouva tout à coup gênant de se trouver ainsi dans les bras de Marie-Andrée et elle recula à sa place, de l'autre côté du lit. Une question lui brûla soudain les lèvres.

– T'as déjà pensé... à... à... faire l'amour avec une femme? demanda-t-elle tout bas.

À son tour, Marie-Andrée recula, presque imperceptiblement. Elle se rappela le bref épisode homosexuel de son frère Luc et le doute qu'elle avait ressenti. Si son jumeau avait des pulsions de cet ordre, en avait-elle aussi pour les femmes sans se l'avouer? Mais son corps, encore habité des caresses de Patrice, répondit pour elle.

– Non, affirma-t-elle honnêtement. Je n'ai jamais éprouvé d'attrait sexuel pour une femme.

Elle tapota son oreiller, se trémoussa, se chercha une position pour dormir, en concluant, avec de l'excitation dans la voix :

– Un homme et une femme, je trouve que c'est fait pour aller ensemble… Bonne nuit, Françoise, dit-elle en lui tournant le dos.

Sa réflexion se poursuivit néanmoins. Ghislain menait une vie insouciante en s'assurant que son corps recevait tout son dû. Patrice jonglait avec des questions existentielles et souhaitait parvenir, un jour, à se dégager de l'emprise du corps. Deux hommes différents, deux manières d'exister au quotidien. Avec Ghislain, l'amour ou, du moins, les gestes de l'amour sans attaches. Avec Patrice, l'amitié et… elle ne savait trop. L'aimait-il? Et elle, que ressentait-elle pour lui? Son questionnement se dénoua de lui-même. Pourquoi s'interroger quand il n'y avait aucune raison de choisir, de toute façon?

Les souvenirs heureux des moments avec Patrice lui ramenèrent la joie au cœur et une chaleur agréable et diffuse partout en elle. Puis le chagrin de Françoise s'imposa à nouveau. Décidément, la soirée avait été mouvementée, mais fort différente de ce qu'elle avait prévu en quittant son travail à la caisse. Ce constat lui rappela un détail qui lui était apparu si important sur le coup et qui, maintenant, lui semblait dérisoire devant la situation affligeante de sa meilleure amie.

– Au fait, dit-elle, presque en s'excusant, j'ai eu une promotion aujourd'hui! Je suis devenue caissière principale.

Françoise ne répondit rien, elle venait de tomber lourdement dans le sommeil, épuisée physiquement et moralement. Déçue que l'annonce de sa promotion ne produise aucun effet, Marie-Andrée eut une moue de dépit. Ce n'était pas rien, pourtant! À son travail, un poste était devenu disponible de façon inattendue et aucune autre caissière n'avait acquis plus d'ancienneté qu'elle. Et surtout, il n'y avait pas de caissier parmi le personnel pour rafler la promotion, comme si cela allait de soi, du seul fait qu'il soit un homme. Quoi qu'il en soit, la qualité de son travail était enfin reconnue. Soupirant tout de même de l'absence de réaction à sa bonne nouvelle, elle n'en voulut pas pour autant à Françoise et eut un élan de compassion pour sa grande amie, qui avait certainement plus besoin de réconfort que de reproches.

Elle pensa tout à coup à sa visite, la veille : elle était allée chez ses parents, à l'occasion de la fête des Mères. « Dommage que je n'aie pas appris ma promotion vendredi dernier. Ça aurait fait plaisir à maman de l'apprendre. » Elle soupira, espérant toujours, inconsciemment, l'approbation ou une fierté légitime de sa mère à son égard.

Fatiguée, elle aussi, après sa journée mouvementée, Marie-Andrée bâilla, s'étira, attrapa le réveil, le remonta et le déposa machinalement sur la table de chevet. Puis elle s'endormit le sourire aux lèvres en se rappelant les tendres caresses de Patrice.

2

Marie-Andrée dormit mal, soucieuse de ne pas effleurer Françoise dans son sommeil de crainte que cette dernière, déjà perturbée, ne s'imagine qu'elle lui faisait des avances. Elles se réveillèrent tôt et Françoise s'obligea à se rendre au bureau de traduction, comme d'habitude, pour s'empêcher de s'effondrer à nouveau. À son tour, Marie-Andrée alla travailler avec soulagement, en éprouvant une sorte de mauvaise conscience comme si le fait d'échapper aux malheurs de son amie était une sorte de trahison.

À la caisse, monsieur Langelier, le gérant, l'amena dans son bureau. Cet homme rondelet, au milieu de la quarantaine, portait depuis peu des lunettes pour corriger sa presbytie, qui l'avaient fait se sentir vieux pendant plusieurs semaines. Il précisa les nouvelles conditions salariales de son employée. La jeune femme réalisa qu'elle ne disposait d'aucune marge de négociation comme dans ses deux précédents emplois et comme cela s'était produit à son arrivée comme caissière. Cela lui parut un peu humiliant. Était-elle une enfant à qui on donne des ordres sans qu'elle ait son mot à dire ou était-elle une adulte suffisamment compétente pour être embauchée et, aujourd'hui, digne de recevoir une promotion? Malgré les récriminations qu'elle aurait pu formuler, elle ne protesta pas, élevée à obéir sans discussion et répétant ce comportement au travail par réflexe.

Quelques instants plus tard, comme les autres caissières, elle ouvrit son comptoir aux sociétaires qui entraient déjà, la porte à peine déverrouillée.

Le premier sociétaire n'avait pas l'air pressé. Au contraire, l'homme maigre, dans la cinquantaine, serait bien resté longtemps à reluquer la jeune femme au joli visage à peine maquillé et au teint frais. «Une belle fille... Elle ne doit pas dormir toute seule», soupira-t-il intérieurement. Comme Marie-Andrée avait la tête légèrement penchée au-dessus de ses documents, il la contempla à son aise, glissant un regard caressant sur la longue chevelure brune, puis sur la blouse moulante et extensible aux couleurs psychédéliques et aux motifs en zigzag, qui arrondissait la poitrine ferme à défaut d'être imposante. Il imagina la jeune caissière de taille moyenne et probablement mince, à en juger par ce qui dépassait du comptoir, et il se plut à lui prêter ses rêveries.

Étrangère à ce fantasme, la caissière semblait avoir oublié sa présence dans le calcul méticuleux de la transaction. En effet, les 1er et 15 du mois, les sociétaires de cette caisse populaire, comme bien d'autres à Montréal et ailleurs au Québec, payaient leur hypothèque ou leur emprunt personnel. Marie-Andrée Duranceau, qui était affectée depuis un an à ces remboursements, devait donc calculer les intérêts courus et, ensuite, en amortir le capital du solde du paiement. C'étaient là des calculs somme toute assez simples, mais cela demandait une attention soutenue, avec les emprunts, les taux d'intérêt et les échéanciers qui variaient d'un emprunteur à l'autre.

Quand elle appuya sur la touche TOTAL, elle ne put s'empêcher de sourire à demi. «Encore heureux que la calculatrice soit électrique, convint-elle avec une moue inconsciente en déchirant la bande de papier pour en vérifier attentivement les nombres. Quand j'ai commencé à travailler ici, il fallait actionner la grosse machine à calculer en tirant avec effort sur le manche pour obtenir le résultat de l'opération. Des plans pour se développer le bras droit comme celui d'un boxeur!»

Elle revint à son travail : une erreur n'était jamais prisée par les sociétaires, et encore moins par le gérant, et ce n'était certainement pas le moment de commettre une bévue. Cette pensée la ramena à sa promotion, ce qui l'émoustilla, et elle eut du mal à se concentrer sur son travail de comptabilité. Ses calculs vérifiés une dernière fois, elle tamponna d'un coup sec la copie du sociétaire, brisant la rêverie sensuelle de ce dernier, ainsi que ses propres pensées agitées.

– Voilà! dit-elle en remettant à l'homme le reçu et le carnet dans lequel elle avait inscrit la somme versée ainsi que le solde, en prenant soin d'écrire les chiffres lisiblement, sans ambiguïté. Avez-vous une autre transaction à effectuer? ajouta-t-elle pour lui rappeler que quelqu'un d'autre attendait son tour.

Elle saluait déjà la sociétaire suivante, qui s'approcha du comptoir. Forcée de tendre l'oreille pour bien entendre la voix discrète de la menue madame Giroux tassée par les ans, la jeune caissière se concentra sur son travail. Une fois de plus, elle remplit le bordereau de dépôt de la vieille dame qui ne s'habituait toujours pas à le préparer elle-même, malgré tous les incitatifs publicitaires à cet effet.

À l'heure du dîner, Marie-Andrée grignota seulement, surexcitée à cause de sa promotion qui serait annoncée dans quelques heures, et encore sous le choc de la séparation de Françoise et de Jean-Yves. Le court après-midi lui aurait paru interminable, même si la caisse fermait à quinze heures, si un incident, peu fréquent heureusement, n'était venu le perturber.

Micheline, une jeune commis à la longue chevelure d'ébène, fut incapable de trouver la fiche d'un certain Germain Bonneau et revint bredouille en informer discrètement la caissière. Cette fiche était introuvable dans le long casier en métal qui comprenait les fiches de tous les membres de la caisse. Si un sociétaire se présentait au comptoir une seconde fois dans la même journée, sa fiche n'aurait pas encore été rangée dans le casier, pour les besoins de la vérification quotidienne de toutes les transactions à la fermeture des comptoirs. Marie-Andrée supposa que c'était le cas et s'en informa auprès de l'homme.

– J'ai d'autre chose à faire que de venir à la caisse deux fois par jour! jeta-t-il à voix haute.

Elle fut humiliée des regards qui se tournèrent vers elle et elle redemanda, du ton le plus poli qu'elle put trouver, le numéro du folio.

– 3518! articula-t-il sèchement.

Malgré la réplique assenée d'un ton désobligeant, la caissière s'excusa du léger délai et partit chercher elle-même la fiche. Ses doigts plongèrent au tiers du casier et ses yeux lui confirmèrent qu'elle était dans les 3000. Avec des gestes habitués, ses doigts agiles parcouraient rapidement les fiches. Et ils passèrent ainsi de 3517 à... 3519! Une seule conclusion s'imposait : la fiche avait été mal classée! Elle pouvait donc se trouver n'importe où dans le long casier métallique. «Il fallait que ça m'arrive! se dit Marie-Andrée. Et à lui!» pensa-t-elle encore en jetant inconsciemment un regard vers l'homme pointilleux et arrogant qui, de l'autre côté du comptoir, s'impatientait, regardait sa montre, soupirait fort, et qui finit par grogner, d'une voix exaspérée :

– Quand c'est classé comme il faut, ça se trouve, une carte, il me semble!

Marie-Andrée lui jeta un coup d'œil meurtrier. Elle supportait mal de se faire attribuer une erreur qui ne relevait pas d'elle, et elle se demanda si le caractère désagréable de Germain Bonneau était inversement proportionnel à sa petite taille. En effet, celui-ci faisait à peine un mètre soixante. Était-ce une vengeance inconsciente que d'enquiquiner les autres, en général de plus grande taille que la sienne? songea-t-elle, énervée. Elle reprit sa recherche dans le casier depuis le début, humiliée de se faire zieuter, s'imaginant que les sociétaires qui attendaient en file n'avaient rien d'autre à faire que de suivre ses mouvements des yeux.

Elle eut tout à coup l'intuition que l'erreur provenait peut-être d'une inversion de chiffres. Tout en gardant sa main gauche à la fin des fiches vérifiées, pour ne pas avoir à les réviser à nouveau, elle plongea sa main droite plus loin, cherchant le 5318 au lieu du 3518 et, effectivement, elle dénicha rapidement la fiche. Elle ragea devant cette bête erreur d'inversion. Dans un tel cas, les initiales de la caissière, apposées à côté de la dernière transaction, ne prouvaient rien : les fiches étaient classées par l'une des deux commis, Micheline ou Gisèle. « Quand il s'agit d'attirer l'attention des hommes, elle est toute là, la Micheline ! Mais quand il s'agit de travailler comme du monde... ça ! »

Dans le stress du moment, le souvenir d'une musique de discothèque assourdissante emplit soudain le cerveau de Marie-Andrée qui se revit, dansant allègrement au rythme d'une chanson à la mode, *Y.M.C.A.* Les lueurs du stroboscope hachurant les danseurs effrénés s'imposèrent si intensément qu'une jalousie lui revint douloureusement au cœur. Ce soir-là, le regard de Ghislain s'était soudain allumé alors qu'il reluquait manifestement quelqu'un d'autre, derrière sa partenaire. Dans les mouvements de la danse et les lueurs saccadées, Marie-Andrée n'avait repéré d'abord qu'une chevelure de femme, noire comme le jais. Puis elle avait identifié la danseuse, ne sachant trop si le fait de la connaître était un avantage ou non. La jeune femme l'avait aperçue à son tour et l'avait saluée sans cesser de se trémousser, ignorant complètement le regard de convoitise dont elle était l'objet de la part du copain de sa camarade de travail.

— Allô ! avait-elle crié joyeusement.

— C'est Micheline ! avait précisé Marie-Andrée à Ghislain en guettant son regard. C'est Ghislain ! avait-elle ajouté à l'attention de l'autre.

— Salut ! avait dit celui-ci en souriant d'un air enjôleur.

— On travaille ensemble à la caisse, avait tout simplement dit Micheline en se retournant vers son partenaire du moment, nullement intéressée à un autre homme pour le moment.

Ghislain, dépité, s'était détourné lui aussi, feignant l'indifférence.

Marie-Andrée écarta ce souvenir mortifiant et revint au mouvement de ses doigts qui retiraient prestement la fiche du sociétaire enfin récupérée. Son énergie ayant été changée par ce court incident, Marie-Andrée trouva le temps moins long, même si elle jetait de fréquents coups d'œil à la grosse horloge circulaire sur le mur qui faisait face à la porte. Jamais elle n'avait eu si hâte de balancer sa caisse à la fin de la journée.

Encore dans l'euphorie de sa promotion, elle réalisa que, la semaine suivante, ce serait à elle de vérifier le rapport des caissières. Aussi s'efforça-t-elle de compléter le sien avec grand soin : il fallait compiler les bordereaux de dépôt et de retrait, les factures de téléphone et d'électricité et les frais divers, auxquels s'ajoutaient aujourd'hui les paiements des hypothèques et des prêts. Puis, il fallait vérifier soigneusement les nombres inscrits sur les documents et, enfin, équilibrer toutes ces transactions avec la liquidité qui restait dans son tiroir-caisse à la fermeture de son comptoir, comparativement à celle qu'il contenait à l'ouverture.

Cela fait, elle s'assura que son tiroir-caisse était prêt pour le lendemain. Avait-elle la liquidité minimale habituelle pour chacune des coupures de 20 $, 10 $, 5 $, 2 $ et 1 $? Elle ne garda que le nombre de billets nécessaires, puis entoura le surplus d'une bande de papier sur laquelle elle nota la somme qu'elle remettait, ainsi que la date. Quant à la monnaie, il lui manquait des pièces de 25 ¢ et de 5 ¢. Cette fois, elle inscrivit la quantité à demander à l'imposante première caissière, une maîtresse femme à l'allure masculine et arborant un léger duvet au-dessus de sa lèvre supérieure, mais au caractère conciliant. Marie-Andrée se dirigea aussitôt vers elle, comme elle l'avait fait chaque jour de travail depuis quatre ans.

D'un regard neuf, elle l'observa pénétrer dans la chambre forte avec le comptable à l'allure sportive, pour y enfermer tous les documents et l'argent dans le coffre-fort, au fond de la petite pièce. Enfin, la lourde porte de la chambre forte fut refermée, et verrouillée du même coup. Les tâches bancaires étant terminées, la réunion du personnel pouvait enfin commencer; déjà sa camarade Carmen, toujours pressée de quitter les lieux après le travail, s'impatientait.

Sitôt assis, Gervais Langelier commença la réunion même si ses documents n'étaient pas encore tous rassemblés. Il replaça ses lunettes qui l'agaçaient, puis, comme l'ordre du jour était chargé, même s'il ne comportait que deux points importants, il procéda avec célérité. Le grand projet était enfin devenu réalité et, dès le lundi suivant, tout serait mis en marche. Comme de nombreuses autres caisses populaires, la leur allait s'informatiser. Le terme était si peu connu que le gérant se lança dans des explications concises mais efficaces. Marie-Andrée écouta avec toute son attention; cela ne ferait pas avancer la réunion plus vite, mais elle trouverait sans doute le temps moins long.

Le gérant rappela que, jusqu'à présent, toutes les opérations avaient été effectuées avec des calcula-trices. Dorénavant, avec l'ordinateur, cette invention récente dont peu de gens avaient entendu parler, il suffirait d'entrer l'information à l'aide d'un clavier ressemblant à celui d'une machine à écrire et de préciser l'opération souhaitée; l'appareil effectuerait lui-même tous les calculs.

De même, jusqu'à présent, toutes les inscriptions – dans le livret des sociétaires, sur la fiche de leur dossier rangée dans le casier et dans le grand livre – avaient été faites à la main. Dorénavant, cette machine, l'ordinateur, inscrirait elle-même les transactions effectuées et le nouveau solde dans les livrets des sociétaires.

– Et les fiches dans le casier? demanda Fernande, qui y avait noté des transactions pendant tant d'années.

– Ce casier ne sera plus nécessaire.

En effet, l'ordinateur stockerait lui-même toutes les transactions de la journée : dépôts, retraits, paiement de factures et commissions, et remboursements d'emprunt puisque ceux-ci, qui seraient désormais facilement comptabilisés, pourraient être effectués n'importe quel jour du mois.

Toute cette information serait mémorisée dans ce que le gérant nomma un *fichier* et transmise instantanément à l'ordinateur central, à la Fédération des Caisses populaires de Montréal. Cette procédure rendrait donc caduque l'inscription dans le grand livre puisque le rapport des transactions quotidiennes leur parviendrait directement de la Fédération le lendemain matin.

– Et la compensation des chèques? demanda madame Trottier, la doyenne.

– Elle sera faite d'une institution bancaire à l'autre, répondit Hervé Beaudry, le comptable sportif, même s'il faudra tout de même expédier les chèques et autres documents bancaires par courrier interne.

— Les remboursements d'hypothèque et de prêts personnels, demanda Marie-Andrée, l'ordinateur les comptera aussi?

— Bien sûr! Il répartira lui-même les intérêts sur le capital.

D'une question à l'autre, les employées se familiarisaient avec cette technologie inconnue et son vocabulaire : données, fichier, mémoire, etc., et découvraient avec étonnement, ou suspicion, les avantages incontestables que cela représenterait, le premier étant, évidemment, de gagner du temps.

Marie-Andrée n'avait jamais vu un ordinateur de sa vie, même si elle avait lu quelque part que plusieurs compagnies importantes de Montréal en possédaient un. À ce qu'elle avait entendu dire, l'appareil fonctionnait avec des cartes perforées et était si énorme qu'il emplissait quasiment une pièce à lui tout seul.

Pour l'instant, elle ne s'intéressait pas vraiment à sa taille ni à la manière dont il s'acquitterait de son travail, mais plutôt au fait qu'il lui faciliterait sa tâche quotidienne. Un grand sourire éclaira son visage quand elle songea tout à coup, avec amusement, qu'elle avait peut-être effectué aujourd'hui pour la dernière fois les fameux calculs d'intérêt!

L'échéancier qui fut ensuite décrit la fit déchanter. La première phase consisterait en la collecte d'informations, c'est-à-dire à demander à chaque sociétaire son numéro d'assurance sociale, désormais nécessaire pour l'identifier sans erreur possible, et à vérifier les autres informations le concernant, soit : date de naissance, adresse et numéro de téléphone. Ces données seraient ensuite tapées et stockées dans l'ordinateur.

Les caissières sentirent le poids de ce travail fastidieux tomber sur leurs épaules. Le gérant se hâta de préciser que ce travail serait effectué par deux étudiantes qui seraient embauchées pour les mois d'été ; elles se chargeraient de la saisie des données. Tout cela prendrait quelques mois, voire de nombreux mois. Durant ce temps, les caissières seraient tour à tour initiées aux nouveaux appareils.

Fernande, qui avait près de cinquante ans, était atterrée et de la transpiration luisait sur ses tempes grises. Jamais elle ne réussirait à apprendre comment utiliser cette machine dont elle n'avait jamais entendu parler avant le début de cette réunion traumatisante.

Manon, dans toute la beauté de sa trentaine, redressa sa taille svelte et ferme, en un mouvement instinctif de supériorité à peine dissimulée. Son mari suivait des cours du soir en informatique et elle ne put s'empêcher de faire étalage de ses connaissances, même rudimentaires. Elle s'exprimait autant avec ses mains qu'avec des mots et, comme par hasard, ses bagues rutilaient sur ses longs doigts effilés, dans ses gestes gracieux. Elle se rendit cependant rapidement compte que c'était bien son mari, et non elle, qui connaissait l'informatique et elle se tut, avant de s'embourber dans des explications confuses.

Carmen, petite et un peu boulotte, toujours pressée, se préoccupant uniquement de ses jeunes enfants, ne se souciait guère, pour l'instant, des avantages de l'informatique ; elle ne voyait que la corvée de l'apprentissage, qui s'ajouterait peut-être à ses heures de travail, et cela l'inquiétait au plus haut point. Il n'était pas question pour elle d'effectuer des heures supplémentaires; elle avait choisi de travailler dans une caisse populaire pour pouvoir retourner le plus rapidement possible à la maison dans l'après-midi, quand ses enfants revenaient de l'école, et elle tenait à ce que rien ne change. Elle protesta, s'énerva. Monsieur Langelier, contrarié, improvisa et déclara que ces détails seraient discutés à une prochaine réunion.

Marie-Andrée avait réussi à se concentrer depuis le début de la rencontre, mais cet aparté, qui la laissait indifférente, laissa le champ libre à ses pensées qui revinrent à Françoise et à sa séparation de couple. La discussion que Carmen avait entreprise avec le gérant fut brève et finalement, après avoir tant attendu le point suivant à l'ordre du jour, quand il fut enfin abordé, Marie-Andrée ressentit brusquement une telle nervosité qu'elle entendit à peine ce qui fut dit.

Le départ de la doyenne et caissière principale, Rita Trottier, était officiellement annoncé, ainsi que la raison de son départ : madame Trottier déménageait à Rimouski où son mari venait de dénicher un travail plus intéressant. Chaleureuse comme elle l'avait toujours été, elle invita ses compagnes à lui rendre visite si jamais elles passaient là-bas. Stupéfaites d'un départ aussi soudain, Fernande et Micheline, toutes deux montréalaises et n'étant jamais sorties de leur île, se demandèrent où pouvait donc se trouver Rimouski. Rita Trottier avait à peine fourni quelques explications que le gérant ramena son personnel à la réunion en enchaînant sur la conséquence directe de son départ, c'est-à-dire sur le sujet de son remplacement.

– Ainsi donc, le conseil d'administration a accepté que le poste de caissière principale soit offert, à cause de son ancienneté et malgré son jeune âge, à Marie-Andrée Duranceau dont la minutie au travail ne s'est jamais démentie.

Les caissières et les commis furent étonnées; le gérant aurait pu aller chercher un candidat dans une autre caisse. Il y avait bien eu un caissier ici, mais il avait changé d'institution six mois auparavant, ne pouvant déloger Rita Trottier de son poste qu'elle occupait de main de maître depuis presque six ans. Par contre, si le gérant n'avait considéré que ses employées, il n'était pas vraiment surprenant, tout compte fait, que ce soit Marie-Andrée Duranceau qui l'obtienne.

Fernande, la doyenne des caissières, se sentait en sécurité dans son poste et n'avait même jamais voulu s'occuper des remboursements. Manon était compétente et expérimentée, mais elle déménageait aux deux ans à cause des mutations de son mari. Carmen n'était revenue sur le marché du travail que depuis un an et, comme elle venait de le préciser, elle refusait toujours d'effectuer des heures supplémentaires; elle n'était donc pas la candidate idéale pour une promotion.

Quant aux deux commis, elles ne pouvaient pas sauter un échelon administratif. Ni la rieuse et insouciante Micheline aux longs cheveux noirs, ni Gisèle, la dernière venue sérieuse et discrète, n'étaient admissibles; elles devaient d'abord acquérir l'expérience de caissière. L'une d'elles aurait d'ailleurs l'occasion de le faire dès le lendemain : comme l'un des guichets devenait vacant, il fallait forcément une autre caissière. Ce serait Gisèle, informée la veille, elle aussi, de sa promotion.

Les deux employées avaient été informées à l'avance de leur promotion, mais elles apprirent celle de l'autre à la réunion seulement, et chacune fut contente pour sa collègue. «Elle travaille bien; elle mérite ça», pensa Marie-Andrée. «Je suis contente que ce soit elle, pensa pour sa part Gisèle, elle n'est pas gênante.»

Micheline ne riait pas. La promotion de commis à caissière venait de lui passer sous le nez même si elle avait plusieurs mois d'expérience de plus que Gisèle. Elle crut que Marie-Andrée avait eu son mot à dire dans ce choix et elle lui en voulut. Et elle se rappela, elle aussi, l'incident de la discothèque, et le regard de Ghislain.

À la fin de la réunion, Marie-Andrée accepta nerveusement les félicitations de ses compagnes, à l'exception de la jeune commis aux cheveux d'ébène, et avec soulagement l'offre de Rita d'arriver une heure plus tôt le lendemain matin pour commencer un entraînement qui allait être des plus brefs, de quelques jours à peine, puisqu'elle les quittait dès vendredi.

Le gérant en avait décidé ainsi pour deux raisons : la nouvelle caissière principale connaîtrait suffisamment ses nouvelles responsabilités pour être efficace dès le lundi suivant, mais il pourrait lui-même parfaire sa formation à sa manière, qui différait un peu de celle de Rita Trottier, et qu'il avait dû accepter, étant arrivé à la caisse après elle.

Quand elle arriva à l'appartement, désert et silencieux, Marie-Andrée récupéra un peu de sommeil de la nuit précédente et se libéra du stress de la journée.

51

Après un certain temps, elle se réveilla : Ghislain venait de rentrer et de s'étendre langoureusement près d'elle, ses cheveux roux luisant sous le rayon de soleil de fin d'après-midi qui entrait par la grande fenêtre.

– Patrice m'a informé de ta promotion, hier. J'aurais dû rentrer plus tôt, si j'ai bien compris...? risqua-t-il, en la regardant intensément.

À ce rappel, elle eut spontanément une lueur coquine qui griffa le cœur de Ghislain malgré lui.

– Veux-tu qu'on fête ça ce soir? proposa-t-il en se rapprochant encore davantage.

Elle se nicha au creux de ses larges épaules protectrices et il l'enlaça avec désir. Mais, troublée par la séparation de Françoise, émoustillée par sa promotion et en voulant encore à Ghislain de ne pas avoir été là pour elle, la veille, tout en s'avouant confusément qu'elle avait beaucoup aimé faire l'amour avec Patrice, elle dit simplement, en se levant :

– J'ai une faim de loup!

Au restaurant chinois où ils échouèrent, il la fit parler longuement de sa promotion, puis en arriva à ce qui la préoccupait, c'est-à-dire la situation de sa grande amie, ce qui, étrangement, semblait beaucoup le déranger.

– On n'est pas tous des Jean-Yves, finit-il par énoncer d'un air détaché qui ne trompa pas sa vis-à-vis.

Elle le regarda avec étonnement. Où voulait-il en venir? Elle le trouvait bizarre ce soir. Qu'avait-il fait de sa spontanéité habituelle?

– Non, mais c'est vrai, insista-t-il, se faire vivre par Françoise et la laisser tomber dès qu'il commence à travailler et à recevoir un gros salaire, c'est moche.

Sa partenaire crut d'abord qu'il s'agissait d'un certain dépit causé par le changement de statut économique de Jean-Yves, qu'il avait considéré jusqu'ici comme un étudiant endetté, donc beaucoup moins intéressant que lui qui jouissait d'un excellent salaire et d'une sécurité professionnelle à toute épreuve au ministère du Revenu. Marie-Andrée se sentit solidaire de Françoise : toutes deux gagnaient moins que les deux hommes. C'était frustrant. Elle n'en comprit que mieux l'humiliation exprimée par Françoise la veille. Mais elle ne croyait pas pour autant à la mauvaise foi de Jean-Yves.

— Il paraît qu'il l'a quittée pour une jeune femme médecin, commenta-t-elle. Ils ne se connaissaient même pas avant de travailler au même hôpital. Il n'a quand même pas bluffé ou triché pendant quatre ans!

Ghislain sourit d'un air condescendant. La naïveté de Marie-Andrée le renversait chaque fois. Mais il aurait joué contre lui, ce soir, en dénigrant davantage une attitude masculine, quelle qu'elle puisse être.

— Tu crois que ça existe, l'amour durable? lui demanda-t-elle brusquement, comme frappée par le fait que les femmes et les hommes n'aimaient peut-être pas, et n'aimeraient peut-être jamais de la même façon.

Il se raidit : «L'amour durable? Autant s'enfermer vivant!»

— L'amour, finit-il par répondre, c'est comme… les arbres. Ça change tout le temps parce que c'est vivant.

Elle fit la moue, déçue de sa réponse facile.

— Oui mais les arbres, eux, ils restent à la même place, précisa-t-elle.

Elle le regarda longuement. Patrice lui aurait-il fait ce genre de réponse? Ghislain était contrarié de la tournure de la discussion. Son but était de se faire voir beaucoup plus fiable que Jean-Yves. Amadouer Marie-Andrée Duranceau avait été une tâche de longue haleine. Il savait que son premier amour déçu avait laissé chez elle une méfiance qu'elle ne lui avait jamais avouée, et peut-être même pas à elle-même, pensait-il ce soir. Comme elle avait eu besoin de temps, il lui en avait donné. Mais il avait deviné que son absence, la veille, lui avait nui et que Patrice en avait profité; il l'avait su au regard arrogant et victorieux que ce dernier lui avait décoché à son retour du cinéma. Et depuis qu'il avait appris ce qui venait d'arriver à Françoise, connaissant la profondeur de l'amitié entre les deux filles, il craignait que Marie-Andrée se méfie encore plus des hommes en général et de lui en particulier.

Ces situations inattendues avaient bousculé les rapports des uns avec les autres et l'obligeaient à dévoiler ses positions plus tôt que prévu. Mais la soirée ne se passait pas comme il l'avait imaginé et sa partenaire n'avait plus le cœur à un tête-à-tête, et encore moins à la bagatelle, c'était évident. Aussi rentrèrent-ils à l'appartement, déçus l'un et l'autre dans leurs attentes. Il continua à espérer, sans trop y croire, que, la soirée étant encore jeune, ils la finiraient ensemble au lit.

La porte d'entrée claqua derrière eux. Françoise rappliquait dans un état survolté. Elle ne voulait plus voir son mari de sa vie, ni passer un instant de plus dans son logement.

— Comment ça, *son* logement? protesta Marie-Andrée. C'est le vôtre!

– Le nôtre? s'écria-t-elle avec hargne. Il n'y a plus rien à *nous*! gémit-elle avec amertume. Je ne veux plus rien savoir de lui. (Elle se tut un instant, puis demanda, d'un ton déchirant :) Est-ce que je peux déménager ici?

Marie-Andrée ne demandait qu'à l'aider et acceptait volontiers que sa grande amie s'installe avec eux. Mais l'appartement ne lui appartenait pas et elle regarda Ghislain. Celui-ci ne pouvait refuser : avec son caractère entier, Marie-Andrée était capable de déménager avec sa copine pour la dépanner. Patrice ne se montra pas défavorable, au contraire. Monique, qui sortait de la douche, haussa les épaules avec indifférence. La nouvelle venue pouvait donc rester... dans la chambre de sa copine, évidemment, puisqu'il n'y en avait que quatre.

Françoise, encore plus abattue que la veille, demanda alors à ses nouveaux colocataires de l'aider à déménager sur l'heure.

– Ce soir? protesta Ghislain, décidément contrarié dans ses projets. Pas question! En fin de semaine, demain soir, si tu veux, mais pas ce soir!

Dans son désarroi, Françoise ne se rendait pas compte que sa demande était irréfléchie, à huit heures du soir, mais rien ne put la faire revenir sur sa décision. Elle quittait son mari maintenant, tout de suite, et elle n'emportait que ses effets personnels. Les autres eurent beau protester, parler d'un partage équitable de la vaisselle, des meubles, etc., elle demeura intraitable.

– Je ne veux rien lui devoir.

– Mais tu ne lui dois rien! rétorqua Marie-Andrée, en s'impatientant. C'est toi qui payais tout!

Médusée, Françoise, la raisonnable Françoise réalisa qu'elle se retrouvait sans un sou devant elle, sans mobilier, sans rien, sauf une vieille auto. Cette découverte brutale lui apparut crûment. Au cours des bouleversements du dernier mois, elle avait entrevu cette éventualité, bien sûr, mais l'avait reléguée au second plan, comme si les questions d'argent étaient indignes même de la fin misérable de son mariage. Ce soir, cet aspect pratique s'imposait dans toute la réalité de la vie quotidienne.

Effarée, sur le point de retomber dans le déni, elle préféra s'entêter dans sa décision plutôt que de revenir pour la nième fois à la même conclusion : là aussi, elle était nulle. Nulle comme elle l'avait été comme épouse puisque son mari la quittait. Nulle comme femme puisqu'une autre femme était devenue en quelque mois, plus intéressante aux yeux de Jean-Yves qu'elle-même en quatre ans.

Exténuée, le moral à zéro, elle éclata en sanglots. Marie-Andrée, bouleversée, insista pour que le déménagement se fasse sans autre délai. Patrice accepta de l'aider dès ce soir. Ghislain, furieux, n'avait plus le choix : allait-il le laisser au premier plan deux soirs de suite?

– Sacrament! ne put-il s'empêcher de grogner en trébuchant dans l'escalier extérieur courbé alors qu'il grimpait pour la septième fois au logement de Françoise.

Il se trouvait niais d'avoir cédé et en voulait à Marie-Andrée de ne pas avoir raisonnée sa copine.

À la fin de la soirée, la chambre d'habitude ordonnée, comparativement aux trois autres, ressemblait à un capharnaüm avec des piles de vêtements encore sur leurs cintres échoués dans un coin, des manteaux sur les deux chaises, des articles de toilette sur le rebord de la fenêtre. Quant au vélo, Marie-Andrée n'avait pu réprimer une exclamation d'impatience en le voyant parmi tout le reste.

– Ah non! C'est assez à l'envers comme ça!

Françoise s'était sentie de trop, encombrante, et son amie avait regretté sa spontanéité, son manque de générosité. Françoise ne vivait-elle pas une semaine éprouvante? L'hôtesse oublia qu'elle aussi vivait une semaine éprouvante avec sa promotion, son entraînement intensif à commencer le lendemain matin et le soutien qu'elle lui offrait.

Quand vint le moment de se coucher, découragée, elle hésita à entrer dans sa propre chambre tant cette dernière était sens dessus dessous. Ghislain, dont le désir avait été exacerbé par toutes ces contrariétés, revint à la charge et l'embrassa dans le cou.

– Je t'offre l'hospitalité, si tu veux…

En la voyant aller dans l'autre chambre, Françoise vécut un autre moment de confusion. Devait-elle se sentir de trop ou lui en vouloir d'afficher sa nuit amoureuse sans pudeur? À bout de nerfs, elle se déconnecta de son questionnement incessant des derniers jours et, se lovant dans les couvertures, elle apprécia soudain sa solitude. Au creux des draps, se sentant à l'abri et en confiance dans cet appartement où elle était entourée d'amitié, elle pleura à son aise pendant qu'un rayon de lune effleurait ses articles de toilette et de maquillage sur le rebord de la fenêtre. «Me faire belle? Pour qui? Ma vie est finie…»

Dans la chambre d'à côté, Marie-Andrée, surexcitée par ce déménagement impromptu d'un second étage à un premier avec son lot d'escaliers, stressée par ses nouvelles fonctions, ressentit un grand besoin d'exorciser le naufrage du couple de Françoise et Jean-Yves. Elle ouvrit les bras à Ghislain qui l'emporta avec lui dans la passion.

Le lendemain matin, elle sauta du lit en catastrophe, se rappelant qu'elle devait arriver au travail une heure plus tôt. Elle quitta à regret le lit chaud où son amant espérait lui refaire l'amour avant de se lever.

La jeune femme retrouva la caissière principale à l'heure convenue. Avec la journée chargée qui commençait, ses pensées se canalisèrent rapidement sur son apprentissage. Travaillant à cette caisse depuis quelques années, elle savait que seules quelques personnes pouvaient accéder à la chambre forte et au coffre-fort. Il fallait aussi diverses combinaisons et codes, et l'une des serrures fonctionnait même avec un délai d'ouverture. Elle le savait d'autant plus qu'elle était l'une des personnes impliquées dans l'un des processus depuis le départ du caissier, quelques mois auparavant.

Ce matin, on lui révélait la procédure de sécurité au complet puisqu'elle devrait dorénavant, avec le comptable, placer de l'argent dans le coffre-fort ou en retirer.

— Dès que je serai partie, tu feras enlever mon code et entrer le tien, précisa madame Trottier.

Sa remplaçante la regarda avec étonnement. Cette femme était l'honnêteté même et elle vivrait à des centaines de kilomètres; toutes ces précautions étaient-elles vraiment nécessaires? Son regard dut être éloquent parce que Rita jugea bon d'ajouter un commentaire :

– Quand il y a de l'argent en jeu, surtout celui des autres, il faut être très prudent. Changer les codes, ça vous protégera, toi et le comptable, et moi aussi.

Les caissières arrivèrent une à une, reçurent leur tiroir-caisse, le vérifièrent, même si elles avaient tout préparé la veille. Placée ainsi en observatrice, Marie-Andrée remarqua pour la première fois que Carmen, toujours aussi vive et pressée, avait tendance à ne pas écouter jusqu'au bout quand on lui parlait, que Fernande ne supportait pas la moindre remarque et que Manon était plus compétente qu'elle ne l'avait cru. «C'est vrai que, à changer d'emploi régulièrement, on doit piger vite», se dit-elle, réalisant que cela s'appliquait à elle aussi, qui en était à son troisième. Micheline, qui serait seule commis jusqu'à l'arrivée d'une nouvelle employée dans les prochains jours, ne reçut pas d'autre tâche; elle en aurait déjà suffisamment à effectuer le travail habituel de deux commis. Gisèle, pour sa part, commençait dès aujourd'hui son entraînement avec madame Trottier.

Avec diplomatie et fermeté, cette dernière gérait tout cela dans l'harmonie, respectant la sensibilité et la susceptibilité de chacune. Il était clair que la fonction de caissière principale, si elle concernait surtout des procédures bancaires, impliquait aussi des relations avec chacune des caissières, dont la plupart étaient plus âgées que Marie-Andrée. Celle-ci en fut intimidée, enviant l'aisance de madame Trottier et sa bonhomie.

– C'est pas tout, manipuler de l'argent, lui rappela cette dernière avec un clin d'œil complice. On doit tout surveiller en même temps, même les humeurs des employées.

Vers quinze heures trente, les vérifications étaient toutes complétées. Les caissières remirent le total des transactions au comptable qui les inscrivit dans le grand livre et madame Trottier vérifia ces écritures comptables, puis apposa ses initiales. Une fois que les caissières eurent préparé leur tiroir-caisse pour le lendemain, elles remirent leurs surplus à la caissière principale, qui montra à sa remplaçante comment préparer l'envoi de sommes excédentaires, que l'on confiait à la Brinks, la compagnie spécialisée en transport d'argent, et, à l'inverse, comment en réclamer à la Fédération, à Montréal.

Puis, madame Trottier et elle allèrent, avec le comptable, ranger les tiroirs des caissières et l'argent dans le coffre-fort, à l'intérieur de la chambre forte. Il s'agissait là d'une règle stricte à ne jamais transgresser. Il était essentiel, pour éviter toute accusation de fraude, d'être toujours deux personnes à vérifier et à contresigner le relevé indiquant les sommes précises que renfermait la chambre forte à la fermeture, à déposer ces sommes dans le coffre-fort et à les vérifier le matin suivant, à l'ouverture. Et, bien sûr, les deux personnes devaient, toujours ensemble, verrouiller la porte de la chambre forte et la rouvrir le lendemain.

En une journée, Marie-Andrée avait expérimenté une notion qu'elle connaissait confusément, mais qui prenait une tout autre dimension aujourd'hui avec ses nouvelles fonctions. La caisse pour laquelle elle travaillait était une succursale d'une institution bancaire. Il ne s'agissait donc pas de se conformer aux directives du gérant ou du comptable, ce qui dénoterait une vue bien courte, mais, au contraire, d'élargir son horizon, et de beaucoup. Les Caisses populaires, comme institution bancaire, avaient bâti leur crédibilité depuis leur fondation en 1901 et, après avoir mis une cinquantaine d'années à démarrer vraiment, elles commençaient à être reconnues sérieusement dans le monde bancaire qui, lui, existait depuis des centaines d'années. Marie-Andrée Duranceau comptait pour bien peu dans tout cela, mais elle mesurait mieux l'importance de s'acquitter au meilleur d'elle-même de sa tâche, d'abord par professionnalisme et, maintenant, en raison d'une plus grande conscience de l'ensemble des procédures.

Quand elles terminèrent leur travail, Rita Trottier la complimenta.

— Tu travailles bien. Tu pourras aller loin, si tu veux. Être caissière principale, c'est rien à côté de ce que tu pourras faire. Laisse pas passer ça, conclut-elle avec un certain regret dans la voix.

— Et vous, vous auriez aimé *aller plus loin*, comme vous dites?

La femme d'âge mûr retrouva son humour et sa sérénité après ce bref intermède nostalgique.

— Oh, moi… Travailler à l'extérieur, c'était pas si important pour les femmes de ma génération. Mais pour vous autres, les jeunes femmes, il n'y aura pas de limites; tu sauras me le dire. Le gouvernement commence à peine à réaliser que les femmes ne sont pas traitées sur le même pied que les hommes. C'est pas pour rien que le gouvernement vient de créer le Conseil du statut de la femme.

— Ça va changer quoi? demanda Marie-Andrée qui se souvenait vaguement d'avoir entendu sa mère parler de ce Conseil, dont il était beaucoup question aux réunions de son groupe de l'AFEAS.

– Bien des affaires, j'espère, surtout pour vous autres, les jeunes. Beaucoup de portes vont s'ouvrir pour vous. Profites-en. Et puis, je suis certaine que tu vas aimer ça, toutes sortes de défis.

Cette phrase lui rappela le commentaire de madame Laforest, sa patronne à son premier emploi, au cours d'une brève conversation. «Tu ne sembles pas faite pour la routine.» Dans le métro, elle repensa aux paroles de madame Trottier. Cela voulait dire quoi, *aller loin, avoir de l'ambition*? Avait-elle de l'ambition? Du moins, une ambition professionnelle? Les femmes devaient-elles en avoir?

Elle pensa aux femmes qu'elle connaissait. Sa mère et sa sœur Louise, femmes au foyer. Sa sœur Diane, qui était retournée enseigner en Afrique avec son mari, Gilbert. Sa belle-sœur Pauline, qui vivait maintenant à Toronto, épouse, mère d'un petit garçon de deux ans et toujours secrétaire. Et Françoise, qui se retrouvait sans conjoint mais, heureusement, avec un nouvel emploi beaucoup mieux rémunéré depuis l'obtention, le mois précédent, de son diplôme universitaire en traduction; c'était toujours cela de gagné.

Ces femmes-là avaient-elles de l'ambition? Marie-Andrée ne pouvait répondre pour elles : elle ne pouvait que constater des actions, des résultats visibles. Leurs ambitions, elle ne les connaissait pas, mais celle d'être heureuse devait probablement les habiter toutes. Elle se ravisa. Oui, cette ambition-là, elle était certaine qu'elles la partageaient toutes, elle comme les autres.

Mais le doute nuança sa certitude et la laissa perplexe. Sa mère avait-elle eu l'ambition d'être heureuse? Éva n'avait-elle pas plutôt eu l'ambition d'être une bonne épouse et une bonne mère? Cette précision pouvait créer toute la différence. Et Louise? Sa sœur Louise aux longs cheveux blonds relevés en chignon, dévouée à son mari Yvon et à leurs trois enfants, avait-elle une ambition? Depuis trois ans, en tout cas, elle semblait avoir l'ambition de devenir la meilleure vendeuse de produits Avon de Granby. C'était là le compromis que son mari Yvon avait accepté. Sa femme pouvait travailler à l'extérieur, mais elle devait être à la maison au retour de l'école des trois enfants. Une image s'imposa à Marie-Andrée, celle d'un animal tenu en laisse. Quelqu'un décidait des allées et venues de sa sœur, du moment de sa rentrée à la maison. Un homme supporterait-il un contrôle aussi humiliant de la gestion de son temps? De toute façon, une ambition pouvait-elle être contrôlée par quelqu'un d'autre sans porter atteinte à la liberté individuelle?

Et elle, Marie-Andrée Duranceau, avait-elle de l'ambition? «Bien sûr. Je veux vivre ma vie. Être une femme, une vraie, dans toutes mes dimensions de femme. Et m'amuser. Rire. Voyager. Et surtout, être libre! Libre de penser et d'agir. Au meilleur de ma connaissance. Oh oui! Agir selon mes connaissances et non pas celles des autres. Et puis, je veux gagner ma vie pour ne dépendre de personne. Je veux avoir un travail qui me plaît : surtout pas de routine! S'il y a une ambition qui ne dépend que de moi, c'est bien celle-là!»

L'ambition de gagner sa vie, c'était à elle de la réaliser, de la gérer. Elle venait d'avoir une promotion? Parfait! Elle en aurait d'autres. Fini le temps où les hommes raflaient toutes les bonnes places. Pour y arriver, elle se développerait une expertise, elle prendrait des cours du soir pour se libérer du carcan d'un diplôme de secrétariat obtenu à l'école secondaire. Adolescente, c'était ce qu'elle avait rêvé d'être; maintenant, elle voulait plus, autre chose, et elle eut conscience de vivre à une époque où tout était possible! Il suffisait de se munir d'un diplôme, tout simplement, et elle était bien décidée à se remettre à des études sous peu.

L'exemple de Françoise la stimula. Son diplôme en traduction, elle l'avait obtenu en suivant des cours du soir, laborieusement, tout en travaillant à plein temps. Aujourd'hui, elle ne pouvait que se féliciter de ses efforts soutenus, et avec raison. «Et moi, qu'est-ce que j'ai fait pour améliorer mon travail et mes conditions salariales?» À part le fait de s'acquitter consciencieusement des tâches qu'on lui confiait, rien, elle devait l'admettre.

Son emploi, actuel ou futur, n'était cependant qu'un aspect de sa vie, qu'elle entrevoyait maintenant remplie de tous les possibles. «Je veux…» Elle eut de la difficulté à commencer la liste. Avec réticence, presque avec pudeur, elle dut s'avouer qu'elle souhaitait connaître l'amour avec Ghislain, non seulement le faire de temps en temps, mais le *vivre* au quotidien. Un profond soupir s'échappa de sa poitrine. La réalisation de cette ambition-là lui échappait parce qu'il fallait être deux pour souhaiter vivre une relation amoureuse.

En entrant dans l'appartement, la récente séparation de Françoise lui revint à l'esprit et la refroidit dans son ambition de former un couple, que l'autre pouvait briser n'importe quand, à son gré. À la pensée de se retrouver à la merci des états d'âme de quelqu'un, elle paniqua. Une telle atteinte à sa sacrosainte liberté lui apparaissait insupportable et elle écarta résolument, pour l'instant, toute ambition de former un couple avec qui que ce soit, même avec Ghislain, et elle décida de donner suite à son projet d'études. Françoise avait fait des études universitaires ; pourquoi pas elle ?

Au cours de cette semaine fébrile, généreuse en émotions fortes, l'intention d'entreprendre des études universitaires ne lui suffit pas. « Qu'est-ce que j'ai le goût d'apprendre ? » se demanda-t-elle. Une chose était certaine, elle aimait le milieu des caisses populaires, le milieu bancaire, en somme. Cela dit, quelles études pourrait-elle entreprendre qui lui seraient utiles dans le domaine bancaire et qui, pourquoi pas, lui feraient gravir des échelons ? Cette question la ramena à la notion de durée. Combien de temps travaillerait-elle, souhaiterait-elle travailler ?

Jusqu'à maintenant, ce genre de réflexion ne l'avait jamais effleurée. Travailler avait représenté l'accès à l'indépendance, le passage à sa vie d'adulte puisque cela lui avait permis de quitter la maison familiale, de voler de ses propres ailes, de voyager, de s'amuser. Tout cela, elle l'avait déjà. Et maintenant, que voulait-elle de plus ? Un appartement plus grand ? Une maison, peut-être ? « Avec Ghislain ? » osa-t-elle formuler malgré elle. Puis elle se reprit. Elle refusait d'avoir des attentes vis-à-vis de ce grand indépendant. « Je ne vais tout de même pas l'attendre toute ma vie ! »

Ce sursaut d'affirmation de soi la ramena à son projet d'études et, pour se prouver qu'elle n'attendait après personne et qu'elle prenait sérieusement sa vie en main, elle décida de s'informer sur-le-champ des possibilités qui s'offraient à elle. Mais s'informer où? Françoise avait fait des études à l'Université de Montréal; c'était sans doute là qu'elle découvrirait, elle aussi, ce qu'elle cherchait. Sans tergiverser un instant de plus, elle feuilleta rapidement le bottin et trouva le numéro de l'Université de Montréal, qu'elle composa immédiatement, étonnée de se sentir brusquement si fébrile. Quand elle eut expliqué son projet à trois personnes différentes, elle reçut un conseil pertinent : s'informer aux Hautes Études commerciales.

Une fois en ligne avec cette institution, elle obtint de nombreuses informations et les nota avec soin même si les termes n'évoquaient rien pour elle : crédit, certificat, tronc commun, etc. Au bout d'une quinzaine de minutes à écouter, questionner, noter, elle raccrocha en état de choc. C'était presque fait! Elle, Marie-Andrée Duranceau, allait s'inscrire à l'École des hautes études commerciales de Montréal! Elle, la petite fille de Valbois, allait obtenir un diplôme universitaire!

Pour s'en convaincre, elle relut les notes qu'elle avait griffonnées à la hâte, souvent en abréviations, d'une écriture précipitée et parfois difficile à déchiffrer, même pour elle. Toutefois, elle réussit à se calmer suffisamment pour remettre un peu d'ordre dans tout ce brouillon. Elle pouvait commencer, à l'automne, en suivant des cours du soir, un certificat en sciences administratives. Sciences administratives. Était-ce bien les termes qu'elle avait notés?

Cela parut presque irréel à la jeune femme qui ne détenait qu'un diplôme secondaire en commercial.

Évidemment, elle ne possédait pas de diplôme d'études collégiales puisque les cégeps avaient été créés tout juste après son arrivée sur le marché du travail. Cependant, comme on venait de le lui expliquer, dans un cas semblable l'université était accessible à toute personne âgée de vingt-quatre ans au moins ou qui possédait deux années d'expérience sur le marché du travail jugées valables par les HEC. Elle travaillait déjà depuis quatre ans à la caisse, en plus de quelques années dans ses deux précédents emplois. Et elle aurait vingt-quatre ans en août !

«Plus admissible que ça, ce serait dur à faire !»

Elle relut encore et encore les notes éparses et les classa. Le certificat s'obtenait au bout de trois ou quatre ans, selon le nombre de cours choisis par session. Les HEC allouaient un maximum de six ans, mais du temps, elle en avait, et elle se promit de réussir son certificat dans le délai minimum, c'est-à-dire trois ans.

Une fierté comme elle n'en avait jamais connu la galvanisait, surpassant même celle de sa promotion ! Le silence de l'appartement la déçut, tant elle aurait voulu partager sa joie avec quelqu'un. Elle pensa à Françoise et se réjouit d'avance de lui annoncer sa bonne nouvelle au souper.

Cependant, dès qu'elle mit le pied dans sa chambre, sa nouvelle réalité quotidienne s'imposa. Maintenant, et Dieu savait pour combien de temps, elle allait former une sorte de couple avec sa grande amie puisque celle-ci allait cohabiter avec elle, dans sa chambre, dans son lit. Le sentiment désagréable et trop connu d'être envahie diminua sérieusement sa joie de dépanner sa meilleure amie.

Au souper, toutefois, elle reçut tant d'encouragements de sa part pour ses études que, tout compte fait, elle se réjouit de sa présence à l'appartement. Ghislain eut l'air presque déçu, mais il ne fit qu'un commentaire neutre. Patrice eut une lueur d'admiration qui réconforta la future étudiante. Monique la trouva masochiste.

– Bof, quand tu seras mariée, t'auras pas besoin de ça!

Françoise lui décocha un regard si douloureux que Monique regretta son étourderie, d'autant plus qu'elle devait reconnaître que son frère ne concordait pas vraiment avec l'image du mari pourvoyeur.

– N'empêche que tu te donnes du trouble quand même! renchérit-elle.

– Une femme doit être capable de se débrouiller toute seule, insista Françoise. En plus, les bonnes jobs, pourquoi ce serait toujours les hommes qui les auraient? Cette année, il paraît qu'il va se créer trois fois plus, peut-être quatre fois plus d'emplois qu'il y a deux ans, en 1971! Marie-Andrée aurait bien tort de ne pas se préparer à en profiter, elle aussi.

La fin de semaine arriva enfin. Marie-Andrée revint du travail avec la clé de la caisse, signe tangible de son nouveau statut. Son apprentissage intensif de la semaine et cette dernière journée au cours de laquelle elle avait accompli toutes ses nouvelles tâches sous la supervision de madame Trottier l'avaient épuisée. Elle n'aurait pas trop de trois jours pour se reposer et refaire ses énergies avant le début de son nouveau travail.

Elle eut même l'idée d'aller manifester, le lundi suivant, pour souligner la fête de Dollard des Ormeaux, en lieu et place du congé de la reine que les Canadiens s'obstinaient à fêter en ce troisième lundi de mai. Cet anniversaire de la reine – elle ne savait même plus laquelle, d'ailleurs – lui parut plus dépourvu de sens que jamais, complètement déconnecté de la réalité du Québec après la Révolution tranquille et les événements d'octobre 1970. «Qu'est-ce qu'on a à faire de ce congé-là en 1973, au Québec?» s'insurgea-t-elle une fois de plus.

Au moment où elle se laissa choir de tout son long sur le lit, crevée, un papier déposé à son intention attira son attention. Patrice l'informait qu'il était parti en Beauce, chez ses parents (ce qu'il ne faisait qu'aux fêtes), profitant du congé de trois jours. Étonnée, elle dut relire la phrase dans laquelle il mentionnait qu'il amenait Françoise avec lui pour lui changer les idées. «On est partis à midi», ajoutait-il. Françoise s'était donc octroyé le droit de quitter son bureau plus tôt. Il terminait avec un souhait sincère en faisant vraisemblablement allusion à Ghislain : «Profitez-en! XXX»

La surprise de Marie-Andrée fut encore plus grande quand Ghislain lui apprit, en rentrant à son tour, qu'il leur avait prêté son auto pour cette longue fin de semaine.

– Aller en Beauce, ça se fait mal en autobus, dit-il d'un ton trop détaché pour être naturel.

Puis Monique rentra en coup de vent, ramassa quelques effets et repartit tout aussi vite chez une copine pour la fin de semaine, en décochant un clin d'œil complice à son frère. Ainsi donc, comprit Marie-Andrée, Ghislain la voulait pour lui tout seul, et pour toute la fin de semaine! Une fin de semaine pour eux seuls parce qu'il avait l'intention de n'inviter personne, comme il avait trouvé le moyen de l'en informer à deux reprises. «Une fin de semaine en amoureux!» osa-t-elle penser, incrédule. Il lui consacrait une fin de semaine complète! Elle se demanda comment elle pourrait recevoir tant d'attentions et, en même temps, rester vigilante et refréner l'amour qu'elle ressentait pour lui.

– Ouais, t'as la clé de la caisse; on rit plus! Vas-tu continuer à me parler quand même? lui dit-il d'un ton aigre-doux.

Cette promotion de sa copine, après quatre ans, l'asticotait. Il en avait travaillé au moins le double au ministère, en ne se souciant nullement de changer de niveau. «Peut-être était-il temps pour cela aussi», se dit-il.

Ils soupèrent, burent du mouton-cadet (il s'était même souvenu que c'était son vin préféré!), puis, mine de rien, il lui proposa un massage complet, avec huiles parfumées et chandelles. C'était long et il l'offrait peu souvent; aussi en profita-t-elle doublement. Étendue à plat ventre sur le lit, nue, elle goûtait le corps nu de l'homme, à cheval sur le sien et qui, dans les mouvements pour lui masser le dos, la caressait de ses cuisses fermes ou l'effleurait de son pénis. La tension et la fatigue de la semaine s'évaporèrent comme brume au soleil. Une torpeur amoureuse l'envahissait et elle pouvait s'y laisser aller en toute quiétude. Il lui sembla que Ghislain ne lui avait jamais fait l'amour avec autant de tendresse. Elle rit d'elle-même et rectifia sa pensée : c'était sans doute son propre besoin de tendresse qui, ce soir, le lui faisait interpréter ainsi. Au petit matin, elle s'abandonna à la passion qu'elle ressentait depuis si longtemps pour lui.

Ghislain la regardait somnoler après l'amour. Sa poitrine nue se soulevait lentement à chacune de ses respirations. Le premier contact physique qu'ils avaient eu avait été sa poitrine contre son visage endormi quand elle avait perdu pied dans le couloir de l'avion. Combien de fois s'était-il plu à répéter, moqueur, que c'était elle qui s'était jetée sur lui et qu'il avait dû céder.

– Que voulez-vous qu'un gars fasse quand une belle fille de vingt ans lui flanque ses deux beaux seins dans la face?

Elle rageait chaque fois, mais il aimait croire à cette version des faits. Sa poitrine, il en était fou et il supportait de moins en moins de la partager avec qui que ce soit. Que Marie-Andrée s'offre un amant de temps à autre, cela ne le dérangeait guère, cela le justifiait d'autant plus de baiser de son côté.

Mais Patrice, c'était autre chose. Le paisible et discret Patrice ne baisait pas: il aimait. «Épais! Pas capable de séparer les deux affaires!» Aussi, le regard comblé qu'elle avait porté sur Patrice, quelques jours auparavant, l'avait-il fait paniquer. Et il n'en était pas encore revenu. Il était temps de poser un geste; il le savait. Le seul moyen de se l'approprier en exclusivité était de vivre en couple avec elle.

Le prix à payer lui déplaisait; il n'était pas habitué à se plier aux normes de quelqu'un d'autre et la fidélité était l'une des normes de Marie-Andrée. Non pas qu'elle l'ait jamais exprimée; il se serait sauvé en courant. Ils le savaient tous deux et savaient que l'autre le savait. Mais le regard arrogant de Patrice était un signal d'alarme clair. Ghislain avait compris que non seulement un autre que lui avait pris le corps de Marie-Andrée, ce jour-là, mais surtout qu'elle s'était donnée à lui, en avait joui et l'avait fait jouir. Sans tricherie, comme elle était, c'est-à-dire totalement. Malgré lui, son corps en avait eu mal, en avait encore mal, et il eut un mouvement brusque, comme pour chasser ce souvenir acidulé.

À Paris, quand il l'avait vue, seule et sereine, il l'avait perçue indépendante. Et elle l'était restée. La seule façon de ne pas laisser d'autres hommes profiter de cette indépendance, c'était de former un couple avec elle. Malgré ses grands airs de femme libérée sexuellement, de femme à la mode, il la savait foncièrement fidèle, totalement fidèle. Cependant, sa patience avait des limites et, quand celles-ci surgissaient d'un coup, elles lui apparaissaient si limpides que Marie-Andrée prenait des décisions et les assumait sans délai. Et sans demander de permission. Comme ce soir-là avec Patrice. Il était convaincu que, si elle avait fait l'amour avec lui, l'autre soir, c'était uniquement parce que lui, Ghislain, n'était pas là pour fêter avec elle.

Au petit-déjeuner, entre une deuxième rôtie et un café fumant, il lui glissa soudain :

– Et si on se cherchait un appartement pour nous deux?

Marie-Andrée en oublia de mordre dans sa rôtie. Il lui offrait de former un couple avec elle? «Enfin!…» L'avait-elle assez attendu, ce moment! Alors elle comprit. Toute la mise en scène de la fin de semaine en amoureux aboutissait à cela : un engagement de sa part! Il avait planifié tout cela pour elle! Cela lui plut. Beaucoup. C'était la première fois qu'il manifestait son désir de former vraiment un couple avec elle et, du coup, il lui proposait de vivre à deux, seulement à deux. Enfin!

Entre une baise occasionnelle et la proposition qu'ils s'installent ensemble, il y avait cependant toute une marge. Elle regretta d'avoir été privée des étapes de rapprochement progressif qui, rêva-t-elle, auraient été si agréables. Mais elle se rappela leur première nuit ensemble et reconnut avec honnêteté qu'elle n'aurait pas du tout aimé qu'il eût reporté leur intimité sexuelle pour un éventuel rapprochement progressif! La mode n'était plus aux fréquentations traditionnelles. «On ne peut pas tout avoir!» conclut-elle, en revenant à sa joie du moment.

– Alors, qu'est-ce que t'en dis? insista-t-il avec une lueur d'inquiétude devant ce long silence.

Elle se jeta dans ses bras et lui donna sa réponse au lit. À la fin de cette semaine fertile en émotions de toutes sortes, contre toute attente, Marie-Andrée obtenait enfin ce qu'elle souhaitait tant : une relation, une vraie relation d'amour avec Ghislain, officielle, et elle n'allait pas la différer pour quelque raison que ce soit.

Elle songea aux études universitaires qu'elle voulait entreprendre. Ne devait-elle pas plutôt savourer pleinement, exclusivement, le bonheur de vivre enfin en couple avec l'homme qu'elle aimait et qu'elle pourrait aimer au grand jour? Elle se sentit comblée, et la sensation enivrante de mener sa vie l'exalta.

À la radio, Fugain chantait doucement : «Tout a changé ce soir, pendant qu'on chantait tout ça…»

3

– Pas de problème, Hugo. Je passe te prendre.

La tête penchée pour coincer l'écouteur entre son oreille et son épaule, Ghislain posa son pied droit sur son sac de couchage échoué sur le fauteuil et laça ses bottines de marche. Il se redressa, presque offusqué quand son copain depuis le secondaire, aussi trapu que lui-même était grand, proposa qu'ils prennent sa voiture.

– Pas question! On va prendre mon auto. Déjà que tu fournis le stock, c'est bien le moins que... Marie-Andrée? Tu la connais, elle va passer la fin de semaine dans ses bouquins... O.K. Salut!

Marie-Andrée, qui remplissait le havresac de chandails et de bas chauds, releva la tête.

– Tu pars avec l'auto?

– Évidemment, répondit Ghislain en laçant sa deuxième bottine. J'aurais l'air de quoi, de lui demander de venir me chercher? D'un quêteux?

– Mais... maman vient passer la fin de semaine! Je voulais lui faire visiter Montréal.

Ils se regardèrent. Il haussa les épaules.

– Hugo fournit le stock de chasse, je ne vais pas lui quêter un *lift* en plus.

Marie-Andrée était déconcertée; ne pas avoir l'auto signifiait prendre des taxis toute la fin de semaine.

– Pourquoi tu ne me l'as pas dit? J'aurais sorti plus d'argent de la caisse.

– Tu ne me l'as pas demandé. T'as besoin d'argent? Je peux t'en passer. Cinquante, ça te va?

Déjà, il ouvrait son portefeuille et lui tendait un billet rouge orangé. Une fois de plus, la différence entre leurs situations financières s'imposa. Elle en fut humiliée. «La quêteuse, ça a tout l'air que c'est moi...» Que pouvait-elle ajouter? L'auto appartenait à Ghislain et il en faisait ce qu'il voulait.

– Tu le savais pourtant que maman venait en fin de semaine! ne put-elle s'empêcher de commenter.

Il la regarda avec étonnement.

– Et toi, tu savais que j'allais à la chasse.

Quand il l'embrassa ardemment avant de partir et qu'il lui souffla à l'oreille qu'il avait hâte de revenir pour lui faire l'amour, la jeune femme oublia l'incident et lui rendit son baiser passionné. Il n'était pas au pied de l'escalier que, déjà, elle se languissait de lui. Il lui décocha un regard victorieux, celui du chasseur novice convaincu qu'il reviendrait avec le plus gros orignal des forêts québécoises. Elle l'envia d'être si sûr de lui.

Ce soir-là, Marie-Andrée eut peine à trouver le sommeil. Ghislain lui manquait et elle lui en voulait de cette fin de semaine éloignée de lui. Puis elle se raisonna. Il avait eu tant de difficultés à envisager une vie de couple, elle n'allait certainement pas l'enfermer ni l'étouffer; elle savait trop combien c'était insupportable. Mais elle souffrait quand même de l'absence de l'homme qu'elle aimait et elle se dit que le manque qu'elle ressentait était sans doute un signe : si elle n'y prenait pas garde, elle aurait peut-être tendance à l'accaparer, à devenir possessive, qui sait ? Elle s'imagina avec horreur adopter un tel comportement. Aussi décida-t-elle fermement d'investir son amour dans le fait de se réjouir sans arrière-pensée de ce qui lui arrivait.

Depuis quand sa mère et elle s'étaient-elles trouvées seules, toutes les deux ? Cela remontait si loin en arrière qu'elle avait peine à s'en souvenir, ce samedi matin-là, en attendant l'arrivée de sa mère au terminus d'autobus du transport provincial. Cela devait dater du temps où son père travaillait aux chantiers hydroélectriques de Manic-5, pensa-t-elle, à l'époque où elle passait régulièrement ses fins de semaine à Valbois.

Elle sourit et fit quelques pas pour se dégourdir les jambes. Quelle importance cela avait-il de savoir précisément à quand remontait leur dernier tête-à-tête ? Cela lui sembla avoir été au siècle dernier tant elle avait changé depuis ce temps. Le cœur à la joie, elle trouva amusant de quantifier en siècles, elle qui venait à peine de fêter ses vingt-cinq ans. Vingt-cinq ans, un quart de siècle, en fait !

Elle fut frappée de la proportion : un quart de siècle ! Déjà ? Subtilement, la perception du temps qui passe et qui ne revient jamais l'effleura. Cela rendit encore plus précieux à ses yeux ces deux jours où elle prenait congé de ses travaux universitaires. Elle suivait des cours du soir depuis un an déjà et ses études l'accaparaient beaucoup plus qu'elle ne l'avait cru au départ. Elle n'en appréciait que davantage le congé qu'elle s'était octroyé : une fin de semaine complète sans plonger dans ses notes de cours, ses lectures obligatoires et les travaux à rédiger. Évidemment, cela l'obligerait à y consacrer deux fois plus de temps la semaine prochaine, mais tant pis! Elle était heureuse de s'offrir ces deux jours avec sa mère, dont l'autobus venait de s'arrêter au quai du terminus, à Berri-de-Montigny.

Marie-Andrée sourit avec une fierté émue en apercevant sa mère. Éva Métivier était toujours aussi altière. Sa belle chevelure argentée, fine comme la soie, quoique peu abondante, encadrait presque comme une caresse son visage parcheminé, sans fard ni maquillage. La douceur de sa peau faisait ressortir encore plus ses yeux noisette. Par cette journée d'automne, elle portait son imperméable vert émeraude qui allait si bien avec son teint.

Éva Duranceau, qui n'avait à peu près jamais voyagé par autobus, s'était redressée, voulant paraître une habituée des transports en commun, mais cherchait fébrilement des yeux si sa fille était venue la chercher, tel qu'il avait été convenu. Le regard de soulagement qu'elle ne put réprimer révéla à Marie-Andrée que sa mère était vulnérable, comme tout le monde, qu'elle aussi devait avoir ses peurs, ses secrets et ses blessures, peut-être, dont, réalisa-t-elle brusquement, elle ne savait rien.

Elle alla à sa rencontre, la déchargea joyeusement de son sac de voyage et l'embrassa avec tendresse, l'entraînant rapidement pour dégager les abords achalandés de l'autobus, tout en parlant des deux absents qui leur permettaient indirectement cette fin de semaine en tête-à-tête.

Quand elle s'était rendu compte, en téléphonant chez ses parents pour prendre de leurs nouvelles, que son père et Ghislain seraient absents en même temps, elle avait spontanément invité sa mère et s'était réjouie à l'avance de ces moments privilégiés entre femmes, entre adultes. Oui, maintenant, leurs rapports ne seraient plus fondés sur l'autorité, de mère à fille, mais plutôt tissés de connivence entre femmes.

— Papa était content d'aider Yvon à finir son sous-sol?

— Ça va lui faire du bien. Trop de temps à rien faire, c'est pas bon pour ton père.

— Quand même, s'inquiéta Marie-Andrée, soixante-six ans, ce n'est plus jeune pour se lancer dans des travaux de construction.

Éva, qui venait de commencer à recevoir sa pension de vieillesse, se redressa.

— C'est pas si vieux que ça : j'en ai soixante-cinq, moi.

— Oui, mais tu ne construis pas de cloisons! commenta gentiment sa fille en lui décochant un clin d'œil moqueur. Puis, qu'est-ce que ça te fait de recevoir ta pension? lui demanda-t-elle en glissant son bras sous le sien et en la guidant vers l'escalier roulant qui plongeait dans les entrailles de la station de métro.

— De l'argent à soi, ça fait beaucoup de bien. Beaucoup de bien! répéta Éva en admirant sa cadette de l'avoir compris si jeune, tout en prenant garde à ses pieds qui se posaient sur le peigne au haut de l'escalier qui les entraînait déjà vers le bas.

Marie-Andrée se tut, la laissant se concentrer sur les marches, puis, lorsqu'elles eurent atteint le bas de l'escalier, elle resserra son bras sous le sien et la guida doucement sur le sol ferme. Elle parla de Ghislain qui habitait constamment ses pensées, disant qu'il était très enthousiaste d'aller à la chasse pour la première fois de sa vie. Et qu'il était parti avec l'auto, pour ne pas être en reste avec son collègue qui fournissait l'attirail de chasse.

– Il travaille toujours pour le gouvernement? demanda Éva.

– Oui. L'année dernière, il a changé de niveau. Il s'est spécialisé. Il s'occupe des gens qui gagnent leur vie en recevant des commissions et non un salaire fixe.

Éva ne voyait pas vraiment la différence; pour ne pas montrer son ignorance, et aussi parce que cela ne l'intéressait pas vraiment, elle changea de sujet. Elles bavardèrent en marchant au pas d'Éva, plus lent et moins sûr sur le sol inconnu de cette station de métro.

La conversation à bâtons rompus s'éteignit d'elle-même dans le brouhaha et la foule du métro. Marie-Andrée constata tout à coup que sa mère l'observait dans le reflet des vitres du wagon du métro. La jeune femme se redressa imperceptiblement, désirant se montrer à son meilleur, contente d'elle, de sa vie, de sa liberté. Elle portait un ensemble de lainage : une veste cintrée et une jupe longue d'un fin lainage à petits carreaux beiges et bruns, qui oscillait d'un mouvement sensuel à chacun de ses pas. Un chandail à col roulé moulant, d'un rouge automne, avivait son teint de brunette. Ses vêtements lui seyaient fort bien, elle le savait et le devinait aux regards de certains passants. Une fois assise, elle observa le bout de ses pieds bien à leur aise dans des chaussures souples d'un cuir fin qui réunissaient, à ses yeux, le chic et le confort.

Attentive à la signalisation, elle se repéra machinalement : elles descendraient deux arrêts plus loin. L'impatience de montrer enfin l'appartement que Ghislain et elle habitaient ensemble depuis plus d'un an l'envahissait de minute en minute. Le métro décéléra et s'immobilisa. Dès que les portes s'ouvrirent, les grappes humaines qui montaient s'impatientèrent devant les grappes humaines qui descendaient. «Quand ce sera notre tour, je ne voudrais pas que maman soit bousculée», se dit-elle.

La rame à peine repartie, la jeune femme surveilla la stabilisation du rythme. Elle jugea préférable que sa mère, qui n'avait jamais utilisé ce moyen de transport, soit déjà debout près de la porte au moment de l'arrêt total, pour éviter de perdre pied dans le contrecoup de l'arrêt en se levant à la dernière minute. Aussi, donnant l'exemple, elle se leva et empoigna le poteau vertical près de la porte, souhaitant l'inciter subtilement à l'imiter.

– T'as pas besoin de te lever si tôt, entendit-elle, stupéfaite. Il reste encore du temps.

Et sa mère se détourna nonchalamment, pour ne pas dire souverainement, promenant son regard autour d'elle d'un air assuré.

Marie-Andrée crispa ses doigts sur le poteau métallique. De cette seule phrase désinvolte, sa mère venait de balayer son expertise quant aux us et coutumes du métro qu'elle utilisait pourtant depuis six ans. De sa petite ville, elle venait ici, à Montréal, lui dire quoi faire. Non : lui reprocher de ne pas savoir quoi faire ni quand. Même ici, loin de son territoire, elle était et restait la mère! Et elle, Marie-Andrée, était encore considérée comme un être infantile, à qui il faut tout dicter. Une blessure trop connue et une colère trop souvent ravalée pesèrent sur les épaules de la jeune femme qui, après un court instant d'abattement, les rejeta d'un mouvement décidé.

À l'opposé de ces pensées, Éva était fière d'elle-même. «Je ne lui ferai pas honte!» s'était-elle promis. Elle ne perçut pas que, dans sa nervosité, elle avait déguisé son doute personnel d'être à la hauteur en reproche à sa fille. À l'arrêt du wagon, elle se leva fermement et, l'air triomphant, fendit la foule qui entrait et sortait. Devant cette femme d'un certain âge au port altier, qui semblait les ignorer de sa superbe, quelques usagers ralentirent pour lui laisser le passage tandis que, derrière elle, Marie-Andrée se faisait bousculer comme tout le monde. Maintenant, les deux prochains jours lui semblaient moins idylliques et elle voyait ses désirs d'intimité et de confidences s'effilocher comme des chimères.

Éva aurait aimé l'appartement de toute façon. Depuis un an, son mari refusait d'y mettre les pieds sous prétexte que sa fille vivait en concubinage! Elle souffrait de son intransigeance parce qu'elle était incapable de la visualiser chez elle, au quotidien, dans son décor.

– Elle n'est pas en Afrique ni à Toronto, celle-là; elle est à Montréal! Ça n'a pas de bon sens qu'on ne sache même pas où elle vit!

Mais Raymond avait été inflexible : il ne mettrait pas les pieds là! Aussi cette invitation spontanée, pour elle seule, un an plus tard, réglait-elle le pro-blème. Enfin, Éva était chez sa fille! Enfin, elle pouvait voir dans quelles pièces elle cuisinait, regardait la télévision, parlait au téléphone et...

dormait, puisqu'il lui fallait bien accepter cette réalité-là aussi. «Autant m'en faire une raison! se redit-elle. C'est là que je vais dormir ce soir!» Et elle voulut croire qu'elle acceptait son union libre, comme cela commençait à être nommé.

Le logement, au second étage d'un petit immeuble d'appartements, était moderne, petit, mais l'espace était bien réparti. Une entrée étroite avec une garde-robe à gauche donnait sur un espace carré; celui-ci ouvrait sur le salon, à gauche, et sur la cuisine-salle à manger, à droite. En face de la porte d'entrée, la salle de bains, des plus fonctionnelles, était éclairée par une petite fenêtre au verre givré. La chambre principale, à droite, était la pièce la plus grande du logement; à gauche, une seconde pièce, pourvue d'un divan-lit, servait occasionnellement de chambre d'amis.

En fait, cette seconde chambre était surtout utilisée comme bureau, pour les études de Marie-Andrée. Pour y accueillir sa mère, elle avait rangé ses notes de cours, ses livres et ses documents; la pile impressionna et intimida Éva. Ainsi donc, c'était ici que sa fille travaillait à ses cours universitaires! Elle enroba les livres d'un regard de suspicion parce qu'ils allaient l'épuiser, tout en ressentant une fierté teintée de jalousie diffuse. Si sa fille pouvait comprendre tant de livres aussi volumineux et compliqués, que pouvait-elle penser de sa conversation si ordinaire, elle qui n'avait même pas terminé son primaire?

– Tu trouves pas que t'en fais trop? Travailler le jour et étudier le soir, c'est beaucoup, il me semble. Si tu tombes malade, tu ne seras pas plus avancée. Ghislain travaille pour le gouvernement, il doit être capable de te faire vivre, non?

«Me faire vivre? Ciel! Si Ghislain l'entendait, il se sauverait en courant!» pensa sa fille, s'amusant de son commentaire.

– Il n'a pas à me faire vivre, maman. Je suis capable de gagner ma vie.

Elle devait pourtant admettre que, effectivement, elle travaillait beaucoup, et qu'elle trouvait parfois la tâche lourde. Aussi attendait-elle un encouragement plutôt qu'un reproche, et elle en déduisit, avec déception, que ses études n'intéressaient nullement sa mère. Plus encore, elle se trouva infantile d'en attendre un appui dans un domaine dont celle-ci ignorait tout.

Pour dissiper le malaise qui s'installait entre elles, Éva quitta la pièce bureau et retourna, inconsciemment ou délibérément, à la chambre principale, où elle exprima son étonnement.

– C'est rare, ça, un *set* de chambre qui a deux commodes qui ne se ressemblent pas.

– C'est pas vraiment un ensemble. Ghislain et moi, on a acheté la commode qu'on voulait, tout simplement. Comme on paye chacun nos affaires, on les choisit aussi à notre goût. Comme tu vois, on a des goûts différents, ajouta-t-elle avec désinvolture.

– C'est pas lui qui paye les meubles? Puis pour le loyer, vous faites comment?

Elle serra les lèvres, consciente de sa balourdise; sa fille allait se refermer. «Je le sais, pourtant, qu'elle n'aime pas qu'on se mêle de ses affaires.» Contre toute attente, celle-ci répondit, en la regardant droit dans les yeux et avec un triste sourire moqueur :

– C'était ça que tu voulais savoir? Le loyer est aux deux noms et on le paye à deux. Je suis ici chez moi et Ghislain est chez lui autant que moi. Et on fait de même pour l'épicerie, ajouta-t-elle d'un ton agacé. T'as d'autres questions à propos de l'argent?

Elle s'en voulut de sa répartie vive. «Était-ce vraiment nécessaire? se reprocha-t-elle. C'est normal que maman s'inquiète pour moi; vivre en union libre, c'est nouveau pour tout le monde.» Éva retourna au salon et s'assit, incertaine de ce qu'elle devait maintenant dire ou taire.

— N'empêche que, marmonna-t-elle, quand un homme a des... des faveurs d'une femme, il peut au moins la faire vivre, il me semble.

«Et la planter là les trois quarts du temps, comme papa a fait?» Marie-Andrée eut-elle envie de répliquer sur le même ton. Elle prit une profonde inspiration et fit taire son cœur, laissant la raison prendre le relais. Ce commentaire désobligeant, elle l'avait entendu à plusieurs reprises, formulé de nombreuses façons. L'union libre était une manière de vivre relativement récente; elle avait dû expliquer son point de vue plus d'une fois, même à son travail, Carmen et Fernande l'ayant clairement désapprouvée. Mais elle en avait pris son parti; les changements étaient rarement compris par la majorité. Elle-même, qui les vivait au jour le jour, ne s'y retrouvait pas toujours. Ne lui venait-il pas à l'esprit, parfois, que sa sœur Louise avait peut-être une vie plus simple que la sienne du seul fait de ne pas avoir à assurer sa propre subsistance?

— Quand la femme reste à la maison pour élever des enfants, c'est normal que l'homme assume les dépenses; mais nous, on travaille tous les deux et, comme tu peux le constater, on n'a pas d'enfants.

Donc, chacun voit à ses affaires et c'est correct comme ça. Du moins pour nous.

Comme sa mère allait répliquer, elle ajouta, d'un ton plus cassant, cette fois :

– Et comme c'est nous qui payons et qu'il n'y a que nous que cela regarde, c'est à nous de décider comment on va vivre.

Une bouffée de colère avait empourpré ses joues et sa mère se reprocha son interrogatoire, même s'il lui paraissait normal de s'inquiéter pour sa fille. Elle n'ajouta rien et passa à la salle de bains.

Marie-Andrée soupira et sa colère s'évanouit. Était-elle en colère contre sa mère ou contre Ghislain? Elle ne le savait plus. Oui, ils payaient chacun la moitié des dépenses; mais ils ne gagnaient pas le même revenu et il lui en restait toujours moins qu'à lui. C'était pourquoi elle refusait de payer quoi que ce soit pour l'auto. « Si j'ai pas les moyens d'en avoir une, j'ai pas les moyens de payer la sienne. » Elle soupira à nouveau. « Changer de manière de vivre, c'est pas simple tous les jours… »

Elle commença à mettre la table et sa pensée glissa sur un autre aspect de ce principe d'égalité dans sa relation avec Ghislain. Le *vivre à deux* avait suscité des réactions diverses chez l'un comme chez l'autre. Cela était arrivé si rapidement qu'elle en avait d'abord été effrayée, se sentant presque prisonnière. S'étonnant elle-même, elle avait réagi en affichant une certaine distanciation que Ghislain avait, au contraire, interprété comme de l'indépendance, cette indépendance qui l'avait tant rassuré à Paris. Aussi s'était-il senti à l'aise de jouer à fond le jeu du couple qui commence sa vie à deux. Pour lui c'était un jeu.

Comme tout ce qu'il faisait. Elle avait été attirée par ce plaisir du jeu, cette désinvolture qui lui avait semblé si légère après l'ambiance familiale à Valbois.

Par distanciation pour l'une, par jeu pour l'autre, leurs rapports s'étaient à peine modifiés, comparativement à ceux qu'ils connaissaient depuis quatre ans. Dépenses divisées également et liberté de mouvement parce que chacun gardait et entretenait ses amitiés. Comme ils s'étaient connus en amants non exclusifs, ils l'étaient restés. Ils s'étaient aimés ainsi; pourquoi auraient-ils changé? En un an, Ghislain avait découché une fois. Marie-Andrée avait été confrontée à la réalité : ils n'avaient jamais discuté de la fidélité dans le couple. «Ça va de soi, il me semble!» avait-elle protesté intérieurement.

– J'imagine que je ne suis pas prisonnier sous prétexte qu'on vit ensemble? lui avait-il dit.

Déception et tristesse entremêlées s'étaient bousculées en elle toute cette nuit-là. Il y avait eu de la colère aussi, une colère dirigée contre elle, contre ce vilain sentiment de possession qui lui rappelait douloureusement l'emprise que sa mère se croyait le droit d'exercer sur ses enfants. Cette seule pensée l'avait secouée. «Un être humain n'appartient pas à un autre humain. Ce n'est pas un objet! Tant pis pour moi si je laisse ça me déranger. Moi la première, je ne tolérerais pas qu'il considère que je lui appartiens.»

Dans ce sens, elle ne l'avait pas consulté avant de s'inscrire à deux soirs de cours par semaine. Elle ne se reprochait pas, non plus, de s'acquitter de ses travaux universitaires le samedi après-midi et le dimanche, du moins dans la matinée. Il avait vite trouvé cet horaire contraignant, aussi avait-il continué à aller au cinéma, et prendre un verre avec des collègues et des amis, femmes et hommes, comme il l'avait toujours fait avant leur vie commune.

Cependant, pour se faire pardonner le temps consacré à ses cours, inconsciemment peut-être, elle s'était glissée dans le moule de colocataire comme avec son frère jumeau. Autrement dit, elle assumait beaucoup de tâches ménagères. Et quand il lui venait des flambées de conscience, elle les niait en se disant : «C'est pas pareil; c'est pour l'homme que j'aime.» Et elle appréciait, comme une faveur, les repas que Ghislain préparait de temps en temps.

Ce samedi-là d'automne, elle ne crut pas nécessaire de préciser à sa mère le type de relations qu'elle entretenait avec lui. «Elle ne comprendrait pas. De toute façon, sa vie de couple ne la rend pas heureuse, il me semble; de quel droit me reprocherait-elle d'essayer une autre forme d'union? Moi, au moins, je n'ai de comptes à rendre à personne. Et je n'en demande à personne…», conclut-elle pour refouler toute forme de possession.

Éva vint la rejoindre à la cuisine. Les deux femmes se regardèrent et elles surent que leur entêtement n'avait d'égal que celui de l'autre. En cela, elles étaient bien la mère et la fille. Marie-Andrée prit une profonde respiration pour chasser toutes ses pensées et être totalement présente à son invitée.

— Je vais aller porter ta valise dans ta chambre, lui dit-elle gentiment en l'y devançant, sans voir la surprise de sa mère qui se voyait confinée à la petite chambre.

Elle n'avait pas pensé lui offrir de prendre sa chambre ni de partager son lit, fidèle à sa résolution d'autrefois de ne jamais plus se faire évincer de sa chambre. Pendant que sa mère vidait son sac de voyage, Marie-Andrée revint avec une rose dans un joli vase, une seule rose achetée le matin même et gardée au frais. Éva fut bouleversée de cette attention, retrouvant avec émoi l'adolescente qui lui avait offert une rose, sa fleur préférée, avec son premier salaire. Sa fille n'avait pas changé! Dieu merci!

En la regardant finir de mettre la table, elle ne put s'empêcher de s'inquiéter pour elle. L'usage individuel de l'argent, l'acquisition individuelle des biens, tout cela dénotait-il une véritable relation de couple? Quelle sorte de couple cela formerait-il si les deux personnes se comportaient comme des célibataires? À quoi servait-il alors de vivre en couple? La sexualité? «Ma fille n'est pas une fille de même!» L'argent? «Elle n'a pas besoin de lui; elle gagne sa vie.»

Elle préféra reporter son attention sur une plante verte qui ornait le salon et qu'elle ne connaissait pas. La tige principale, de près de un mètre de haut, semblait solide et souple et elle était couverte de feuilles de bonnes dimensions, oblongues et à peine dentelées, terminées en pointe. Sa fille lui expliqua qu'elle l'avait fait pousser avec le noyau d'un fruit, un avocat.

– On n'a pas ça ici, ces fruits-là, s'exclama Éva, humiliée de son ignorance tout en étant, comme cuisinière, intriguée du goût que ce fruit pouvait avoir.

– C'est un fruit importé. Je connais ça seulement depuis deux ans. D'ailleurs, tu vas pouvoir y goûter : j'en ai au menu, ce midi.

Éva la complimenta sincèrement pour son entrée aux avocats farcis de petites crevettes de Matane et déplora qu'il n'y ait pas d'avocats dans les deux épiceries de Valbois. Marie-Andrée hasarda qu'il y en avait peut-être et qu'elle ne les avait peut-être pas remarqués, tout simplement.

Devant son air offusqué, elle s'empressa de proposer la visite de quelques lieux touristiques susceptibles d'intéresser la visiteuse : le Jardin botanique, l'oratoire Saint-Joseph, la Place-Ville-Marie, un marché : Atwater ou Jean-Talon, la cathédrale Marie-Reine-du-Monde ou encore l'église Notre-Dame pour se promener un peu à pied dans le Vieux-Montréal par cette belle journée d'automne.

Éva choisit le Jardin botanique, et l'Oratoire pour le lendemain. Marie-Andrée, qui n'était plus pratiquante depuis une dizaine d'années, avait décidé d'assister à la messe dominicale pour lui faire plaisir, mais elle aurait préféré l'église Notre-Dame : ce lieu lui rappelait l'ambiance feutrée des grandes églises d'autrefois, et elle ne put cacher une légère déception. Sa mère s'en aperçut, se méprit sur le sens de la déception à peine exprimée et se ravisa.

– T'as pas à t'obliger à aller à la messe à cause de moi.

– Ça me fait plaisir. C'est d'accord pour l'Oratoire. Il reste seulement à s'informer de l'heure des messes.

Éva apprécia la délicatesse de sa fille, mais elle se sentait mal à l'aise de lui imposer cette activité, convaincue qu'elle était déçue de devoir assister à l'office religieux. Elle argumenta, mais le choix fut maintenu : elles iraient à l'Oratoire.

En arrivant au Jardin botanique, sa mère, horrifiée devant le prix qui galopait au compteur du taxi, voulut payer sa part, ce qui offusqua sa fille qui ne voulait pas en entendre parler. Éva oublia cependant ce détail en s'approchant de l'édifice imposant et des jardins extérieurs, moins garnis qu'en été, mais tout de même étonnamment fleuris pour la saison avec les chrysanthèmes nains, les asters, et d'autres plantes qu'elles ne connaissaient ni l'une ni l'autre, peu versées en botanique; à part les pivoines, les narcisses et les glaïeuls, elles pouvaient identifier peu de plants.

Quand Marie-Andrée commença un petit laïus sur le fondateur du jardin, le frère Marie-Victorin, et sur les aléas de la réalisation de ce lieu devenu un centre de référence pour les botanistes du monde entier, Éva l'interrompit.

– J'ai tout lu ça dans les journaux, dans le temps. Ça c'est pas fait tout seul, le Jardin botanique.

Et elle poursuivit longuement, donnant beaucoup plus d'informations que sa fille n'aurait pu le faire. Elle était fière de faire étalage de ses connaissances. «Pour une fois que je peux lui montrer ce que je sais!» C'était fait sans ostentation, enfin, à peine. Sa fille se réjouissait d'avoir proposé si judicieusement ce lieu à visiter, sans se douter que sa mère l'apprécierait à ce point.

Dans la serre tropicale, la chaleur humide et pesante dans laquelle baignaient les plantes exotiques finit par accabler Éva, qui n'osa l'exprimer. «Elle se donne tout ce mal-là pour moi. Je ne vais pas me plaindre!» Ayant tout de même apprécié la visite dans la serre, elle respira cependant avec plus d'aisance dans les allées extérieures du jardin dont les arbres, en cette saison, rivalisaient de couleurs flamboyantes.

– On se croirait dans les Cantons de l'Est ou en Beauce, commenta-t-elle admirative.

Marchant lentement, elle parlait, évoquant les souvenirs champêtres de la petite fille qu'elle avait été. Et, brusquement, des silences taisaient des réminiscences dérangeantes. Marie-Andrée écoutait sans rien dire, de crainte de tarir le flot de confidences impromptues.

– Quand j'étais petite, poursuivit Éva, je me couchais dans l'herbe, l'été, entre les grands faux trembles. Je fermais les yeux et j'écoutais les feuilles trembler au-dessus de ma tête. Je restais là longtemps. Des fois, j'avais l'impression que c'était l'eau d'un ruisseau; d'autres fois, c'était comme si les arbres chuchotaient entre eux. Je me suis toujours demandé ce que des arbres pouvaient se dire…

Son regard rêveur ne voyait plus les sentiers du Jardin botanique, ses sens ne percevaient plus la fraîcheur de l'automne, mais l'ombre bienfaisante des grands faux trembles et leurs bruissements sonores par une journée chaude de juillet.

Sa fille l'observait attentivement, encore sous le choc de réaliser que sa mère avait été une fillette rêveuse, comme tant de petites filles, comme elle aussi, comme ses filles aussi, peut-être, si elle en avait un jour… «Ma mère a-t-elle réalisé ses rêves?» se demanda-t-elle tout à coup. Et c'était quoi, ses rêves?» Si quelqu'un lui demandait, là, maintenant, de lui décrire sa mère, de lui parler d'elle, que saurait-elle en dire, en fait? Que connaît-on d'une personne quand on ignore ses rêves? Devant son ignorance, elle eut presque honte. Elle regarda cette femme marchant lentement à l'ombre des arbres multicolores, comme fatiguée par le poids des années qui, l'une après l'autre, s'étaient ajoutées dans son corps, sur ses épaules, dans son cœur.

Le peu de connaissances qu'elle avait de sa mère la déconcerta et la dérangeait. Puis elle en comprit la raison, ce qui la bouleversa davantage. Dans son enfance et son adolescence, Marie-Andrée n'avait perçu sa mère que par rapport à elle : ce qu'elle lui permettait, lui interdisait, lui recommandait, lui ordonnait, lui disait ou ne lui disait pas, bref, par rapport à elle, toujours à elle, rien qu'à elle, si égoïstement, au fond. Oui, c'était cela ; elle n'avait de sa mère qu'une connaissance égoïste, bêtement égocentrique. « Je m'enrage parce qu'elle me traite en enfant, mais moi, est-ce que je ne la considère pas uniquement comme une mère ? » Et au-delà de la mère, qui était donc Éva, Éva Métivier, Éva Métivier-Duranceau ?

Quand elle était revenue de son voyage en France, Marie-Andrée avait décidé, avec sa raison, qu'elle devait se détacher de ce lien de symbiose souvent étouffant. Elle devait cependant reconnaître que cette scission était encore fragile à en juger par les impatiences qu'elle ressentait à propos de tout et de rien. En fait, prenait-elle, de façon… égocentrique, comme des attaques personnelles ce qui n'était peut-être que lié au vécu intime de sa mère, et qui ne concernait qu'elle ?

Marie-Andrée perçut brusquement sa mère distincte d'elle, comme si une coupure venait de se produire. Elle en eut aussitôt une preuve : elle se sentait maintenant presque orpheline, et vulnérable. Et elle réalisa à quel point Éva était vulnérable, elle aussi, quand, sortant de sa longue rêverie, celle-ci chercha, pendant une fraction de seconde, à reconnaître le décor qui lui était étranger.

À peine étaient-elles rentrées que le téléphone sonna. C'était Françoise qui lui proposait d'aller au cinéma puisqu'elle savait Ghislain à la chasse.

– Ç'aurait été une bonne idée, mais maman est venue passer la fin de semaine avec moi.

Elles se donnèrent quelques nouvelles, puis Françoise ne prolongea pas la conversation, même si elle avait le cafard. Elle venait de vivre une rupture, et elle désespérait de retrouver un homme à aimer et qui l'aimerait. Marie-Andrée l'avait senti mais elle n'avait osé s'exprimer librement devant Éva qui, de son côté, en déduisait qu'elle privait sa fille de cette sortie.

– Tu peux y aller, au cinéma, lui dit-elle avec une générosité ambivalente. Je vais regarder la télévision.

Marie-Andrée raccrocha en protestant.

– Franchement! Comme si je te laisserais ici pour aller voir un film! Pour une fois que je te reçois, il n'est pas question qu'on perde une seule heure ensemble.

Elles se regardèrent et se détendirent dans un instant de complicité.

– C'est difficile, tes cours à l'université? demanda Éva plus tard, en finissant son thé après le souper.

– Un peu plus que je pensais, mais j'aime vraiment ça.

Elle hésita à donner des détails qui n'intéresseraient peut-être pas sa mère, mais celle-ci semblait les attendre. Alors elle poursuivit.

– On a des cours en marketing, en finance, en administration, en comptabilité et en relations humaines.

C'est sûr que les probabilités et les statistiques, ça, je m'en passerais. Mais qu'est-ce que tu veux, on ne peut pas tout aimer.

– Qu'est-ce que tu préfères? demanda Éva avec une secrète admiration pour sa fille, entremêlée d'un sentiment désagréable lié à son ignorance à elle.

– En fait, il fallait choisir une concentration. Un domaine qui serait vu plus en profondeur que les autres, précisa-t-elle devant le regard perplexe de sa mère. J'ai choisi la gestion d'entreprise.

– Une caisse, c'est pas une entreprise! commenta sa mère.

– Les caisses offrent des services financiers mais, dans le fond, ce sont des produits. Pour le moment, je travaille dans le domaine bancaire, mais rien ne dit que je vais rester là le reste de ma vie.

– Tu vas travailler toute ta vie? fit sa mère avec un air effaré. Tu ne veux pas d'enfants?

C'était la première fois que la question de la maternité était abordée entre elles. Marie-Andrée sourit, comprenant que sa cohabitation avec Ghislain commençait à être acceptée.

– Des femmes qui travaillent même si elles ont des enfants, ça se voit de plus en plus, maman, même à la caisse où je travaille. Je ne serais pas la première à vivre ça.

– On ne peut pas être à deux places à la fois, pas plus toi qu'une autre.

Elle regarda sa mère qui avait été une femme au foyer pour élever ses enfants; peut-être avait-elle de la difficulté à envisager une vie de mère de famille différente de la sienne, tout simplement.

– Papa était toujours parti, mais Ghislain est là, lui.

Éva le prit comme un reproche.

– Ton père a fait son possible.

Marie-Andrée commença à s'énerver.

– Je le sais! Et moi aussi, je fais mon possible. Et si j'ai des enfants, je commencerai par un à la fois, parce qu'il paraît que des jumeaux, ça saute une génération. Et je verrai au fur et à mesure, comme tu as fait, toi aussi.

Elle se voulut conciliante et ajouta :

– Les femmes ont pas mal plus de commodités dans la maison qu'autrefois. Ça fait gagner du temps, quand même, non?

Puis elle choisit délibérément de revenir sur ses cours pour clore la discussion.

– Avec une concentration en gestion d'entreprise, je me donne plus de possibilités si, plus tard, je veux changer de domaine. Au fond, ce que j'aime, c'est apprendre, je pense.

Replongée dans son enthousiasme, elle s'enflamma.

– Si tu savais comme ça élargit mes horizons. L'argent, c'est une chose, mais les rapports de travail, l'économie, c'est tellement plus vaste, ça englobe tellement de facettes d'une situation.

– N'empêche qu'élever une famille, c'est une occupation à plein temps, s'obstina Éva. Tu pourras pas toujours faire tout ce que tu veux, Marie-Andrée.

– Comme toi, maman? répondit-elle spontanément, étonnée de sa réplique vive mais juste, ne ressentant soudain que de la compassion pour sa mère qui, si souvent esseulée, avait été prisonnière de ses enfants et de sa tâche.

– Je me suis jamais plainte!

– T'étais prisonnière quand même.

– Prisonnière? J'ai jamais été prisonnière dans ma maison, pas plus que ta sœur Louise, ni que toutes les femmes qui restent à la maison.

– Et Louise, ça va? demanda Marie-Andrée qui voulait changer de sujet de conversation.

Sa sœur voulait se trouver un travail maintenant que Simon allait à l'école et cela entraînait de nombreuses discussions entre elle et Yvon.

– Les femmes modernes, jugea sévèrement sa mère, elles se plaignent mais elles n'ont aucune idée de ce qu'on a enduré, nous autres.

– Et tu nous reproches de vouloir vivre autre chose?

– On n'était quand même pas des martyres! À t'entendre, on a tout fait de travers!

Marie-Andrée se renfrogna sur sa chaise, comprenant soudain d'où provenait son ambivalence. Où pouvait-elle chercher, et surtout trouver, un modèle? Qui avait emprunté ce chemin de l'autonomie avant elle, avant sa génération?

– Puis toi, avec Ghislain, ça va comment? demanda Éva qui voulait changer de conversation à son tour.

Sa fille fut tentée de donner une réponse qui la confronterait à une autre réalité que la sienne, puis elle se ravisa, par réflexe. «Elle m'a raconté les problèmes de couple de Louise et Yvon; donc elle raconterait les miens aussi. Non, merci.» Elle cherchait un autre sujet de conversation quand la sonnerie de la porte retentit joyeusement à plusieurs reprises.

– T'attends quelqu'un?

– Mais non! dit Marie-Andrée en allant ouvrir.

De la cuisine, Éva n'entendit d'abord qu'une voix féminine inconnue, qui lui déplut par son ton rapide et surexcité.

– Salut, les amoureux! Vous êtes les premiers à apprendre notre bonne nouvelle!

La visiteuse, une jeune femme de petite taille et potelée, surgit dans la cuisine-salle à manger et s'arrêta en voyant une femme d'âge mûr au lieu de son frère.

– T'as de la visite? demanda Monique, déçue.

– Maman, je te présente Monique; c'est la sœur de Ghislain, précisa-t-elle.

Un peu à l'écart se tenait un jeune homme, aussi mince que sa copine était boulotte, et les cheveux aussi noirs que sa copine les avait roux.

– Gaétan, ajouta Marie-Andrée. C'est le copain de Monique.

– Mon fiancé! rectifia la jeune rouquine. On est fiancés depuis tout à l'heure. On avait hâte de vous le dire. Ghislain n'est pas là? demanda-t-elle tout à coup avec une telle déception dans la voix que sa belle-sœur, heureuse pour eux, les invita à s'asseoir et même à prendre un verre pour fêter l'événement.

Éva la regardait proposer différents digestifs inconnus pour elle, converser aisément avec le jeune couple qui lui était étranger. « Si Marie-Andrée s'était mariée, aussi, je la connaîtrais, la sœur de Ghislain, ronchonna-t-elle intérieurement, on serait pas comme deux étrangères. »

Le mot exprimait parfaitement ce qu'elle ressentait, depuis sa descente de l'autobus, par rapport à sa fille. Celle-ci était devenue une étrangère. Native de Valbois, elle se déplaçait dans la grande ville de

Montréal comme si elle y avait toujours vécu. Elle s'exprimait avec une assurance qu'elle ne lui avait jamais connue, elle choisissait des boissons, des vins, des fruits et des mets inconnus d'Éva. Elle avait des amies, un travail, une belle-famille, même, ici, à Montréal, et sa mère était exclue de tout cela. Autrement dit, elle avait sa vie à Montréal, une vie qui n'avait rien en commun avec celle de sa mère.

Éva déglutit péniblement, essayant de refouler l'immense tristesse qui l'envahissait : elle venait de réaliser qu'elle avait perdu sa fille, et depuis longtemps.

Après le départ des visiteurs importuns, dans un désir inconscient de se rapprocher d'elle, peut-être, elle lui demanda si elles pouvaient visionner les diapositives de son voyage en France. Peut-être était-ce là qu'elle l'avait perdue? Peut-être y retrouverait-elle le lien dénoué?

Éva n'avait vu les diapositives qu'une seule fois et elle ne se lassait pas de se faire répéter le nom des villes, des monuments, des châteaux. Le château de Chenonceaux lui plaisait particulièrement, lui qui, à travers les siècles, avait subi l'heureuse influence de plusieurs femmes. Les noms et les dates lui échappaient, mais elle se rappelait deux détails.

L'une des illustres propriétaires avait innové en faisant construire un corridor, ce qui évitait dorénavant aux gens de passer d'une pièce à l'autre dans une enfilade des plus malcommodes et indiscrètes. De plus, elle avait fait construire les escaliers droits, avec un palier pour en changer la direction, pour remplacer les escaliers en rond dont le bout étroit s'avérait carrément dangereux. Combien de fois les servantes qui transportaient des plateaux chargés de nourriture à l'étage, puisque les nobles prenaient leurs repas dans leur chambre, n'avaient-elles pas renversé leurs plateaux parce qu'elles devaient laisser le passage aux maîtres et aux invités, et se contenter du bout étroit des marches?

– Des fois, ça a l'air de rien de changer des détails, mais encore faut-il y penser! Si on nous consultait plus souvent, nous autres, les femmes, il y a bien des affaires qui seraient améliorées, dit-elle avec fierté et rancœur tout à la fois.

Éva sentit le besoin de nommer ses changements, elle aussi, et elle se mit à parler de son implication dans l'AFEAS, cette association qui n'était pas dirigée par des prêtres, comme cela s'était vu long-temps, mais par des femmes, pour mieux comprendre la réalité des femmes et s'entraider les unes les autres par l'éducation et l'action sociale. Aux réunions de l'AFEAS, et Éva en était très fière, on se souciait de bien plus que de travaux domestiques et arti-sanaux, qui avaient longtemps été au centre des rencontres de femmes.

Marie-Andrée admirait sa mère qui, à l'âge de la retraite, partageait ses énergies et son expérience de vie. Cette socialisation semblait ouvrir de nouveaux horizons à celle qui, jusque-là, avait été confinée à sa maison et à ses enfants.

En se couchant, n'arrivant pas à dormir, elle s'in-quiéta, se demandant si sa mère était contente de sa journée, avait bien mangé, trouvait le divan-lit confortable, etc. Puis, elle comprit peu à peu pour-quoi le sommeil la fuyait. Les diapositives l'avaient replongée dans ses souvenirs de la fin des années soixante : son chagrin d'amour, le court épisode homosexuel de son jumeau, ses désillusions face au mariage de son frère Marcel et de sa belle-sœur Pauline... Pour chasser ces épisodes de son passé, elle agrippa l'oreiller de Ghislain qu'elle colla contre son cœur et, rêvant de se blottir dans ses bras, elle s'endormit enfin.

Le lendemain, à la messe solennelle dans la basilique de l'Oratoire, elle chercha en vain à retrouver sa ferveur d'autrefois. C'était grand, trop grand à son goût; les touristes entraient à tous moments et cela créait un remous constant qui n'incitait pas au recueillement. Sa mère aurait voulu s'agenouiller, mais il n'y avait aucun agenouilloir. Marie-Andrée soupira, nostalgique des messes de son enfance, et se dit, en passant plus tard devant la crypte-église, qu'elle aurait sans doute préféré ce lieu plus intime.

Après une visite des lieux, sa mère insista pour aller dans une pâtisserie.

– Tu t'es donné assez de trouble depuis que je suis arrivée. C'est bien le moins que je t'offre un dessert.

– J'en ai déjà prévu un, la rassura sa fille.

– Je l'ai pas vu dans le frigidaire.

– Il n'est pas encore fait : il ne doit pas être préparé d'avance.

– Alors il n'y a pas de problème, s'obstina sa mère; c'est moi qui l'offre.

À la pâtisserie, elle choisit un dessert alléchant, mais aussi sucré et gras qu'il était appétissant.

– Maman, protesta Marie-Andrée en riant, pas celui-là! Il y a bien trop de gras! Tiens, regarde, il se fait aussi en portions individuelles. Je peux t'en acheter une, si tu veux.

Cela ne faisait pas l'affaire d'Éva. Elle voulait participer au menu pour la remercier de son hospitalité. Mais que pouvait-elle lui offrir? Elle ne connaissait rien aux vins, sa fille cuisinait toutes sortes de mets nouveaux et exotiques dont sa mère n'avait jamais vu la couleur. Que lui restait-il pour participer au repas, sinon un dessert? Et dans ce cas, de quoi aurait-elle l'air si elle n'achetait qu'une portion, qu'elle mangerait elle-même, en plus?

— À ton âge, on a besoin de forces! décida-t-elle en achetant le gâteau au nombre effarant de calories.

Marie-Andrée s'irrita. Pourquoi ses décisions, ses besoins semblaient-ils toujours en conflit avec ceux de sa mère?

— C'est pas un dessert en quinze jours qui va te rendre obèse!

— Un? Je vais en avoir pour la semaine!

— Ghislain va être content et tu n'auras même pas besoin de lui faire le dessert. Occupée comme tu es, tu vas gagner du temps.

— Il ne mange pas de dessert!

Éva était exaspérée que sa contribution soit ainsi dénigrée. Elle fit inconsciemment son geste de la main signifiant qu'elle était très irritée, elle aussi.

— Tu jetteras le reste, mon Dieu, si c'est si compliqué que ça!

Elle termina la discussion en apportant le dessert à la caisse, mais sursauta devant son prix élevé. «Avoir su que ça ferait tant d'histoire, j'en aurais pris un autre moins cher!»

Marie-Andrée rageait. Sa mère se croyait encore une fois plus apte qu'elle à savoir ce qui lui convenait ou non. Autrefois elle ne protestait pas; sa mère pouvait prétendre ignorer ses objections. Mais là, aujourd'hui, elle s'était exprimée. Cela avait-il changé quoi que ce soit? Nullement! Sa mère se croyait le droit de lui imposer sa décision malgré ses protestations. En soupirant, elle choisit néanmoins de ne pas se laisser atteindre par ce qui, somme toute, n'était qu'un détail. Elles revinrent en bavardant et, en montant à l'appartement, elle dit tout naturellement qu'elles avaient l'air de bonnes amies, toutes les deux. Éva se cabra instantanément.

— Une mère reste une mère malgré tous les mots dont on veut l'abrier. Une mère ne peut pas être l'amie de sa fille : c'est sa mère. On n'a pas été instruits comme vous autres, on n'a pas toujours les bons mots, mais une mère, ça, je sais ce que c'est!

Marie-Andrée se reprocha sa maladresse tout en constatant que, dans les efforts sincères qu'elle déployait pour créer une relation harmonieuse, elle avait la pénible impression de chercher à l'aveuglette et de se heurter au fait qu'aucune attitude ne semblait convenir. «Est-ce que grand-maman était comme ça avec elle?» se demanda-t-elle pour la première fois de sa vie. Éva, contrariée et fatiguée, essoufflée par l'escalier, se reposa un instant, puis elle poursuivit en enlevant son manteau :

— Après tout ce qu'on a fait pour nos enfants! Puis ensuite, quand ils sont grands, on est de trop! Il faudrait s'effacer, faire comme si on n'avait plus rien à leur apprendre, comme s'ils n'étaient plus nos enfants mais des... amis! Des amis! Des amis, ça n'en sait pas plus que nous autres. Mais des parents, ça en sait plus que nous autres, c'est certain, sans ça, à quoi ça servirait de vieillir? Ce qu'on a à dire, ça a du bon sens, tu sauras! On avait assez de bon sens, autrefois, pour les faire, ces enfants-là! Pour les nourrir, les habiller, leur donner une maison chaude. Ce bon sens, on l'a encore, figure-toi donc! Des larmes de colère et de détresse tombèrent de ses yeux bruns. Pourquoi les enfants semblaient-ils rejeter leur mère? «C'est honteux, d'avoir une mère? Est-ce que j'ai déjà eu honte de mes enfants, moi? Comme si c'était une promotion de passer de *mère* à *amie*! C'est le monde à l'envers!»

Marie-Andrée était démunie devant la tournure de la situation. Elle ne voulait aucunement se montrer ingrate! Elle n'avait nullement l'intention, non plus, de nier tout ce qu'elle lui devait : au contraire. Mais il lui semblait qu'à vingt-cinq ans elle n'avait plus besoin d'une attitude maternelle autoritaire, mais plutôt d'une complicité. Était-ce si anormal de vouloir décharger une mère vieillissante de sa responsabilité maternelle quand la plus jeune de ses enfants avait déjà un quart de siècle?

Elle commença à préparer le souper dans un silence lourd. Puis la conversation reprit petit à petit. Pour essayer de se faire pardonner (même si elle ne savait pas trop quoi au juste), elle se servit, à la fin du repas, une large portion pour faire honneur au dessert controversé, même aux dépens de ses bonnes résolutions de surveiller son alimentation.

– Tu prends un gros morceau, pour quelqu'un qui n'en voulait pas! railla sa mère.

Marie-Andrée se sentit doublement humiliée, comme si elle était une enfant hypocrite prise en faute. Prise en faute quoi qu'elle fasse.

– Si je n'en prenais pas, tu ne serais pas contente. Je m'en sers, et tu me blâmes. D'un côté comme de l'autre, conclut-elle en repoussant son assiette, j'ai tort.

– Ah, arrête donc tes niaiseries! Tu vas gâcher ton bon repas.

«Gâcher mon repas? Moi, je vais gâcher mon repas?» Cette fois, c'était trop! Elle faillit quitter la table. Éviter la confrontation. Fuir. Son réflexe habituel. Mais où donc serait-elle allée pour se réfugier? Elle était chez elle!

Dans des moments semblables, elle se sentait alourdie comme si elle avait des boulets aux pieds. Elle souhaitait montrer à sa mère qu'elle était une adulte responsable, une femme aimante et intéressante, une personne qui réussissait dans la vie avec ce qu'elle avait reçu de ses parents. Autrement dit, lui montrer qu'elle se débrouillait bien et qu'ils pouvaient être fiers d'elle. Au lieu de cela, chaque fois que l'occasion de présentait, sa mère dénaturait ses intentions, n'y croyait pas ou les comprenait de travers. Le faisait-elle intentionnellement? Ou encore, elle lui imposait le poids écrasant des sacrifices – très nombreux – qu'elle avait dû consentir pour élever ses enfants. La charge était si lourde qu'on ne pouvait que chercher à s'en défaire, ne serait-ce que pour respirer à l'aise.

– Tu devrais venir me voir plus souvent, lui reprocha paradoxalement Éva, qui ne s'était jamais habituée à son départ et à qui manquaient tant ses visites hebdomadaires d'autrefois. J'aurais tellement aimé vieillir avec mes enfants pas trop loin de moi, pour les voir souvent, ajouta-t-elle en soupirant. Mais non! Marcel est à Toronto et j'ai vu mon petit-fils seulement deux ou trois fois en trois ans. Diane est en Afrique avec son mari. Luc est à Montréal mais je ne vois pas plus grandir sa fille. Et toi, toi...

Attaquée, Marie-Andrée se retint pour ne pas se défendre âprement. Elle se contenta simplement d'une vérité élémentaire.

– Tous les enfants grandissent, maman. Les tiens sont des adultes, qui gagnent leur vie comme des adultes, là où ils le peuvent. Et maintenant, ça veut dire Toronto, Montréal et Danané en Côte-d'Ivoire. Mais ça, tu ne pouvais pas le prévoir quand on était petits et nous non plus.

Elle marqua une pause puis ajouta ce qui lui paraissait le plus important.

– Quand on se fait trop d'idées d'avance, on risque d'être déçu parce que la vie, ça ne peut pas se prévoir comme le total d'une colonne de chiffres.

– On a le droit d'avoir des rêves!

C'était indéniable. Pourtant quelque chose clochait dans cette assertion.

– Oui, convint Marie-Andrée, on a le droit d'avoir des rêves, on a même besoin d'avoir des rêves.

– Pourquoi tu critiques, d'abord? demanda Éva, perplexe.

– Parce que les rêves, précisa-t-elle lentement, il faut en avoir pour soi, pour nos affaires. Mais pas pour la vie des autres.

Éva se sentit spoliée de ses prérogatives maternelles.

– Quand t'auras des enfants, tu changeras d'idée! Tu pourras pas t'empêcher de souhaiter qu'ils aient une belle vie. Une mère, c'est comme ça!

Marie-Andrée fut troublée par ce commentaire, au point de remettre en question son désir d'avoir des enfants, de peur de les étouffer. Puis elle regarda sa mère qui souffrait et elle eut de la peine pour elle. Pourquoi leurs rencontres, si peu fréquentes depuis quelques années, suscitaient-elles toute cette incompréhension et cette tristesse ? À quoi bon se faire souffrir mutuellement ? Elle prenait régulièrement des nouvelles de ses parents, se souciait de les savoir en santé et ne manquant de rien, mais elle voulait éviter les confrontations qui, fatalement, surgiraient, y compris celles entre Ghislain et son père. Elle ne souhaitait pourtant que dire et prouver à sa mère que celle-ci l'avait bien préparée à la vie. « Il me semble que si j'étais une mère, j'aimerais ça que ma fille s'épanouisse. Ce serait un peu comme... ma récompense, d'une certaine façon. » Comme si elle avait lu dans ses pensées, sa mère dit tout à coup :

– Si j'avais eu ton instruction, moi aussi j'aurais été capable de diriger du monde comme tu fais !

Voilà ! C'était dit ! Presque reproché. C'était le même commentaire qu'elle avait reçu quand, si fière, elle lui avait annoncé sa promotion à la caisse. Un commentaire amer d'Éva, par rapport aux désillusions d'Éva, et non des félicitations sincères d'une mère à sa fille devant son succès. Comme si Marie-Andrée ne pouvait pas vivre quelque chose qui lui soit propre, qui soit dissocié d'elle. Éva se croyait bonne et généreuse, et elle l'était souvent, mais d'apprendre les réussites de sa fille ne la réjouissait pas. Au contraire, cela la ramenait, semblait-il, aux nombreux échecs ou aux difficultés dont toute sa vie avait été parsemée, du moins selon elle. Marie-Andrée avait mis beaucoup d'années à déceler cette attitude et elle avait dû se rendre à l'évidence : ses réussites exacerbaient la certitude que sa mère entretenait sur la faillite de sa propre vie. Mais que pouvait-elle y faire ? L'aimer signifiait-il nier ses propres réussites pour ne pas réveiller des déceptions personnelles chez elle ? Des liens continuaient à se défaire, des liens de symbiose malsains. La mère et la fille étaient deux êtres différents, avec chacune une histoire différente. Tout simplement. Et l'amour qu'elles se portaient, eh bien, c'était autre chose. L'amour existait par lui-même, de lui-même, entre elles. De cela, Marie-Andrée était certaine et elle chercha, honnêtement, une fois de plus, à découvrir l'affection qui devait être sous-jacente aux paroles maternelles acerbes. Mais elle devait y aller à tâtons, jouant quasiment aux devinettes et se trompant si souvent, avec le résultat qu'elles continuaient à se heurter l'une l'autre.

Elle soupira profondément malgré elle. «Je lui ai consacré toute ma fin de semaine et ce n'est pas assez. C'est jamais assez ! Pourquoi je m'obstine ?» Une pensée l'effleura : au moins, elle ne vivait pas ce genre de liens avec Ghislain.

Le dimanche soir, en revenant du terminus où elle avait raccompagné sa mère, Marie-Andrée profita d'un court répit avant le retour de Ghislain pour poser un geste décisif. Elle ouvrit le frigo et sortit le reste du fameux dessert avec l'intention bien arrêtée de le jeter dans la poubelle ! Mais elle se figea brusquement : ce n'était pas si simple.

Furieuse contre elle-même et résignée tout à la fois, elle s'assit sur la première chaise venue, le dessert dans les mains. Des pensées de confusion alourdissaient son cerveau. Elle voulait jeter ce maudit dessert ! Mais, jeter les trois quarts d'un aliment encore comestible, c'était contre ses principes. De plus, pouvait-elle jeter un cadeau de sa mère pour lequel, elle l'avait bien vu, celle-ci avait dépensé plus que prévu? D'un autre côté, pouvait-elle conserver ce dessert qui portait atteinte à sa liberté de choisir une nourriture saine, ce qui était aussi devenu un principe pour elle? Pouvait-elle tolérer, à vingt-cinq ans, chez elle, d'obéir aux décisions que quelqu'un d'autre prenait à son sujet? Bien sûr que non! Mais ce quelqu'un d'autre n'était pas n'importe qui : c'était sa mère!

Marie-Andrée était épuisée. Était-il si difficile de se respecter soi-même? «J'ai dit que je surveillais ce que je mangeais, zut de zut!» Tiraillée, elle donna un coup de poing sur la table pour se défouler.

Elle pleurait maintenant de colère envers sa mère, mais surtout de déception envers elle-même pour le peu de respect qu'elle se témoignait. Elle se leva brusquement pour balancer l'assiette dans la poubelle quand, en soupirant, elle se ravisa, comme si elle était incapable de choisir entre sa mère et elle. Finalement, elle jeta la moitié du dessert et se résigna à manger le reste durant la semaine, petit à petit... parce que, malgré tout, il était vraiment alléchant.

Elle tournait en rond. La télévision n'offrait rien d'intéressant à ses yeux et ses études lui auraient demandé trop d'attention. Elle ne se leurra pas long-temps : elle étouffait. Avait-elle une vie, oui ou non? Sa vie lui appartenait-elle, oui ou non? Alors pourquoi se sentait-elle comme une méchante petite fille du seul fait de vivre sa vie d'adulte comme elle l'entendait?

La raison échouait. La souffrance était d'un autre ordre. Marie-Andrée ressassait une colère au cœur, une sorte de rage étouffante de tristesse. Son esprit survolté finit par concevoir un projet qui lui parut à la fois sain et insensé. Elle arpenta le salon et son projet prit forme à chacun de ses pas. C'était simple : elle allait demander à sa mère qu'elle lui donne sa vie, une fois pour toutes! Par ailleurs, elle savait que, dans le feu d'une conversation, les mots employés étaient souvent malhabiles. Son but n'était pas de la heurter; elle voulait tout simplement récupérer la vie que sa mère lui avait prétendument donnée à sa naissance. «Est-ce tellement demander que de vouloir sa propre vie?» se demanda-t-elle en larmoyant.

Elle finit par se dire que les mots que l'on écrit, que l'on a pris le temps de bien choisir, se révèlent sans doute plus justes. Prendre le temps de peser chacun d'eux permettrait sans doute d'exprimer ce qu'elle désirait sans confusion blessante ou malhabile. Elle décida alors de lui écrire une lettre et de la fignoler le temps qu'il faudrait.

Elle sortit une feuille de papier et un crayon et commença à coucher sur le papier les mots qui lui jaillissaient du cœur. Elle ne s'attendait pas à ce qui se produisit. Elle écrivit d'un jet. D'un cri du cœur.

Maman! Donne-moi ma vie!
Tu as mis mon corps au monde,
mais ma vie, tu ne me l'as jamais
totalement donnée!
Depuis vingt-cinq ans, tu me l'as prêtée,
hypothéquée, louée, contrôlée, reprochée.
Et malgré tout, je ne suis pas encore quitte!
Donne-moi ma vie, maman.
J'en ai besoin pour vivre!
Ah, maman! Pourquoi n'es-tu pas heureuse?

Elle s'arrêta, soulagée, apaisée, épuisée. Elle glissa la lettre dans une enveloppe et y inscrivit : *À maman.* Et ce, même si elle savait qu'elle ne la lui donnerait jamais...

Une profonde tristesse l'envahit. Elle venait enfin de comprendre que la mère dont elle avait rêvé, elle ne la connaîtrait jamais. Et elle comprit aussi que, si elle voulait accéder à la paix en elle, elle devait en faire son deuil, une fois pour toutes. Il lui apparaissait maintenant comme une évidence que c'était à cette seule condition qu'elle pourrait accepter et aimer la femme, la femme vivante, en chair et en os, qui était sa mère.

Quand elle s'allongea sous les couvertures, une autre idée s'imposa brutalement à elle. Sa mère n'avait pas, elle non plus, à correspondre aux attentes de sa fille, de ses filles! Sa mère aurait-elle pu correspondre aux attentes personnelles de Louise, de Diane et de Marie-Andrée? C'était mathématiquement, oui, mathématiquement parlant, impossible qu'une même personne corresponde aux attentes personnelles de plusieurs personnes, toutes différentes.

Elle se leva, prit un bain, obsédée par cette idée qui faisait son chemin. Sa mère avait le droit d'être elle-même, tout autant que ses enfants avaient le droit d'être eux-mêmes, que son mari avait le droit d'être lui-même. Une sérénité inattendue apaisa le cœur de la jeune femme devant la constatation qui s'imposait : ses parents, eux aussi, avaient le droit d'être aimés, tels qu'ils étaient.

Quand elle se recoucha, une inquiétude lui serra le cœur. Et elle, était-elle capable de donner à sa mère, et à Ghislain, cet amour inconditionnel qu'elle-même exigeait d'eux? Si elle l'attendait d'eux, ne devait-elle pas le donner aussi en retour?

Ghislain rentra tard; elle dormait déjà, épuisée. Elle se réveilla avec un besoin urgent de tendresse et ils firent l'amour passionnément. Même si Ghislain s'était douché, ses cheveux sentaient la fumée, le vent, le grand air. Même sa peau sentait la forêt. C'était le monde des hommes qui laissaient tout derrière eux pour se ressourcer. « Puis nous autres, les femmes, on reste dans nos maisons, à ressasser nos problèmes … »

Plus tard, réconciliée avec la vie mais… bien réveillée et affamée, elle se leva pour s'offrir une pointe du fameux dessert, dangereusement attirant. « Je l'ai bien mérité! » s'avoua-t-elle.

Sur le comptoir, l'assiette traînait, vide. Ghislain avait tout dévoré avec appétit après sa douche.

Le téléphone sonna. Le cœur de Marie-Andrée se serra. À près de minuit, ce ne pouvait être qu'une mauvaise nouvelle. C'était peut-être sa mère, craignit-elle en décrochant d'une main nerveuse.

– Marie-Andrée, dit son jumeau d'une voix qu'elle ne lui connaissait pas. Élise a fait une fausse couche! C'était un garçon…, ajouta-t-il avec un trémolo.

Sa sœur l'écouta, lui parla, essayant de le libérer de sa peine. Sa femme le prenait mal et il ne savait que lui dire, comment réagir.

– On a déjà une fille; pourquoi elle fait une fausse couche au deuxième?

Sa sœur n'en savait rien et elle resta de longues minutes à se le demander après avoir raccroché. Elle avait de la peine pour Élise qu'elle aimait bien, beaucoup plus que l'ancienne copine de Luc, comment s'appelait-elle déjà? Dominique?

Luc et Élise venaient de perdre un enfant. «Et moi, est-ce que j'aurai un enfant, un jour? Une fille? Un garçon?» Mettre un enfant au monde. Perdre un enfant. Toutes ses réflexions de la fin de semaine changèrent d'angle. Formuler des reproches était, au fond, envisager la situation sous un seul angle : le sien. Mais sa mère, elle, qu'aurait-elle eu à dire?

En retournant se coucher, Marie-Andrée vit sa lettre sur la commode et s'arrêta. Elle la prit dans ses mains et la regarda longtemps dans la pénombre. Elle s'allongea contre Ghislain profondément endormi, mais le sommeil la fuyait. Les yeux ouverts dans le noir, elle ne pouvait détacher sa pensée de sa mère, et de la fille qu'elle aurait peut-être un jour. Se souviendrait-elle d'être cette mère-là, la mère qu'elle appelait dans sa lettre? Elle se promit alors de relire cette page le jour où sa fille aurait vingt-cinq ans, comme elle aujourd'hui. «Mon Dieu, faites que je sois une bonne mère pour ma fille, si jamais j'en ai une!» ne put-elle s'empêcher de supplier.

Après un long moment, elle se releva et remplaça l'enveloppe par une autre sur laquelle elle inscrivit : *À ma fille*.

4

– Que c'est beau la campagne en juin !

Marie-Andrée ne contenait plus son impatience en cette magnifique journée de l'arrivée de l'été, qui coïncidait avec le début du long congé, la fête de la Saint-Jean étant le mardi suivant. Elle replia fébrilement le papier sur lequel elle avait soigneusement noté la route à suivre : ils étaient arrivés. Un rang de campagne, une vieille maison à gauche avant un petit pont. À droite, un grand champ déjà fauché et, plus loin, une maison et des bâtiments de ferme dans le détour du chemin. Elle dévorait des yeux la propriété que son frère jumeau venait d'acheter. Luc, employé à la même banque depuis dix ans, venait d'être muté dans une autre succursale, près de Joliette, cette fois. Comme beaucoup de couples en 1975, sa femme et lui avaient décidé de vivre à la campagne et s'étaient acheté à bas prix une vieille maison, faite pour abriter une douzaine d'enfants mais qui servirait d'abord à Geneviève, leur fillette de deux ans, et à leurs amis.

Comme s'ils s'étaient concertés, les visiteurs débarquèrent quasiment tous en même temps. Les parents d'Élise, des amis et leurs copains et copines, Louise, Yvon et leurs enfants, Raymond et Éva, et finalement Ghislain et Marie-Andrée à qui la petite

Geneviève ouvrit tout grands ses petits bras potelés. Avec son petit nez retroussé comme celui de sa mère et son front buté comme celui de son père, l'enfant avait déjà sa personnalité à elle, faite d'exigences affirmées et d'affections rieuses. Et elle adorait sa tante Marie-Andrée qui la souleva en la becquetant. Ses cousines adolescentes, Nathalie aux cheveux noirs à peine bouclés et Johanne aux cheveux blonds, réclamèrent à leur tour cette poupée vivante; sa tante la laissa aller à regret, puis elle éclata de rire parce que l'enfant, elle, voulait plutôt aller jouer avec son cousin Simon, à la tête blonde, et ne s'en laissait pas imposer.

Raymond Duranceau, dans la soixantaine avancée, les épaules carrées, jeta à son fils un regard découragé en glissant machinalement ses doigts dans sa chevelure maintenant plus sel que poivre. Avec barbe et moustache, chemise à fleurs, jean usé et sandales aux pieds, Luc n'avait en rien l'apparence du comptable d'une banque. Il ressemblait plutôt aux hippies, ces jeunes qui avaient pour seule ambition d'être heureux et qui avaient balancé allègrement les valeurs des générations précédentes, persuadés de réinventer le monde. Le père s'attarda sur l'aspect vestimentaire de son fils et ne lui manifesta qu'une fierté tiède pour son nouveau statut de propriétaire et sa réussite professionnelle. Il préféra reluquer l'habitation vieillotte, ce qui n'améliora pas son humeur du moment. Près de lui, sa fille Marie-Andrée admirait le site, tout à fait charmant avec deux grands ormes qui ombrageaient la vieille demeure.

– Ça va faire pourrir la toiture, fit observer le père d'un ton réprobateur en décelant des réparations à effectuer.

Plus loin vers la droite de la maison, un petit ruisseau chantonnait nonchalamment à la limite du terrain, sous un couvert d'arbustes.

– Un danger pour les enfants! affirma la mère, elle aussi d'un ton de reproche, en imaginant aisément toute la surveillance que sa jeune bru aurait à faire avec sa fillette et les autres enfants à venir.

Ghislain détaillait avec indifférence, sinon un certain découragement, la maison de campagne séculaire à toit pointu élevé, avec ses deux lucarnes à l'avant, et sans doute deux à l'arrière. Comme dans ce genre de construction, le rez-de-chaussée avait deux fenêtres sur les quatre côtés, en plus de deux portes, une en façade et l'autre donnant sur l'arrière. À l'étage, en plus des lucarnes, deux petites fenêtres qui se terminaient en pointe éclairait les murs latéraux. Le revêtement à clins des murs extérieurs était en cèdre vieilli et une grande galerie enchâssait la maison sur trois côtés.

Trop citadin pour apprécier cette acquisition, il s'abstint cependant d'exprimer ses réserves sur cette fête destinée à pendre la crémaillère. Du moins jusqu'au moment où sa jeune belle-sœur Élise, enthousiasmée par ces lieux qui la plongeaient quasiment dans l'histoire, et qu'elle voyait déjà rénovés en pensée, leur en souhaita une semblable, à Marie-Andrée et lui.

– Non, merci! protesta-t-il vivement. J'ai autre chose à faire, les fins de semaine, que de travailler comme un bœuf, trois fois plus fort qu'à ma job!

«On s'en doute!» se dit Marie-Andrée, résignée. Mais le jour était à la fête. En congé universitaire pour l'été, elle jouissait pleinement de sa liberté et elle comptait bien en profiter.

Elle détailla la maison de son jumeau avec un regard neuf : celui d'une éventuelle propriétaire. La grande galerie était couverte et donnait accès, du côté gauche, à la grande cuisine familiale et, sur la façade, au salon double. Une petite pièce, à droite, donnait sur la galerie vers le ruisseau. À l'intérieur comme à l'extérieur, tout semblait d'une autre époque, entre autres dans la cuisine, avec ses armoires hautes jusqu'au plafond et peu profondes, son plancher recouvert d'un prélart désuet et l'énorme poêle au bois qui trônait au milieu. Devant la servitude que cela impliquait, Éva préféra sortir et explora les alentours.

Marie-Andrée poursuivit sa visite à la suite de sa belle-sœur qui, avec son petit nez retroussé et son rire cristallin, avait plus l'air d'une gamine de seize ans que d'une jeune maman et la copropriétaire de la maison. À l'étage, il y avait trois chambres assez petites et une quatrième qui avait été convertie en salle de bains. Les plafonniers se résumaient à une simple ampoule d'où pendait un long ruban défraîchi pour allumer ou éteindre. Sur le plancher, plusieurs prélarts usés étaient superposés, mais ils ne réussissaient à camoufler que les larges planches de pin arrondies. Aucune porte ne se verrouillait; un simple crochet interdisait l'entrée des pièces. Sur les murs, les papiers peints, aux motifs anciens et délavés, étaient abîmés en de nombreux endroits. Élise, ravie, voyait là les traces d'une maison qui avait vécu et elle fabulait allègrement sur les propriétaires précédents.

Après avoir désigné la chambre des parents, la première à gauche près de l'escalier, Élise montra la chambre de Geneviève qui était contiguë à la leur et qui donnait sur l'arrière. À la droite de l'escalier se trouvait la salle de bains qui jouxtait la quatrième pièce. Marie-Andrée aima tout de suite cette chambre parce qu'elle avait une fenêtre latérale du côté du ruisseau et une lucarne donnant sur l'arrière. Élise, trop impatiente pour attendre que Luc soit présent, lui annonça d'emblée qu'ils leur réservaient cette pièce, à Ghislain et elle.

– Maintenant qu'on a de la place pour vous recevoir, dit-elle chaleureusement, on aimerait ça vous avoir souvent! Qu'est-ce que vous diriez de venir passer quelques jours en juillet? On est tellement contents de notre maison qu'il n'est pas question d'aller ailleurs cet été!

Une grande joie monta au cœur de Marie-Andrée. Se pouvait-il que leur connivence de jumeaux resurgisse enfin entre elle et Luc? Depuis leur enfance, les jumeaux partageaient le même instinct de liberté. Au fil des années, leurs moyens de l'atteindre ou de la préserver s'étaient révélés très différents, mais leurs quêtes en étaient-elles dissemblables pour autant?

– Dans le fond, lui avait-elle dit à quinze ans, on fait pareil, tous les deux; on cède sur ce qui ne nous dérange pas, mais on tient à nos idées sur nos affaires importantes.

Elle devait cependant avouer que, dix ans plus tard, elle ne savait plus vraiment ce qui comptait pour lui. Mais quelle importance cela avait-il, là, tout de suite? La vie les rapprochait à nouveau et elle avait bien l'intention d'en profiter. Elle accepta l'invitation avec joie tout en précisant :

– On pourrait venir une fin de semaine au mois d'août. En juillet, on va à Cape May en Virginie. La mer! s'écria-t-elle avec emphase. J'en rêve depuis des mois!

Par la fenêtre donnant sur le ruisseau, elle chercha son jumeau des yeux et le vit se promenant avec des invités, un jeune homme habillé en hippie avec une fleur piquée dans les cheveux et sa copine vêtue d'une blouse ample et légère, et d'une jupe paysanne. Il était joyeux comme à l'adolescence, à l'aise parmi tout ce monde, fier de montrer sa maison, la propriété, les champs qui s'étalaient de part et d'autre de la route. Ils ne lui appartenaient pas, mais ils faisaient partie du décor champêtre où il avait décidé de vivre désormais.

Sa jumelle devina, amusée, que cela devait lui donner l'illusion d'être devenu un propriétaire terrien... prospère! Elle eut un élan de reconnaissance pour cette demeure ancestrale, un tantinet vétuste, qui les réunirait désormais plus souvent. Comme l'été s'annonçait heureux! Élise l'entraîna vers la lucarne qui donnait sur l'arrière et lui montra l'immense potager qu'elle avait déjà semé.

– Ma grand-mère en faisait toujours un, grand comme ça, et je l'aidais. Maintenant c'est à moi d'en faire un et de commencer à montrer à ma fille comment désherber. Tu te rends compte? Je vais montrer ça à ma fille!

Marie-Andrée en fut saisie. «Je vais montrer ça à ma fille!» Elle n'avait jamais envisagé la maternité sous cet angle : une connivence joyeuse! Du coup, elle se surprit à espérer vivre à son tour une expérience aussi unique.

– Comment tu le trouves? demanda fièrement la jeune maîtresse des lieux. En plus, j'ai un rang de *marigolds* de chaque côté, pour éloigner les insectes. Comme ma grand-mère faisait.

À en juger par les dimensions du potager, Marie-Andrée devina qu'Élise, d'un naturel excessif, n'avait pas lésiné sur la quantité de légumes et de fleurs ni, sans doute, sur la variété des plants. Et elle rit de bon cœur en apercevant sa mère arpenter lentement le potager d'un air dubitatif, sinon découragé, qui ressemblait assez, d'ailleurs, à celui de Ghislain qui venait de les rejoindre et qui, aussi peu enthousiaste que sa belle-mère, se contenta de commenter, moqueur :

– Vas-tu avoir un kiosque de légumes au bord du chemin? Je vois ça d'ici : CHEZ MÉMÈRE ÉLISE!

Élise s'esclaffa à cette réplique et répondit sur le même ton :

– Si tu viens nous aider cet été, mon beau Ghislain, on te donnera une douzaine de citrouilles *gratis* pour l'Halloween! Farce à part, reprit-elle sérieusement, vous pouvez aménager cette chambre comme vous voulez! On a acheté le lit à un encan la semaine passée; c'est au moins ça de fait. Oh! s'exclama-t-elle, les yeux brillants, vous devriez venir avec nous autres à un encan, c'est tellement excitant! Si vous voyiez les affaires qu'on peut trouver!

– Ouais, des vieilleries! dit Ghislain d'un ton désapprobateur.

– Il y a beaucoup de vieux meubles. Les gens s'en débarrassent pour presque rien.

Marie-Andrée ressentit profondément, avec exaltation, qu'une nouvelle vie commençait pour eux tous. Plus encore, elle eut l'intuition que ses années à vivre en logement à Montréal étaient comptées. Devant l'air heureux qu'elle affichait depuis son arrivée,

Élise ne put s'empêcher de la plaindre. «Eux autres puis leur appartement grand comme ma main, pas d'air, pas d'espace!» Son véritable regret refit surface. Elle n'approuvait pas qu'ils cohabitent depuis deux ans sans officialiser leur union. «Je suis sûre qu'elle aimerait ça, elle aussi, être mariée. Être accotés, c'est pas une vie, quand on s'aime vraiment!»

«Un petit couple modèle!» railla Ghislain en redescendant l'escalier et en devinant les pensées de sa belle-sœur, qu'elle avait d'ailleurs exprimées à quelques reprises. Fidèle à sa philosophie de vie, il se rengorgeait de ne pas être tombé, selon son expression, dans le piège du mariage même si son beau-père l'avait pris en grippe dès que Marie-Andrée avait annoncé à ses parents qu'ils allaient vivre ensemble sans se marier.

— Tu la connais, ta fille…, avait insisté Éva à plusieurs reprises depuis qu'elle était allée chez elle, l'automne dernier. Si on refuse son… son… son ami, c'est sûr qu'on ne la reverra pas. C'est ça que tu veux?

Devant le silence buté de son mari, elle ajoutait :

— Pas moi! Moi, je veux voir ma fille et je veux qu'elle sache que la maison sera toujours ouverte pour elle.

— Pour elle, oui! Mais pas pour lui! ronchonnait le père.

— Pour lui aussi! Maintenant ils sont ensemble, qu'on le veuille ou non!

Qu'elle en ait été ulcérée, chagrinée, cela ne regardait personne d'autre qu'elle! Devant les autres, rien de ses déceptions ne devait paraître. Et puis, Éva avait autre chose à penser, à Valbois, plus impliquée que jamais dans l'AFEAS. Ses activités prenaient beaucoup de son temps, mais elles lui donnaient aussi le sentiment d'être vivante et utile, surtout en cette année internationale de la femme, où tant de projets et d'espoirs naissaient pour la condition féminine.

Cela la changeait aussi des humeurs de son mari qui, depuis sa retraite, partageait constamment son quotidien, une situation qui était toujours une source de déception réciproque. De le voir vieillir, et mal vieillir selon elle, lui donnait l'impression de se trouvait devant un miroir déprimant et cela l'incitait à participer encore davantage aux rencontres de l'association féminine.

Raymond, isolé pendant tant d'années dans les chantiers, était de plus en plus dépassé par les événements, les courants sociaux, même la mode qui touchait maintenant les hommes jusque dans leurs caleçons, de plus en plus petits et même de couleur! Lui qui n'avait jamais attaché d'importance à sa tenue vestimentaire en était déconcerté. Et la liberté de mœurs s'affichait de plus en plus, jusque dans sa famille, sa petite dernière vivant en concubinage. «Pauvre petite fille; il va la planter là quand il en aura assez pour aller s'en trouver une plus jeune, une plus belle. Ma fille mérite mieux que ça!»

Loin de ces considérations pessimistes à son égard, Marie-Andrée, enchantée de sa journée à la campagne, anticipait le plaisir tant attendu de recevoir Luc et Élise le lendemain, tel qu'il était convenu depuis quelques semaines.

Elle revint de cette journée avec un élan nouveau. La vie si remplie de son jumeau, avec femme, enfant et maison à la campagne, lui faisait envie et elle se surprit à jongler avec l'idée d'avoir un enfant, elle aussi. Ce projet ne pouvait se concrétiser à court terme, bien sûr, mais un jour, peut-être. Et elle visualisa qu'un jour Ghislain et elle auraient eux aussi – pourquoi pas? – une maison à la campagne.

Quand elle partagea ses projets avec Ghislain, il prit ses désirs à la légère, à la blague.

– Un enfant? Tu vis avec moi juste pour avoir un enfant?

Vexée, elle insista pour au moins être écoutée. Alors il l'exigea lui aussi, mais d'un ton tout à fait différent. Ce n'était pas la peine de lui laisser ses illusions : il ne se sentait pas à la hauteur de la tâche d'être un père. Le modèle qu'il avait eu sous les yeux dans son enfance était si traumatisant que pour rien au monde il ne voulait le répéter.

– Mais tu n'es pas ton père! protesta Marie-Andrée.

Il demeura inflexible. Il n'avait pas eu de modèle de ce que pouvait être un bon père et il n'allait pas gâcher la vie d'un enfant à cause de son inexpérience. Croyant le rassurer, elle insista en lui faisant voir qu'ils s'aimaient et en prendraient soin à deux. Mais plus elle insistait, plus il se braquait.

– C'est pas ton père que j'aime! finit-elle par s'écrier, la gorge nouée et les yeux pleins de larmes.

– O.K.! Alors si c'est moi que tu aimes, pourquoi tu n'écoutes pas vraiment ce que je te dis? Tu ne veux rien comprendre de ce que je vis; t'essaies juste de me convaincre de faire ce que tu veux!

Elle l'aimait mal? Comment pouvait-il croire une chose pareille? Pour lui prouver qu'elle l'aimait, elle cessa d'insister. Il ne lui ferait pas d'enfant; et alors?

Était-ce une catastrophe? Au fond, cette envie de maternité n'était peut-être qu'un vilain tour de la fameuse horloge biologique dont la fonction était de s'assurer de la continuation de l'espèce. Patiemment, sa raison reprenait le contrôle de la situation et la jeune femme choisit de laisser les choses aller, en concluant que si son désir était vraiment important il s'imposerait de lui-même. Ghislain, quant à lui, conclut que, décidément, la campagne et ce style de vie ne lui convenaient en rien.

– Mais si tu veux qu'on joue au papa et à la maman, dit-il avec une voix chargée de sensualité en l'attirant contre lui, je veux bien me sacrifier.

Marie-Andrée réalisa qu'ils jouissaient d'une totale liberté pour leurs ébats sexuels, pouvant s'y adonner à n'importe quel moment du jour ou de la nuit, et n'ayant pas non plus à mesurer leurs exclamations de crainte d'être entendus de quelqu'un. Combien de parents pouvaient en dire autant?

Alanguie après l'amour, elle se blottit contre le corps solide et musclé de Ghislain, sa tête nichée dans son cou, se sentant protégée par l'homme plus grand qu'elle. Elle remercia le ciel de la liberté dont elle disposait et choisit d'en profiter pleinement, remettant à plus tard des projets de maternité dont elle n'était plus certaine qu'ils étaient fondés.

Le lendemain matin, Ghislain ronchonna avant même de se lever.

– Ton frère et moi, on n'a pas d'atomes crochus, tu le sais. Deux jours ensemble : qu'est-ce qu'on va trouver à se dire?

– Et moi, t'imagines-tu que j'en ai avec Hugo, Mariette et compagnie? répliqua-t-elle. Est-ce que ça m'empêche de les recevoir?

«S'il ne voulait pas accueillir Luc et sa famille, pourquoi il me le dit seulement aujourd'hui?» rageat-elle, déçue de commencer du mauvais pied les deux jours qu'elle attendait avec tant d'impatience.

– Bon! s'exclama-t-il en se résignant et en se levant. Qu'est-ce que tu veux que je fasse?

Retrouvant sa bonne humeur à son tour, elle lui rappela les travaux domestiques qui n'avaient pas été exécutés la veille, avant leur visite à la campagne : passer l'aspirateur et nettoyer la salle de bains. Elle ignora délibérément sa moue enfantine qui ponctuait l'énoncé de chacun des travaux. «D'ailleurs il pourrait y penser lui-même, non? se dit-elle tout à coup. J'ai l'air de quoi, moi, de lui rappeler ce qu'il a à faire?»

Deux heures avant l'arrivée de son jumeau, l'hôtesse fébrile s'agitait nerveusement à la cuisine, mesurant, mélangeant, brassant, découpant, etc. Le téléphone sonna et l'hôte arrêta l'aspirateur, qu'il laissa au beau milieu du salon, pour aller répondre.

– Salut, Hugo! Qu'est-ce que tu chantes de bon?

«Zut! grogna Marie-Andrée, ça va durer une heure! On ne sera jamais prêts à temps!» Elle s'en voulut cependant d'être contrariée. Ghislain avait fini par se faire à l'idée de recevoir son frère; allait-elle maintenant bouder? Aussi choisit-elle de se concentrer sur la mesure des ingrédients du gâteau au fromage, qu'elle cuisinait pour la seconde fois seulement.

Au téléphone, les deux copains, la langue aussi déliée l'un que l'autre, se lancèrent dans une grande envolée oratoire. Tout y passa. La piètre qualité des chansons à la mode, la crise du pétrole de 1973, et, bien sûr, le sujet de l'heure : le coût exorbitant des installations olympiques pour les jeux de l'été suivant.

— Franchement, dit Ghislain une heure plus tard, en se débouchant une bière, tu trouves que c'est normal, ça ?

Marie-Andrée leva distraitement la tête avant de retourner à sa recette.

— Quoi ?

— Que des gens ordinaires paient pour des lubies extravagantes ?

Et il reprit de plus belle ses critiques, évoquant l'oppression des masses populaires, le pouvoir des mieux nantis sur le monde ordinaire. D'ailleurs n'étaient-ils pas eux aussi des gens ordinaires ? En fait, la vie valait-elle la peine d'être vécue ? Rien de moins ! C'était toujours ainsi quand il avait refait le monde avec Hugo. Il sortait déphasé de leurs palabres et il retombait dans le quotidien avec une sorte de mépris subtil pour tout, sans trouver de solution en particulier. « Au moins, Hugo est conséquent avec ses idées : il est représentant syndical », songea-t-elle avec irritation.

Certains jours, comme en ce moment, elle avait l'impression d'entendre les éternelles récriminations de son père contre le gouvernement qui ne menaient à rien. Elle en était d'autant plus agacée ce matin que lesdites récriminations viriles prolongeaient dangereusement l'arrêt des travaux ménagers.

Elle regarda son compagnon avec impatience. Grand, maintenant un peu potelé, il se déplaçait dans l'appartement exigu à la manière d'un seigneur devant sa cour. Cette démarche altière la séduisait, mais là, tout de suite, elle aurait préféré une allure plus vive pour que les tâches domestiques soient terminées avant l'arrivée des invités. «Évidemment! Comment nettoyer une salle de bains quand on n'est pas assuré que le mât du stade olympique sera posé à temps?» railla-t-elle. Malgré toute sa bonne volonté, elle s'énervait devant le temps qui filait.

– Vas-tu avoir fini à temps? ne put-elle s'empêcher de demander.

– Ah moi, tu le sais, les jobs de maison, c'est pas mon *trip*!

«Et moi, ça me fait *tripper*, peut-être?» ronchonnat-elle. Exaspérée, elle jeta les ingrédients de la première sauce à fondue dans le robot culinaire et le fit démarrer bruyamment. «Luc et Élise arrivent dans moins d'une heure!» ragea-t-elle. Ghislain reprit finalement l'aspirateur en rouspétant. Aller au restaurant n'aurait-il pas été plus simple? Fallait-il vraiment garder les invités à coucher? Et ainsi de suite. Elle ne voulait et ne pouvait pas revenir sur la question et se concentrait sur les sauces à terminer, les gousses d'ail à presser, les fruits de mer à décortiquer.

Finalement, elle eut le temps de changer de vêtements, de dénouer ses longs cheveux et de les brosser vigoureusement, de se maquiller, de mettre des boucles d'oreilles importées de l'Inde qui lui allaient à ravir, et elle achevait de nettoyer le petit comptoir quand elle entendit sonner à la porte.

Ghislain se transforma instantanément en hôte enthousiaste et accueillit les invités avec emphase. Marie-Andrée, perplexe, se reprocha sa nervosité inutile en embrassant chaleureusement son jumeau et sa belle-sœur, et déplora l'absence de sa nièce, que les parents d'Élise avaient insisté pour garder avec eux.

De la cuisine, Luc observait sa femme s'exclamer devant la nouvelle télévision que Ghislain venait d'acheter et qui, ô merveille, affichait de superbes couleurs; du moins semblaient-elles superbes à la jeune femme habituée au noir et blanc. Il promena un regard presque condescendant sur les nouveaux appareils électroménagers vert avocat, l'une des trois couleurs à la mode, jugeant sa sœur et son beau-frère matérialistes. Puis son regard revint à son beau-frère qui vantait le téléviseur couleur avec enthousiasme. Il craignait qu'Élise n'en veuille un à son tour.

– Je viens d'acheter une maison, ronchonna-t-il. Ça va faire, les dépenses!

Sa jumelle, qui s'activait à mettre la dernière main au repas auquel elle travaillait depuis des heures, l'écoutait d'une oreille distraite tout en badigeonnant les escargots de beurre à l'ail avant de les mettre au four. Elle s'irrita de la remarque de son frère et se dit, une fois de plus, qu'elle ne supporterait pas une situation pareille. Décidément, un mari pourvoyeur qui déciderait de toutes les dépenses et approuverait ou désapprouverait toute demande de sa femme qui, elle, resterait à la maison pour élever les enfants, et serait dépendante financièrement, non, cela ne lui convenait certainement pas.

Néanmoins, elle posa un regard affectueux sur Luc et elle lui trouva tout à coup l'air soucieux; cette irritation à propos d'une éventuelle dépense lui sembla un leurre. Même s'ils se voyaient rarement depuis deux ans, la jeune femme ressentait avec trop d'acuité les états d'âme de son jumeau pour ne pas pressentir qu'il y avait une autre source de contrariété, autrement plus sérieuse qu'une télévision couleur.

Luc la regarda longuement à son tour et, comme un cadeau longtemps attendu, leur connivence les réunit enfin. Marie-Andrée étreignit impulsivement son jumeau qui s'abandonna petit à petit, un peu intimidé mais heureux de cette nouvelle mode qui consistait à s'embrasser les uns les autres au moindre prétexte. Il aurait voulu rester là, en paix, en sécurité, sans décisions déchirantes à prendre, ne faire de peine à personne, et, surtout, ne pas être rejeté. C'était sa hantise; il avait fini par l'admettre après de douloureuses prises de conscience ces derniers temps. C'était ce qu'il craignait le plus, mais il savait que, au point où il en était, quelqu'un le rejetterait quelle que soit sa décision.

Elle le sentit soudain si profondément malheureux qu'elle en eut les larmes aux yeux.

– Luc, murmura-t-elle, est-ce que ça va?

Il se dégagea brusquement et reprit son air habituel d'un homme au-dessus de ses affaires. Rien ne devait paraître. Personne, pas même sa jumelle, ne devait soupçonner le combat qui se livrait en lui.

– Quoi, bluffa-t-il avec la pointe d'arrogance qui lui était si familière, t'aimes pas ça que j'aime être câliné par ma jumelle?

«Il ne dira rien», comprit-elle, respectant son choix. Cependant, désireuse de conserver cette complicité qui lui avait tant manqué, elle lui confia un désappointement à son travail, tout en sortant du frigo l'assiette de fruits de mer déjà préparés pour la fondue, ainsi que les trois sauces.

Ses cours universitaires agrandissaient ses champs d'intérêt au fur et à mesure qu'elle se familiarisait avec le monde de l'entreprise et de la finance. Aussi voyait-elle une certaine routine s'installer dans son poste de caissière principale. Comme le gérant lui avait maintes fois répété à quel point il était satisfait de son travail et que ses études lui obtiendraient un jour des promotions, elle lui avait récemment demandé le poste d'agent de crédit si celui-ci se libérait. À sa grande déception et frustration, le gérant avait balayé sa demande d'un «Non» spontané.

– Pourquoi? demanda sèchement Luc, qui trouvait là un exutoire à toutes les contrariétés qui le harcelaient.

– Tu ne devineras jamais, répondit-elle. Parce que, selon lui, je ne serais pas capable de dire «Non», autrement dit de faire des recommandations négatives, si c'est nécessaire, dans le cas de certaines demandes d'emprunt. Franchement, il veut rire de moi? Qu'est-ce que ça vient faire là-dedans? Accepter ou refuser une demande d'emprunt, c'est l'affaire du comité de crédit, ce ne serait pas la mienne. De toute façon, c'est juste une affaire de chiffres. Le client correspond ou ne correspond pas aux normes fixées par la caisse : ce n'est pas sorcier! conclut-elle en posant rageusement le pain croûté sur la planche à pain.

Le regard de Luc exprima brusquement une telle tristesse que Marie-Andrée en resta interdite.

– Prends pas ça personnel! protesta-t-elle en essayant de blaguer pour dissiper la souffrance entrevue. Mais toi, tu n'as pas de problème avec ça, dire non. Comment tu fais?

Luc s'alluma une cigarette pour cacher le trouble qui l'envahissait et qu'il ne voulait surtout pas laisser voir. Effectivement, dire non aux clients de la banque ou encore aux employés, quand c'était nécessaire, cela ne lui causait aucun problème. «Dans d'autres cas, c'est plus difficile», s'avoua-t-il.

– Dire non, c'est sûr que c'est pas à la maison, ni à l'école ni à l'église, qu'on nous a appris ça. On nous a appris une seule chose : obéir. Mais dire non quand on croit que c'est la seule solution acceptable, ça, par exemple, il faut l'apprendre tout seul. Et c'est pas facile…, ajouta-t-il en soupirant.

Dire non, cela s'imposait aussi dans d'autres situations. Dire non à son père, qui attendait vaguement de lui la confirmation qu'il avait été un bon père pour lui; mais comment pouvait-il lui dire que ce n'était pas le cas? «Non, tu n'as pas été un bon père pour moi. Je ne fais jamais rien de bon à tes yeux; je n'ai pas été et je ne suis pas le fils que tu aurais souhaité, avec les mêmes champs d'intérêt que toi, les mêmes valeurs que toi. Et ça, tu ne l'as jamais accepté même si tu ne me l'as jamais dit.» Dire non à sa mère qui trouvait que sa nouvelle maison n'était pas un bon choix : trop loin de l'école, trop éloignée de la ville pour une jeune mère de famille, trop ceci, pas assez cela, etc. «J'ai une bonne job, je suis marié, j'ai un enfant, je viens de m'acheter une maison, et c'est pas encore assez.» Il soupira encore, malgré lui.

– Au fond, précisa-t-il après un long silence, d'une voix que sa sœur ne lui connaissait pas, c'est pas de dire non qui est difficile : c'est de vivre avec les conséquences.

Ses sombres pensées le rattrapèrent. Dire non à Élise qui ne démordait pas de son nouveau projet, beau en soi, mais qu'il était incapable d'accepter dans les circonstances. Dire non à l'autre qui exigeait de sortir de l'ombre, qui exigeait qu'il choisisse... Choisir, ce serait dire non à l'une ou à l'autre. En était-il capable? Le souhaitait-il? Certains jours, il se sentait devenir fou à tant jongler avec toutes les hypothèses. Il préféra couper court à sa réflexion et revenir à la réalité. Sa sœur lui tendait une bouteille de vin avec un tire-bouchon. Il lui rendit ce service en jetant un coup d'œil furtif au salon et demanda à voix basse, en déposant la bouteille sur la table :

— J'ai une rencontre... d'affaires, demain après-midi. Tu peux t'occuper d'Élise?

— Demain? s'étonna-t-elle. Un client à Montréal?

Il se ferma complètement et répliqua d'un ton cassant.

— Un client que j'avais quand je travaillais en ville.

— Tu ne peux pas remettre ça? insista-t-elle, déçue qu'à peine arrivé il parle déjà de repartir.

Il eut un rire amer.

— Crois-moi, Marie-Andrée, si j'avais pu faire autrement, je l'aurais fait!

Un mauvais pressentiment la crispa, mais comme Ghislain venait vers eux, Luc se hâta de lui souffler d'une voix anxieuse :

— Tu peux?

Elle acquiesça, bouleversée sans déceler pourquoi. Déjà il faisait volte-face et se lançait dans de savants commentaires sur les vins et les fromages qu'il avait apportés, et sa sœur, qui l'écoutait attentivement, mesura à quel point ils avaient changé leurs habitudes en matière d'alimentation et de consommations en dix ans à peine.

Le lendemain après-midi, les deux femmes allèrent flâner dans les magasins, laissant Ghislain mécontent. Il avait mal pris que son beau-frère leur fausse compagnie avec sans-gêne, se sentant comme un laissé-pour-compte dans sa propre maison.

– Est-ce que je sacre mon camp, moi, quand je vais chez lui? avait-il dit, le soir précédent.

– Pas si fort…, lui avait recommandé Marie-Andrée. Il va t'entendre.

Il s'était couché furieux.

– Non seulement je me tape le beau-frère deux jours de temps : en plus, il me plante là! Sacrament!

Élise ne semblait pas se formaliser de l'absence de son mari.

– S'il fallait que je m'énerve chaque fois qu'il rencontre des clients, avait-elle dit en quittant l'appartement, je m'énerverais souvent. Qu'est-ce que tu veux, c'est sa job!

La sortie avec sa belle-sœur, dont elle appréciait l'humour et l'entrain contagieux, estompa le pressentiment que Marie-Andrée avait eu la veille. Dans les magasins souterrains de la Place-Ville-Marie, la nouvelle campagnarde regardait avec ambivalence les vêtements à la mode et les souliers à la semelle si épaisse qu'on les appelait *plateformes*.

– Tu me vois marcher avec ça dans le champ, autour de la maison? s'exclama-t-elle en riant de bon cœur. Des plans pour me déboîter les genoux.

Elle s'arrêta soudain, le regard sérieux.

– Je veux un autre enfant, mais Luc ne veut rien savoir! Même si j'ai fait une fausse couche l'automne passé, ça ne veut pas dire qu'on ne doit plus essayer. Tu le connais, ton jumeau. À ton avis, pourquoi il refuse?

Elle eut une petite moue d'enfant si contrariée que Marie-Andrée crut un instant qu'elle allait trépigner de colère. Devant cette image saugrenue, elle éclata de rire, mais c'était aussi un rire nerveux de soulagement. Ainsi, c'était là le problème de Luc? Elle se surprit à penser : « Rien que ça? »

– Ça te fait rire? s'exclama l'autre, déconcertée.

– Mais non. C'est... l'air que tu avais qui m'a fait rire. Qu'est-ce que tu vas faire s'il n'accepte pas?

La jeune femme haussa les épaules, étonnée d'une question aussi ingénue.

– Arrêter de prendre la pilule! Qu'est-ce que tu veux que je fasse d'autre?

Marie-Andrée la dévisagea, stupéfaite. Pouvait-elle sérieusement, même au nom de son amour des enfants, ne pas tenir compte du libre choix de son mari dans une question aussi grave?

– Mais... faire un enfant, ça se décide à deux! protesta-t-elle, se rappelant la discussion qu'elle avait eue avec Ghislain.

– Refuser d'en faire un aussi, ça se décide à deux! répliqua l'autre du tac au tac, ce qui montra une tout autre facette de la situation à sa belle-sœur.

Élise entra dans une boutique, attirée par les vêtements étalés en vitrine.

– Dans son travail à la banque, c'est lui qui décide, ajouta-t-elle. Mais la maison, c'est mon domaine. C'est à moi de décider, s'obstina-t-elle; après tout, c'est moi qui vais le porter, cet enfant-là!

Le douloureux pressentiment de la veille refit surface mais, cette fois, Marie-Andrée pouvait le nommer et il en devenait moins inquiétant. Luc ne voulait pas d'un autre enfant; c'était cela qu'exprimait son regard de détresse, presque d'animal traqué.

Elle trouva qu'il exagérait : ce n'était pas un drame, tout de même! Près d'elle, la main vive et alerte d'Élise, dans un cliquetis régulier et un kaléidoscope de couleurs, passait en revue les vêtements suspendus à un présentoir circulaire. Le manège cessa brusquement.

– Vous n'auriez pas des vêtements de maternité?

En entendant cette question, Marie-Andrée fut chagrinée, et perplexe. Par solidarité féminine, elle était tentée d'approuver Élise. Après tout, c'était elle qui subirait les inconvénients physiques de la grossesse, et c'était elle qui élèverait l'enfant, tout compte fait. Elle envia son assurance; elle n'aurait jamais l'audace d'agir ainsi avec Ghislain. Par contre, elle avait l'impression désagréable de participer à une sorte de tricherie envers son frère.

Elle réalisa brusquement que le seul fait de s'interroger sur cette question, qui ne la concernait nullement, était une ingérence dans la vie de couple d'Élise et Luc. Déçue d'elle-même, elle se fit un reproche. Hors d'atteinte de l'influence directe de sa mère depuis plusieurs années, elle n'allait pas commencer à copier ses comportements! Mais son ambivalence était tenace. Luc lui en voudrait-il le jour où sa femme lui dirait : «Ta sœur le savait»? Pourquoi fallait-il, songea-t-elle, irritée, que ses belles-sœurs, Pauline et Élise, la prennent pour confidente dans leurs problèmes de couple? La réponse était évidente : parce qu'elles lui faisaient confiance et, plus encore, parce que Pauline et Élise étaient des femmes, comme elle, et des amies bien plus que des belles-sœurs.

Peu avant le souper, Luc téléphona : son rendez-vous était prolongé et il les rejoindrait directement à la terrasse du restaurant où ils avaient réservé pour fêter la Saint-Jean. Quand il se pointa enfin, ils en étaient au plat principal, irrités de son retard, et sa jumelle lui découvrit, au fond des yeux, une lueur fugitive de panique qu'elle reconnut, sans pour autant se souvenir du moment où elle l'avait déjà perçue.

– J'espère que ta banque te paie en double, au moins, pour te faire travailler pendant ce congé, protesta sincèrement son beau-frère, contrarié de sa longue absence. C'est pas à mon bureau qu'on nous ferait ça.

– C'est parce qu'on fait des jobs contraires! répliqua-t-il sèchement. Nous autres, dans les banques, on aide les gens à épargner tandis que vous autres, à l'impôt fédéral, vous leur enlevez ce qu'ils gagnent!

Quand le serveur vint prendre sa commande, il choisit n'importe quoi pour accélérer le service et faire oublier son arrivée tardive.

– En tout cas, il devait avoir un gros problème, ton client, pour te retenir aussi longtemps, bougonna Ghislain.

Luc échappa sa serviette de table, la ramassa, la secoua.

– Des affaires de REER, improvisa-t-il, c'est toujours long. Les clients ne connaissent pas beaucoup ce type de placement, même s'il existe depuis le début des années soixante.

Ghislain avoua que son travail l'avait sensibilisé aux économies d'impôt que ce placement de retraite permettait et qu'il investissait lui-même dans les REER. Marie-Andrée le regarda, étonnée, et réalisa qu'elle ignorait tout de sa situation financière. Elle connaissait toutefois ce placement parce qu'elle en avait entendu parler à la caisse par l'agent de crédit et elle le mentionna pour meubler le silence.

– À la caisse? fit Luc. Vous n'êtes même pas une banque!

– Ça se peut, répliqua Marie-Andrée, vexée, mais les caisses ont acheté la Fiducie du Québec depuis plus de dix ans, tu sauras. Depuis ce temps, au cas où tu l'ignorerais, ça s'appelle la Fiducie Desjardins et les caisses, toutes les caisses, peuvent vendre des REER autant que les banques.

Le vin fit glisser la conversation sur des sujets moins sérieux. L'ambiance de fête qui régnait au restaurant et dans la rue leur rappela qu'ils fêtaient la Saint-Jean. Ghislain porta un toast à l'été qui commençait et la bonne humeur s'installa enfin. Élise, qui en était à son troisième verre de vin, informa soudain son mari qu'elle avait acheté des vêtements de maternité. Luc parut abasourdi, puis ses épaules s'affaissèrent, comme s'il renonçait.

– Dans le fond, lui dit-il lentement avec un sourire profondément triste, c'est toi qui vas l'élever de toute façon…

Il la regarda si longuement et avec une telle détresse qu'Élise frissonna et se demanda pour la première fois si elle avait raison ou tort de lui imposer ce deuxième enfant. Finalement, l'ivresse naissante dilua les tensions et, après le long repas et un ou deux cafés pour se ressaisir, ils rejoignirent les dizaines de milliers de personnes qui se rendaient au spectacle et au feu d'artifice sur le mont Royal.

Quelques jours plus tard, Marie-Andrée n'arrivait plus très bien à se souvenir du déroulement précis des événements de ce soir-là. Elle se rappelait s'être fait une réflexion dans l'euphorie de la fête sur la montagne : «Depuis quand un peuple a-t-il deux fêtes nationales?» Ou, si la question était posée sous un autre angle : «Comment un peuple peut-il avoir deux pays?»

Jamais elle n'avait perçu avec autant de clarté à quel point seule la fête de la Saint-Jean-Baptiste comptait pour elle. En même temps, fêter la Saint-Jean avait un je-ne-sais-quoi de rebelle, de marginal. Était-ce là l'expression d'une véritable fête nationale, une fête unique, célébrée par le peuple tout entier, sans arrière-pensée, totalement? Pouvait-il en être ainsi quand ce même peuple s'en faisait imposer une deuxième une semaine plus tard, jour pour jour? Une autre fête qui lui était toujours apparue vide de sens et même source d'un certain ressentiment avec ses allures provocatrices de seule fête nationale officielle.

Ce soir-là, elle s'était avouée la souffrance, ressentie année après année, causée par ce dédoublement des festivités qui la spoliait d'une seule et vraie fête nationale, authentique et partagée par tout un peuple. La conclusion de sa réflexion lui était apparue claire comme jamais. À se partager entre deux pays, en avait-elle vraiment un? Une amertume, qui semblait contenue depuis longtemps, lui était remontée au cœur. Ces doubles fêtes dénotaient tant d'hypocrisie à ses yeux que, finalement, elle s'était exclamée à haute voix :

– Mais quelle sorte de peuple on est pour ne pas avoir le courage de choisir qui on veut être, affirmer haut et clair notre différence, nous affirmer tels qu'on est, que ça fasse l'affaire de l'autre pays ou non? À force d'osciller entre les deux, on n'est rien! avait-elle ajouté avec une colère qu'elle ne se connaissait pas et qui témoignait pourtant profondément de ce qu'elle ressentait.

Oui, maintenant elle se rappelait que c'était à ce moment-là que Luc avait éclaté.

— Choisir? s'était-il écrié avec douleur et colère. T'es qui, toi, Marie-Andrée Duranceau, pour dire aux autres qu'il faut choisir? As-tu déjà eu des choix à faire, toi? Sais-tu ce que c'est, faire des choix? T'imagines-tu qu'on est des trous de cul parce qu'on refuse de choisir?

Un cercle de curieux s'était formé autour d'eux; gênée de cette apostrophe virulente, Marie-Andrée avait réalisé que son frère dérapait. Ghislain avait passé son bras autour des épaules de son beau-frère pour le calmer et l'attirer à l'écart, mais Luc avait explosé de colère et de rage et s'était dégagé rudement.

— Wo! avait protesté Ghislain, irrité à son tour. On est là pour fêter! Ça vous dirait rien de juste avoir du *fun*?

— Il a bu, l'avait excusé Élise qui ne l'avait jamais vu dans un tel état.

— Mais non, avait protesté Marie-Andrée avec fébrilité. Il n'a presque rien bu ce soir. Il…

«… était trop inquiet pour ça!» s'était-elle dit spontanément. Elle s'était rappelé les regards furtifs et inquiets qu'il avait jeté fréquemment autour de lui durant le souper. Et sur la montagne, ses yeux s'étaient faits inquisiteurs, fouillant fréquemment l'espace autour d'eux, au point qu'elle avait failli lui demander s'il devenait paranoïaque ou agoraphobe, tant il semblait craindre une attaque subite.

Devant les deux belles-sœurs ahuries, les deux hommes s'étaient bousculés, presque empoignés.

Plus Ghislain avait tenté de calmer Luc, pourtant plus petit et moins costaud que lui, plus ce dernier s'était débattu. Se dégageant brutalement, il s'était finalement enfui à travers la foule qui comptait déjà plus de cent mille personnes.

– Sacrament! avait juré Ghislain, en colère.

Élise avait éclaté en sanglots et Marie-Andrée était partie impulsivement à la poursuite de son frère. Au loin, elle l'avait vu heurté un homme en courant et celui-ci lui avait rudement empoigné le bras. Cela avait semblé être la limite de ce que son frère pouvait supporter parce que, soudain agressif, il avait repoussé brutalement l'inconnu avant de disparaître dans la foule.

Le pressentiment de la veille l'avait assaillie de nouveau avec une telle force qu'elle s'était mise à pleurer, bêtement, pour se décharger de l'émotion qui l'étouffait. Un couple âgé s'était approché d'elle, lui avait demandé gentiment si elle avait besoin d'aide. Elle s'était ressaisie, affirmant que tout allait bien. Cherchant Ghislain et Élise des yeux, elle avait essayé de revenir sur ses pas dans la foule immense, mais il était trop tard. Elle ne pourrait pas les retrouver, eux non plus.

Mais Ghislain ne l'avait pas perdue de vue. Il essayait de la rejoindre en traînant sa belle-sœur en pleurs avec tant de force qu'il allait être interpellé par un policier quand, en se frayant difficilement un chemin à travers la foule, ils avaient atteint Marie-Andrée. Élise s'était jetée dans ses bras en pleurant de plus belle et Ghislain, dépassé par les événements, les avait entourées toutes deux de ses bras.

– Il a bu, avait-il dit pour les apaiser. Il va se calmer et revenir chez nous.

– Tu crois? avait demandé Élise en hoquetant.

– On ne peut pas le retrouver dans une foule pareille. Compte pas là-dessus, avait-il répliqué, dissimulant difficilement sa colère. Oublie ça.

– Il ne se perdra pas, voyons, avait ajouté Marie-Andrée qui cherchait à rassurer Élise autant qu'elle-même.

S'appuyant contre Ghislain, elle avait cherché un sentiment de sécurité dont elle avait un urgent besoin. L'homme s'était soudain senti responsable des deux femmes éplorées et il avait blagué pour détendre l'atmosphère.

– Ouais, le plus chanceux des deux, c'est moi, avait-il dit. J'ai les deux plus belles filles avec moi.

Marie-Andrée était restée contre sa poitrine costaude, rassurée par sa stature solide tout autant que par son humour. Bousculée par la cohue mouvante, elle avait voulu croire qu'il avait raison et que ce n'était qu'un incident bête qui serait oublié le lendemain. Élise, enveloppée par l'autre bras protecteur, s'était alors mise à trembler sans pouvoir s'arrêter. Ils avaient essayé de la rassurer, de la réconforter, mais elle avait grelotté, digérant son souper de plus en plus difficilement.

Ghislain était furieux. Il assistait à la plus belle fête de la Saint-Jean que Montréal ait jamais connue et il se retrouvait au milieu d'un drame familial. Sa belle-sœur blêmissait à vue d'œil et il réalisait qu'elle allait s'évanouir. Inquiet malgré lui, il avait renoncé à la fête mémorable et, à contrecœur, il avait proposé aux filles de rentrer.

Dès leur retour à l'appartement, Élise avait fait une douloureuse indigestion et Marie-Andrée l'avait installée dans leur lit, après lui avoir fait avaler deux cachets.

– Luc va être là quand tu vas te réveiller, lui avait-elle assuré.

Ghislain et elle s'étaient couchés sur le divan-lit, qu'ils expérimentaient pour la première fois et ils avaient plaint leurs invités : ce matelas était vraiment inconfortable. Ils avaient cependant oublié cet inconfort dans leur étreinte qui, ce soir-là, avait tenu plus du défoulement que de la passion. Il l'avait prise presque rudement et elle l'avait laissé faire. Il avait besoin de se défouler à cause de Luc et Marie-Andrée espérait que la jouissance lui ferait oublier la fête ratée.

Ghislain avait le sommeil profond et il n'avait pas entendu Luc rentrer et encore moins sangloter dans la salle de bains. Marie-Andrée s'était éveillée en sursaut : elle venait de se rappeler le moment où Luc avait eu ce regard de panique une première fois, le même qu'il avait eu au souper quand Élise lui avait parlé des vêtements de maternité. C'était quand il lui avait parlé de son aventure avec son copain Francis. Ce soir, il pleurait de nouveau. «Décidément, avait-elle pensé, ça ne lui fait pas, les aventures.» Elle avait fini par comprendre, ce soir, qu'il avait une maîtresse et que cela devait lui compliquer sérieusement l'existence, pour le perturber à ce point.

Enfermés dans la salle de bains, les jumeaux s'étaient parlé à demi-mot dans l'espace exigu, assis côte à côte sur le rebord plat et froid de la baignoire. Luc était abattu, atterré.

– Je ne sais plus quoi faire. Je ne suis plus capable de continuer à vivre de même...

Il s'était tu et elle n'avait pas osé poser la moindre question tant le fil des confidences semblait fragile. Il avait repris, lentement, d'une voix épuisée :

– On ne peut pas dire «oui» à deux personnes en même temps, je le sais. Mais je ne suis pas capable de dire «non» à l'une des deux.

Sa jumelle était restée sans voix. À côté d'elle, Luc, le corps prostré, avait semblé de plomb tant le poids invisible qu'il portait l'écrasait.

– Marie-Andrée, avait-il dit brusquement sans la regarder, lui serrant la main à la briser, promets-moi de t'occuper d'Élise.

Ainsi, il avait fait son choix. Elle avait eu mal pour la jeune femme abandonnée. Et pour la petite Geneviève rieuse.

– Et ta fille? avait-elle demandé, du chagrin dans la voix.

Il avait tourné les yeux vers sa sœur et des larmes avaient coulé.

– C'est mieux pour elle aussi. Il vaut mieux que ça se fasse avant qu'il n'y ait un deuxième enfant.

À quelques centimètres à peine de son frère, elle avait voulu le prendre dans ses bras tant il faisait pitié, malgré la peine qu'elle anticipait pour Élise qu'elle aimait comme une sœur. Mais elle avait été incapable d'esquisser le moindre geste parce qu'elle avait senti que le cœur et les pensées de Luc étaient à des années-lumière d'elle. À cet instant précis, il avait été un étranger pour elle, un homme qu'elle ne reconnaissait plus tant il avait changé depuis quelques heures.

À l'aube, elle avait vaguement eu l'impression qu'il était sorti discrètement de la chambre puis, rassurée par le bruit de la chasse d'eau, elle s'était rendormie pour se réveiller brusquement quand elle avait entendu la porte extérieure se refermer. Elle avait couru à la fenêtre pour le voir, déjà dans son auto, démarrer et s'éloigner en trombe.

La suite des événements l'avait-elle vraiment surprise? N'avait-elle pas pressenti, à cet instant précis, ce qui allait se produire? Des heures plus tard, deux policiers s'étaient présentés chez Marie-Andrée Duranceau pour lui demander si Luc Duranceau était bien son frère. Après une entrée en matière prudente, destinée à jauger la réaction possible de la jeune femme, ils l'avaient informée de l'accident d'auto de son frère. Au moment où Élise sortait de la salle de bains, ils avaient annoncé la réalité tragique : Luc était mort. Les trois mots avaient heurté sa jumelle de plein fouet et l'avaient laissée pétrifiée. Luc était mort.

Marie-Andrée avait eu la sensation déchirante qu'une partie d'elle-même venait de mourir avec son jumeau. Élise était tombée en état de choc. Ni l'une ni l'autre n'avaient prêté attention aux précisions des policiers sur les démarches qui les avaient amenés chez Marie-Andrée; seul Ghislain les retint. Les policiers avaient d'abord pris contact avec leurs collègues de Joliette qui s'étaient rendus à l'adresse inscrite sur le permis de conduire, où il n'y avait personne. Marie-Andrée avait été retrouvée grâce à une petite fiche remplie à la main, découverte dans le portefeuille de Luc. Sous la rubrique : AVERTIR EN CAS D'ACCIDENT, le premier nom était évidemment celui d'Élise, mais l'adresse n'avait pas été modifiée après leur déménagement récent et les policiers avaient perdu du temps à se rendre à leur ancienne adresse. La seconde personne mentionnée était Marie-Andrée et l'adresse s'était révélée exacte. Élise refusait la réalité. Elle ne voulait que se souvenir du corps de Luc allongé contre elle; dans un demi-sommeil alourdi par les cachets : elle s'était collée contre lui et il l'avait enlacée à son tour. Ils n'avaient pas fait l'amour et elle répétait qu'elle se le reprocherait jusqu'à la fin de ses jours, persuadée qu'elle aurait pu ainsi déjouer le sort et garder son mari près d'elle, et en vie.

Marie-Andrée avait sombré dans la culpabilité. Pourquoi ne s'était-elle pas réveillée assez tôt pour empêcher Luc de partir? De plus, Élise, dans sa peine, lui en voulait d'avoir été la dernière personne à lui parler. Ghislain, énervé, s'était écrié tout à coup :

– Mais qu'est-ce qu'il faisait sur la route à cette heure-là, veux-tu bien me le dire?

– Il fait ça quand il est stressé, avait balbutié Élise qui tremblait de la tête aux pieds. Ça le défoule de conduire longtemps.

Elle avait employé des verbes au présent et la réalité l'écorcha.

– Le jour, je comprends, avait commenté Ghislain, mais il est reparti en pleine nuit!

– C'est déjà arrivé, avait murmuré Élise. On s'était disputés...

Marie-Andrée s'était énervée. Élise était veuve à vingt-trois ans; fallait-il en plus lui apprendre qu'elle avait été une épouse trompée?

– On s'en fout! avait-elle crié, à bout de nerfs, avant d'éclater en sanglots. Est-ce que ça va le ramener de savoir ça?

Le réel s'était imposé brutalement. Les familles devaient être prévenues. Marie-Andrée était incapable d'exécuter cette tâche. Ghislain avait téléphoné aux Duranceau, et Raymond allait dorénavant l'associer à la mort de son fils. Il avait ensuite appelé les parents d'Élise. Dans l'énervement, le père avait d'abord cru que c'était sa fille qui avait eu un accident, puis il avait exprimé son soulagement en comprenant que ce n'était que son gendre.

– Je vais la chercher tout de suite, avait-il ajouté précipitamment sans avoir réalisé son manque de tact.

Le lendemain, quand le père d'Élise s'était chargé des dispositions d'usage, celle-ci n'était sortie de son marasme que pour demander que les funérailles aient lieu dans sa paroisse natale à elle, à Montréal-Nord, où elle se sentirait plus réconfortée.

Marie-Andrée proposa à ses parents de les héberger le temps des funérailles, pour leur éviter, à leur âge, de retourner chaque soir à Valbois. Marcel et Pauline vinrent de Toronto et logèrent à l'hôtel; Louise et Yvon firent les allers-retours. Raymond Duranceau avait trouvé mille prétextes depuis deux ans pour ne pas aller chez sa fille. Face à la mort de son fils, quelle importance cela avait-il maintenant?

Éva n'arrivait pas à maîtriser son chagrin et l'abattement de Raymond était pathétique.

– C'est pas de même que ça doit se passer, avait-il dit sobrement, exprimant par ces quelques mots son refus d'accepter le bouleversement de l'ordre des choses : les enfants ne devaient pas mourir avant leurs parents.

Marie-Andrée relégua son chagrin à plus tard, trop soucieuse de celui de ses parents qui avaient tant vieilli en quelques heures. Le masque de force qu'Éva maintenait depuis si longtemps s'était effrité d'un coup, et sa vulnérabilité ne la rendait que plus attachante aux yeux de sa fille. Celle-ci réalisait qu'un jour ce serait eux, ses parents, qui partiraient. Pour conjurer de telles pensées, elle prit sa mère dans ses bras et les deux femmes pleurèrent ensemble.

Dans le salon, pour meubler le silence trop lourd, Ghislain et Raymond Duranceau se raccrochèrent à des détails concrets. La voiture de Luc était-elle munie d'une ceinture de sécurité? Même si la loi ne l'obligerait que l'année suivante, beaucoup d'autos en étaient déjà équipées. Si Luc en avait eu une quand sa voiture avait dérapé et s'était écrasée contre un rocher en bordure de la route, aurait-il eu la vie sauve? Les deux hommes avaient plus communiqué en quinze minutes qu'en deux ans.

C'était la première fois que Marie-Andrée assistait au service funèbre de quelqu'un qui lui était cher et la cérémonie lui parut à la fois réconfortante et interminable. Au cimetière, elle oublia sa peine pour s'occuper de la petite Geneviève et compatir au chagrin d'Élise, défaite, soutenue par son père, un homme autoritaire. Marie-Andrée ne souhaitait qu'une chose : que tout cela finisse, mais elle était aussi consciente qu'il s'agissait, d'une certaine façon, des derniers moments avec son jumeau.

Au goûter qui suivit l'enterrement, Marie-Andrée vit un homme s'approcher d'elle et elle eut de la difficulté à reconnaître Francis, un copain de son frère, costaud comme un homme de chantier, blond et presque timide. Il était aussi – «Quel souvenir déplacé», pensa-t-elle – l'homme qui avait failli être son premier amant, un certain soir de party, l'avant-veille du premier départ de Diane pour l'Afrique. L'insouciance de cette soirée lui fit mesurer cruellement la lourdeur des événements d'aujourd'hui.

– Je l'ai appris par les journaux, lui dit-il en l'embrassant.

Cela lui faisait du bien de le revoir et ils s'isolèrent pour mieux parler de Luc et ressentir la présence de celui qu'ils avaient aimé, chacun à leur manière. Il allait partir quand elle éprouva le besoin de lui exprimer à quel point elle se reprochait de ne pas avoir assez bien écouté Luc, cette nuit-là. Elle n'avait pas su trouver les paroles qui l'auraient apaisé et, qui sait, l'auraient peut-être dissuadé de partir à l'aube. Francis la perçut si souffrante qu'il voulut la réconforter.

– Ne te fais pas de reproches avec ça; ton frère n'écoutait personne. Je savais que ça finirait mal. Penses-tu que je ne lui ai pas dit cent fois que Grégoire n'était pas un homme à partager son amant avec qui que ce soit?

Marie-Andrée dut s'asseoir : ses jambes se dérobaient sous elle. Son visage devint si hagard que, stupéfait, Francis comprit sa bévue.

– Tu le savais pas? murmura-t-il.

Elle agrippa son bras et le força à s'asseoir à son tour.

– Savoir quoi? balbutia-t-elle.

Luc avait été incapable de renoncer complètement aux relations homosexuelles. Il avait un amant depuis un an. Mais ce Grégoire se faisait pressant et il avait exigé que Luc quitte sa femme pour s'afficher ouvertement avec lui.

– On n'est pas tous de même, dans le milieu, crut bon de préciser Francis, mais des gars comme Grégoire, il y en a.

Luc n'était pas prêt à renoncer à sa famille. Il avait demandé à être muté et avait déménagé à la campagne, croyant mettre ainsi fin à cette relation exigeante. C'était en vain. L'après-midi précédant sa mort, il avait reçu un ultimatum : il quittait sa femme ou son amant allait voir Élise et lui dévoilait tout.

Marie-Andrée, atterrée, cherchait désespérément une bribe d'espoir ou – elle n'était pas exigeante – un détail simplement moins pathétique que tout le reste. Une pensée se faufila dans son esprit; cette mort accidentelle, comme dans les films, avait de justesse empêché un autre désastre. Mais ce n'était pas une consolation pour la mort de son frère.

– C'est drôle, les coïncidences de la vie, dit-elle lentement, à la limite de ce qu'elle pouvait supporter ces jours-ci.

Ce fut au tour de Francis de la regarder d'un air abasourdi. Mais elle ne décoda pas ce regard, retranchée dans ses pensées. Il secoua la tête, impuissant, et la quitta avec un baiser sur la joue, sincèrement désolé. Pour elle et surtout pour Luc, qui était resté son meilleur ami.

– Ton frère t'aimait beaucoup, lui dit-il simplement.

La vérité que Marie-Andrée ne voulait pas, ne pouvait pas voir cet après-midi-là s'imposa à elle le lendemain et la sortit brusquement d'un sommeil agité. Elle était incapable de se confier à Ghislain, qui s'était réveillé en l'entendant sangloter et qui essayait en vain de la consoler. La jeune femme qu'il aimait sanglotait dans ses bras et il était totalement impuissant à lui apporter le moindre réconfort. Il en voulut à Luc, à la vie, et même à la femme près de lui, inatteignable dans sa peine.

Elle sombrait dans le chagrin et la culpabilité; elle n'avait pas su écouter Luc. Malgré tout l'amour qu'elle ressentait pour son jumeau, elle n'avait pas su comprendre le drame qu'il vivait. En un mot, elle n'avait pas su l'empêcher de se suicider!

Oui, peut-être s'était-il suicidé. Maintenant cette pensée affreuse ne la quittait plus. Luc avait-il pu se suicider pour échapper à un choix : perdre Élise ou Grégoire?

C'était trop triste pour être vrai. Elle allait se réveiller demain pour réaliser que ce n'était qu'un rêve, un mauvais rêve, un cauchemar. Elle pleurait à gros sanglots, étouffée par ce secret qu'elle se jurait de ne révéler à qui que ce soit. Jamais! La culpabilité reprenait le dessus. Son frère avait souffert à ce point et elle n'avait rien vu, rien pressenti. Rien fait, surtout. Sa fameuse intuition de jumelle n'avait rien décelé. Quelle dérision que cette intuition qui ne voyait jamais rien des situations dramatiques : ni aujourd'hui ni auparavant, quand Luc et Francis étaient devenus des amants et que Luc en avait été si perturbé.

Son cerveau s'agrippa à ce souvenir pour la maintenir un peu plus longtemps hors de sa peine si difficile à supporter. Sa mémoire lui rappela qu'autrefois, quand cela s'était produit, elle avait cependant eu une bonne raison de ne pas avoir prêté attention à ce que vivait son jumeau : sa rupture avec son premier amant. Complètement envahie par le choix déchirant qu'elle avait eu à faire, comment aurait-elle pu déceler quoi que ce soit, pour qui que ce soit?

Ce détour douloureux la ramena à sa peine présente. Quelques jours auparavant, elle n'avait eu aucune excuse de ne pas deviner le désarroi de son frère, un désarroi qui l'avait peut-être tué. Était-il mort parce qu'il avait été incapable de choisir l'un ou l'autre de ses amours? Choisir aurait-il signifié dire non à l'un des deux? Maintenant, le *non* l'obsédait. Luc n'avait pas su dire non à son amant exigeant. «On ne se tue pas pour ça!» se dit-elle, révoltée et se torturant avec cette pensée. Luc s'était-il imaginé qu'il allait moins manquer à Élise en étant mort? Et sa fille? N'aurait-elle pas préféré cent fois un père homosexuel qu'un père mort? Il les avait abandonnées lâchement et elle lui en voulut brusquement avec une telle fureur qu'elle crut qu'elle allait hurler.

Son cerveau fatigué s'engourdit, ses sanglots s'espacèrent, son corps s'apaisa peu à peu. Se faire dire *non*. Subir les refus des autres, mais être incapable de dire *non* à son tour. Ses pensées oscillèrent lentement d'un non à l'autre. Et, tout doucement, Marie-Andrée découvrit un autre *non* que sa raison avait accepté, et même justifié pour mieux le supporter. Le *non* à la maternité parce que Ghislain ne voulait pas vivre la paternité. Ce *non* que quelqu'un d'autre lui avait imposé, l'avait-elle vraiment accepté?

La douleur revint. Le deuil s'imposait à nouveau et la ramenait au sien, au deuil de l'enfant qu'elle ne pouvait pas avoir parce que quelqu'un d'autre qu'elle n'était pas prêt. «Mais Ghislain, dans les bras duquel elle pleurait depuis tout à l'heure, cet homme-là était prêt à quoi, de toute façon?» se demanda-t-elle en s'écartant de lui et en s'assoyant dans le lit pour se moucher, refusant son regard. Il ne voulait pas d'enfants. Soit! Mais voulait-il d'elle, au fond? Cela lui avait pris quatre ans avant de vouloir former un couple avec elle; l'avait-il vraiment décidé, souhaité ou, tout simplement, s'y était-il résigné pour quelque raison obscure qui n'avait peut-être rien à voir avec l'amour? Du moins l'amour comme elle l'entendait.

Au fait, qu'entendait-elle par «amour»? Avant de se plaindre que l'attitude de l'autre ne correspondait pas à ce qu'elle attendait de l'amour, avait-elle clairement défini, pour elle-même, ce qu'elle en attendait? Elle ne vit rien. Non, elle n'avait jamais défini ses attentes. L'amour était pour elle une zone floue, censée lui apporter le bonheur. Comme si cela allait de soi, comme de respirer. On respire sans y penser. Et si on ne respire pas, c'est simple, on meurt en quelques minutes. Mais le bonheur, lui, pouvait-il exister automatiquement? Par réflexe? Est-ce qu'on peut mourir de ne pas être heureux? Oui, Luc en était mort.

Mais le reste du monde survivait. Combien de gens étaient heureux autour d'elle? Combien de gens espéraient encore le bonheur, jour après jour, échec après échec? Et elle, le possédait-elle, le bonheur? Elle pensa à une phrase d'un monologue d'Yvon Deschamps : «Bonheur, viens-t'en, parce que moué... je m'en vas...»

Marie-Andrée secoua la tête, fatiguée. S'il y avait un réflexe du bonheur, alors le sien devait être celui qu'elle avait appris dès son enfance, c'est-à-dire qu'il devait être là, mais qu'il ne se manifestait jamais parce qu'il manquait toujours quelque chose ou quelqu'un. Son réflexe du bonheur, c'en était un de non-bonheur, bêtement.

Assise dans le lit près de Ghislain, mais si douloureusement seule, elle entoura de ses bras ses genoux repliés, y enfouissant la tête pour se lover dans sa peine. Que savait-elle du bonheur, sinon qu'il semblait toujours lui échapper ?

Ses idées s'embrouillaient dans un enchevêtrement de déceptions jusque-là inavouées et d'espoirs jusque-là mal nommés et encore moins affirmés. Une amertume se pointa, traîtresse, subtile, vite réprimée par la raison toute-puissante qui ne supportait pas que le cœur impose ses raisons plus longtemps.

Elle quitta brusquement le lit, la rage au cœur, et, dans la salle de bains, s'aspergea le visage à l'eau froide pour se libérer de ses larmes, espérant confusément que l'eau diluerait aussi son chagrin. Ses chagrins. D'autres larmes lui montèrent aux yeux pour tous ses chagrins inavoués.

Dans le lit désert, Ghislain se sentait complètement exclu de ce deuil qui le touchait, lui aussi. S'il n'avait jamais eu de connivence avec Luc, ce dernier était tout de même son beau-frère et il le connaissait depuis six ans déjà. Non : il *avait été* son beau-frère. Cette réalité le percuta de plein fouet : la mort. La mort d'un homme survenue en une fraction de seconde, sans préavis. La mort à vingt-cinq ans. Luc en aurait eu vingt-six en août, comme Marie-Andrée. Il laissait une femme et une fille dans la peine, une jumelle, une famille. Ghislain l'avait bien compris aux funérailles : tous les Duranceau étaient visiblement en état de choc de perdre leur fils, leur frère, leur beau-frère. Diane avait même téléphoné d'Afrique.

Il n'avait pu faire autrement que de comparer cette famille avec la sienne, ou ce qui en restait. Son père les avait abandonnés et sa mère était décédée d'un cancer quand il finissait ses études secondaires. C'était d'ailleurs ce qui l'avait incité à prendre sa sœur avec lui, à l'appartement. Cependant, malgré leur solitude, le frère et la sœur n'avaient pas noué entre eux des liens serrés comme les Duranceau semblaient en avoir tissé; peut-être n'avaient-ils jamais su ce qu'était l'affection familiale.

Un constat trivial lui éclata au cœur comme un pétard mouillé qui éclate à un moment inopportun. Il avait vingt-sept ans. La pensée qu'il pourrait mourir bêtement en une fraction de seconde lui aussi, à vingt-sept ans, le terrassa. Une panique soudaine perturba sa respiration. Son cœur battait vite, battait fort. Ses pensées s'entrechoquaient. Que laisserait-il s'il mourait là, à l'instant? Luc avait réussi, il était déjà comptable et il serait devenu gérant avant ses trente ans. C'était bien, pour un jeune homme qui n'avait qu'un diplôme d'études secondaires. Il avait aussi une maison; elle était vieille et son état nécessitait des réparations, mais elle était à lui, enfin à Élise, maintenant, et probablement même libre d'hypothèque si Luc avait pris une assurance à cet effet, ce qui était vraisemblable pour un comptable dans une banque.

Mais lui, Ghislain, pourtant de deux ans son aîné, qu'avait-il à son actif? Un emploi de fonctionnaire dont il pouvait prévoir tous les échelons jusqu'à sa retraite, qu'il atteindrait après avoir passé trente ans à faire sensiblement le même travail s'il le voulait. Un excellent fonds de pension et des REER. Une auto, quelques meubles, un petit appartement loué dont Marie-Andrée payait la moitié des frais. Mais quelqu'un le regretterait-il? Marie-Andrée. Seule Marie-Andrée lui vint à l'esprit.

Un sentiment de vide pesa tout à coup sur sa vie jusqu'alors insouciante. Pourquoi vivait-il, au juste? Il travaillait parce qu'il fallait gagner sa vie, parce qu'il fallait gagner de l'argent pour payer ce qui lui faisait plaisir, c'est-à-dire des loisirs.

Il revint à Marie-Andrée. Il aimait baiser avec elle : comment pouvait-il ne pas se sentir confirmé dans sa virilité quand il la faisait jouir, totalement abandonnée entre ses bras d'homme? Il aimait aussi sa présence qui chassait des moments de solitude parfois oppressants. En fait, il aimait être aimé d'elle; cela lui était profondément plaisant. C'était ce qu'il avait ressenti de plus profond jusqu'à maintenant : l'amour total dans son regard quand elle le plongeait dans le sien en toute confiance. Cela l'attirait et l'effrayait tout à la fois. Bien sûr, elle était moins indépendante depuis qu'ils vivaient ensemble, mais elle restait elle-même. Le souvenir de sa promotion, deux ans auparavant, fêtée avec Patrice, lui revint inopinément à l'esprit et l'irrita. Qu'est-ce que cela venait faire dans sa réflexion? Le rapport émergea petit à petit. Voulait-elle aujourd'hui, comme ce jour-là, quelque chose qu'elle pourrait aller chercher ailleurs s'il le lui refusait? La réalité de la mort venait de modifier de façon irréversible son rapport à la vie, à sa vie. À ce qu'il faisait de sa vie. À ce qu'il ne faisait pas, peut-être.

Marie-Andrée revint se coucher, apparemment plus calme, mais le cœur rempli d'un chagrin sourd. Et il eut une intuition.

– Et si on faisait un enfant? lui dit-il en ne lui laissant pas le temps de répondre, en ne se laissant pas le temps de changer d'idée.

5

– Aide-moi! suppliait en pleurant la jeune veuve qui n'avait plus rien de son insouciance habituelle. Mes parents imaginent tous les drames possibles rien qu'à penser me voir retourner chez moi. Des drames! cria-t-elle. C'est pas ça que je vis depuis une semaine, peut-être?

Marie-Andrée entoura Élise de ses bras et refoula son chagrin pour réconforter sa belle-sœur.

– Ils ont peut-être un peu raison, répondit-elle. Une jeune femme et une fillette de deux ans, toutes seules à la campagne, loin des voisins...

Élise se redressa avec colère.

– C'est ça! Dis comme eux autres! T'es contre moi, toi aussi? ajouta-t-elle avec de la déception dans la voix.

– Voyons donc, tu le sais que je suis avec toi. C'est juste que... Y as-tu bien pensé?

– Ça fait une semaine que Luc est... est parti, dit-elle la voix brisée. Je veux m'en aller chez moi! C'est le seul endroit au monde où je me sentirai près de lui. Marie-Andrée, aide-moi! supplia-t-elle encore.

– Tu veux que je parle à ta mère? lui demanda-t-elle même si elle n'éprouvait aucun enthousiasme pour une telle mission.

– Non, dit-elle fermement en secouant la tête.

Son regard glissa sur le matériel de camping dans un coin du salon et elle se rappela que sa belle-sœur et Ghislain se préparaient à partir trois semaines à la mer.

– Marie-Andrée, pourquoi vous ne viendriez pas passer vos vacances à la campagne ? Dis oui ! implora-t-elle en joignant fébrilement ses mains dans un geste de prière. Si vous ne venez pas, mes parents sont capables de m'empêcher d'y retourner ! Dis oui ! J'en peux plus ! Si je ne retourne pas chez moi, je vais devenir folle ! dit-elle en fondant en larmes de nouveau.

Marie-Andrée était consternée. Elle rêvait de ces semaines à la mer depuis six mois. Depuis une semaine, depuis la mort de Luc, elle s'y raccrochait pour s'évader le plus loin possible de cette double réalité douloureuse, le décès et peut-être un suicide. Et maintenant, on lui demandait de renoncer à ce séjour à la mer tant attendu ? Et pour passer ses seules vacances de l'année dans la maison de son frère, avec sa veuve en larmes, sans intimité avec Ghislain, elle qui avait tant besoin, au contraire, d'être aimée, de se sentir vivante dans tout son corps pour oublier sa peine au cœur ?

– Tu ne peux pas me demander ça, Élise. Mes vacances, j'en ai besoin, tu comprends ? J'ai travaillé beaucoup pour mes cours du soir, je suis fatiguée, je…

« … et j'ai le cœur en morceaux tellement j'ai de la peine depuis la mort de mon frère. J'étouffe avec le secret du suicide que je ne te révélerai jamais, comme je ne te dirai jamais non plus que Luc te trompait. Avec un homme…» Elle pleura à son tour, fatiguée de tant de chagrins entremêlés.

Ghislain arriva sur ces entrefaites du bureau de l'impôt où il travaillait, et il les trouva si pitoyables qu'il décida impulsivement :

— La mer va encore être là l'année prochaine. C'est bien certain qu'on te laissera pas tomber, affirma-t-il à Élise, sans consulter Marie-Andrée, ne serait-ce que du regard.

— Mais…, protesta celle-ci, on s'était déjà préparés, on…

— C'est l'avantage de ne pas faire de réservations ! répondit-il avec détachement. On est libres comme l'air !

Effectivement, il avait refusé de réserver un chalet ou une chambre d'hôtel sous prétexte que cela brimait sa liberté de changer d'idée. Aucune contrainte de ce type ne les empêchait donc de modifier leurs projets.

«Libres? pensa Marie-Andrée, révoltée. Libres? Et moi, est-ce que je suis libre quand mon *chum* et ma belle-sœur décident de me bousiller mes vacances?» Elle eut vite mauvaise conscience. N'était-ce pas ce qu'elle avait souhaité, le jour où Luc et Élise avaient pendu la crémaillère, se retrouver souvent dans cette maison de campagne? N'était-ce pas, de toute façon, ce que Luc lui avait demandé, de prendre soin d'Élise et de sa fille? Remettant son deuil à plus tard, renonçant à s'évader à la mer, elle accepta de s'occuper de sa belle-sœur et de sa nièce, essayant de se persuader que ces vacances inusitées seraient peut-être plus reposantes que de partir à l'étranger.

Ils acceptèrent d'aller chez Élise dès le vendredi et celle-ci insista pour qu'ils passent la fin de semaine avec elle, même s'ils reviendraient quelques jours plus tard pour leurs vacances annuelles.

– Comme ça, je serai seule seulement de lundi à vendredi; mes parents devraient accepter ça plus facilement.

Le père d'Élise, un homme autoritaire et strict, lui avait prêté l'argent pour défrayer les funérailles et l'avait presque forcée à régler les affaires les plus pressantes touchant le deuil et qui devaient être assumées : la visite chez le notaire et la réclamation à l'assurance. Mais il avait trouvé dix prétextes pour reporter la question d'une nouvelle auto; c'était sa manière de l'empêcher de partir, jugeant impensable que sa fille retourne seule à sa maison de campagne, avec un bébé de deux ans.

– Et l'auto? s'inquiéta soudain Marie-Andrée. En as-tu une? Tu ne peux pas vivre là-bas sans auto! T'es loin de tout!

Comme Élise était fille unique, Ghislain lui proposa l'aide qu'un frère aurait apportée à sa sœur dans pareil cas.

– Tu peux en louer une pour un mois ou deux, en attendant l'indemnisation de l'assurance. Ça rentrera quand? lui demanda-t-il avec son sens pratique.

– Ils ont dit un mois ou deux.

– C'est long, s'inquiéta Marie-Andrée.

Ghislain ne jugea pas à propos de demander si l'indemnisation serait doublée puisqu'il s'agissait d'une mort accidentelle, espérant que Luc avait eu la prudence de choisir ce genre de clause.

– Veux-tu qu'on aille voir les autos demain? offrit-il.

Le vendredi soir, Ghislain, au volant de l'auto louée, ramena Élise et Geneviève chez elles. Marie-Andrée les suivait, seule, conduisant l'auto de Ghislain. Sa nièce était si perturbée par l'absence de son père et les comportements inhabituels de sa mère qu'elle s'accrochait à elle et refusait de s'en éloigner, même pour aller en auto avec sa tante préférée. «Les vacances s'annoncent bien...», soupira Marie-Andrée.

Dès qu'elle entra enfin dans sa maison, Élise se mit à pleurer et ses larmes redoublaient dès que son regard se posait sur un objet personnel de Luc : un vêtement, son porte-documents, un outil oublié... Elle voulait tout conserver intact et laisser ses objets d'usage courant là même où lui les avait laissés.

Marie-Andrée, envahie à la fois par l'absence de son frère et sa présence qu'elle sentait en ces lieux, combattait difficilement sa peine. Au lieu de prendre une fin de semaine de repos bien méritée, elle rassembla son énergie et se concentra sur les tâches domestiques urgentes, comme nettoyer et aérer le réfrigérateur inutilisé depuis deux semaines et faire quelques brassées de lavage, tout en essayant de se retrouver dans cette maison quasi inconnue. Quant au potager, où poussaient déjà autant de mauvaises herbes que de légumes, elle y jeta un coup d'œil rageur, puis sourit malgré elle à la pensée cocasse qui lui traversa l'esprit. «Puis vous autres, débrouillez-vous tout seuls, espèces de grosses légumes!»

Ghislain se résigna à s'acquitter des travaux extérieurs, qu'il abhorrait, et entreprit la tonte de la pelouse. Arpenter lentement, systématiquement, tout le terrain, derrière la tondeuse au gaz, lui donna le temps d'en mesurer la superficie (plus grande qu'il n'y paraissait), et de voir et revoir la vieille maison sous tous ses angles, décelant petit à petit les réparations à effectuer ici et là. Il soupira devant la demi-journée qu'il perdrait à pousser l'engin bruyant. Il avait au moins la satisfaction de constater l'utilité de son travail : l'herbe était longue et la tonte améliorait nettement l'aspect de la propriété. «Élise ne pourra jamais s'occuper de tout ça toute seule», conclut-il comme une évidence.

La mère d'Élise, en pleurant elle aussi, leur avait préparé un premier repas de dépannage, mais il fallait faire une épicerie pour la semaine. Reprendre le cours normal des choses, en somme. Marie-Andrée obligea Élise, gentiment mais fermement, à l'accompagner pour la sortir de son marasme. Mais elle écourta les courses devant la crise de larmes de la jeune veuve au beau milieu de la petite épicerie campagnarde.

— Marie-Andrée, lui dit Élise en se mouchant une fois réfugiée dans l'auto, je suis enceinte. Je l'étais déjà quand je t'en ai parlé l'autre jour.

C'était deux semaines auparavant, seulement deux semaines, mais cela semblait si loin... Ce jour-là, sûre d'elle, elle ne ressentait aucune culpabilité d'avoir cesser de prendre ses contraceptifs sans en prévenir son mari. Mais au souper au restaurant, Luc avait semblé si atterré d'apprendre la nouvelle que, désemparée, elle avait regretté amèrement sa décision unilatérale. Quelques heures plus tard, en apprenant la mort de son mari, elle avait interprété ce drame comme une punition pour sa tricherie, et elle en avait voulu à l'enfant déjà en elle. Les deux semaines passées chez ses parents lui avait cependant fait changer d'idée.

— Cet enfant-là, c'est son dernier cadeau, tu comprends? Je vais l'aimer pour deux, je le jure! Et je sens que ça va être un garçon. Ce sera comme si Luc naissait en moi!

Marie-Andrée essayait de consoler sa belle-sœur, effarée de cette sorte d'exaltation qui s'était emparée de la future mère.

– On ne peut pas remplacer Luc, dit-elle en frissonnant au seul nom de son jumeau.

– Je vais l'appeler Pierre-Luc, décida impulsivement Élise, pour qu'il n'oublie jamais son père!

Elle pleurait avec tant de désarroi que Marie-Andrée ne répondit rien, dépassée par des événements en apparence extérieurs à elle mais qui, au contraire, la touchait peut-être directement. Était-ce la mort de son frère qui avait provoqué la décision soudaine de Ghislain de devenir père? Peut-être ressentait-il autant qu'elle l'urgence de vivre, et de laisser une trace de sa vie. L'urgence de profiter de sa jeunesse, de la vie qui était là. Elle avait tant souhaité qu'il accepte de lui faire un enfant et voilà que, aujourd'hui que c'était chose décidée, elle restait avec un goût d'amertume parce que le changement d'idée de Ghislain était peut-être lié à la mort de son jumeau. Pourquoi fallait-il que cette joie soit associée à tant de peine?

Elle repoussa ses tristes pensées et se préoccupa à nouveau de sa belle-sœur. À son tour, elle se confia; Ghislain et elle souhaitaient un enfant et elle ne prenait déjà plus de contraceptifs. Le deuil et les deux vies qui s'annonçaient, c'était beaucoup d'émotions pour les deux jeunes femmes, et elles pleurèrent ensemble, enfermées dans l'auto louée sous le soleil torride de juillet, dans un été qui s'annonçait chaud comme on n'en avait pas connu depuis plusieurs années.

En revenant de leurs emplettes, Marie-Andrée se rendit compte qu'Élise ignorait complètement comment gérer un budget, habituée à se fier à son mari pour toutes les questions financières relatives à leur vie familiale. Elle allait lui proposer spontanément son aide en ce sens, mais elle eut soudain la pénible impression de s'immiscer dans la vie privée de son frère, ce qu'il n'aurait jamais supporté. Puis elle revint au réel. Luc n'était plus là; il ne serait plus jamais là pour prendre soin d'Élise et de sa fille. Quelque part, Marie-Andrée refusait de croire que c'était vrai, que c'était définitif.

Son deuil reprit le dessus, doublé, cette fois, d'une inquiétude au sujet de sa belle-sœur. Elle réalisait aujourd'hui qu'elle la connaissait peu, au fond. Elle l'avait toujours perçue comme une jeune femme au caractère joyeux et optimiste, aux remarques spontanées et drôles que Marie-Andrée lui enviait. Mais se sentait-elle dépassée dans la réalité du quotidien? « Elle aurait de quoi l'être! » Ce soir-là, elle confia ses inquiétudes à Ghislain à voix basse, quand ils furent couchés dans leur petite chambre d'invités.

— Si elle n'est pas capable de gérer un budget, s'exclama-t-il, comment elle va faire pour gérer l'assurance-vie de Luc?

— J'ai payé l'épicerie, Élise n'avait pas d'argent comptant. Mais ce qui m'inquiète, c'est qu'elle n'a pas l'air de savoir combien ils avaient d'argent en banque, quand les comptes sont dus, et le reste. En fait, j'avais l'impression qu'elle ne savait même pas faire un chèque! Je vois ça, parfois, à la caisse, mais chez des femmes âgées, pas des femmes de son âge! Mais j'ai rien dit; les histoires d'argent, dans une famille, c'est délicat.

– Ça prendrait quelqu'un de moins proche, suggéra-t-il sans pour autant songer à quelqu'un en particulier.

– En plus... elle est enceinte, révéla-t-elle, guettant la réaction de son homme à l'annonce d'un enfant à venir, comme pour s'assurer qu'il maintenait sa décision de paternité.

Il fronça les sourcils sans percevoir l'allusion, ne pensant qu'à sa belle-sœur et à ses deux enfants, puisqu'un autre s'annonçait.

– Une grossesse en plus? fit-il en soupirant. Quand je la vois seule ici, dans ce trou perdu... Tu l'imagines cet hiver, avec deux enfants? Au fait, il va arriver quand, le deuxième?

– Vers février, je pense.

À force de chercher qui pourrait aider Élise, ils pensèrent à Françoise qui, elle aussi, s'était retrouvée seule dans le chagrin du jour au lendemain. Par contre, la sérieuse Françoise savait gérer un budget; elle apporterait sans doute une aide plus appropriée à Élise, d'autant plus que les deux femmes se connaissaient. Élise l'aimait bien, d'ailleurs, mais ce n'était pas significatif : elle aimait tout le monde.

Au déjeuner, celle-ci accepta immédiatement leur suggestion. Elle se moquait éperdument de cette question de budget; elle acceptait dans le seul but de voir quelqu'un le plus tôt possible. En se réveillant ce matin-là, elle avait réalisé que, dans quelques heures, Marie-Andrée et Ghislain repartiraient pour Montréal et qu'elle se retrouverait seule avec Geneviève, pour la première fois depuis la mort de Luc, dans ce qui avait été leur maison. Elle avait tant souhaité la solitude, ces dernières semaines, et voilà que, sur le point de la vivre, elle frôlait la panique.

— Pensez-vous qu'elle pourrait venir demain soir? demanda-t-elle anxieusement.

Françoise vivait seule et venait de mettre fin à une autre aventure amoureuse décevante. Une fois de plus l'amour la fuyait et elle était persuadée que le bonheur ne lui était pas destiné. Dans ces circonstances, être utile à quelqu'un représenta pour elle une planche de salut. «La vie est étrange...», se dit-elle, secrètement blessée par ce caprice de la vie qui l'amenait dans la maison de Luc, son premier amour secret, mais seulement après la mort de celui-ci.

Marie-Andrée et Françoise se rendirent à la campagne dès le lundi soir; la première s'occuperait de sa nièce pendant que la seconde débroussaillerait les factures qui s'amoncelaient depuis deux semaines et tenterait de sensibiliser la jeune veuve à la manière de tenir un budget.

Il y eut plus de larmes que de comptabilité. La fin brutale et triste de leurs amours respectives rapprocha d'emblée les deux jeunes femmes. Élise ressentait une consolation profonde à parler à une femme qui, comme elle, avait eu tant de chagrin du départ soudain de l'homme aimé. Françoise revivait son chagrin à travers celui d'une autre femme et elle réalisait avec étonnement qu'il s'était beaucoup plus estompé qu'elle ne le croyait et, surtout, qu'elle était jeune et avide de vivre.

La soirée s'était prolongée plus tard que prévu; Élise insista pour les garder à coucher. Elle avait passé la nuit précédente dans l'insomnie, sursautant au moindre bruit dans cette maison qu'elle n'habitait que depuis quelques semaines, en fait, effrayée d'y dormir seule, si loin des voisins. De leur côté, comme les nuits à Montréal étaient exceptionnellement chaudes et inconfortables, les filles furent tentées de rester, même s'il leur faudrait se lever très tôt le lendemain pour rentrer à temps au travail.

Marie-Andrée téléphona à Ghislain, mais il n'y eut pas de réponse. Fragilisée par le deuil, elle s'inquiéta. « Voyons donc, se dit-elle pour se secouer, il n'est pas si tard. Il doit simplement être parti prendre une bière à une terrasse de la rue Saint-Denis.»

Françoise comprenait qu'Élise ne pouvait supporter de rester seule et voulut lui épargner ce qu'elle-même avait eu tant de difficulté à accepter après sa séparation. Le lendemain matin, devant son désarroi touchant, elle proposa avec compassion de revenir le soir même, prétextant vouloir poursuivre le travail budgétaire à peine esquissé.

Quand elle vit cette étrangère revenir chez elle, la petite Geneviève oscilla entre la jalousie, craignant de perdre l'attention de sa mère, et la joie de profiter de la présence d'une autre adulte qui ne pleurait pas constamment, mais qui allait s'occuper d'elle et rire avec elle. À la troisième visite de Françoise, elle lui témoigna une vive affection qui estompa chez cette dernière la déception douloureuse de ne pas encore avoir d'enfants. Dans cette curieuse association, chacune des trois y gagnait, si bien que Françoise accepta elle aussi l'invitation que lui fit Élise et troqua ses deux semaines de vacances en solitaire en Gaspésie contre un séjour à la campagne.

– T'as accepté bien vite qu'on passe nos vacances là-bas, commenta Marie-Andrée en préparant ses bagages et ceux de Ghislain.

– Un fou! murmura Ghislain. C'est le rêve de tout homme, ça : être seul avec trois femmes! Mets-toi à ma place!

Elle fronça les sourcils; cet aspect ne l'avait pas effleuré, mais maintenant qu'il avait été énoncé, il la dérangeait.

– Et un bébé! précisa-t-elle pour ajouter un bémol.

– Une enfant bien mignonne, corrigea-t-il.

Il éclata de rire et l'embrassa amoureusement.

– Voyons donc, tu le sais que c'est toi que j'aime.

– Au fait, lui dit-elle avec une pointe d'ironie, as-tu réalisé que le seul homme, comme tu dis, va tondre le gazon tout seul? Et tous les travaux trop durs pour nous autres, les trois femmes?

Ghislain déchanta du coup et elle lui fit un clin d'œil ironique.

En arrivant avec armes et bagages pour trois semaines, ils eurent conscience de réaliser le projet de Luc : en se réunissant chez lui, ils reformaient une grande famille. La vieille maison achetée dans ce but remplissait ses promesses, mais les circonstances étaient tout autres que celles qui prévalaient au moment de son achat. Marie-Andrée et Élise en eurent une conscience si aiguë qu'elles se retinrent difficilement de pleurer, mais elles s'efforcèrent de profiter de ce moment heureux du début de ces vacances qu'ils passeraient tous ensemble.

– Eh bien! J'aurais jamais pensé vivre en commune un jour! lança Françoise.

Elle s'installa dans la petite pièce libre, au rez-de-chaussée; en posant son sac de couchage sur le lit de camp, elle eut l'impression de faire du camping intérieur. Le couple monta à la chambre d'amis.

– Ça fait chalet en maudit! constata de nouveau Ghislain en regardant plus attentivement, puisqu'il y dormirait pendant trois semaines, le lit plus ou moins double, avec une tête de barreaux de métal et un matelas tout juste assez long pour lui. Luc et Élise, désireux de meubler cette pièce au plus vite, avait acheté le lit à un encan. Ils y avaient aussi acheté un matelas, pas en très bon état, et deux chiffonniers disparates. Élise avait fixé deux petits rideaux aux fenêtres, qui n'étaient pas du tout assortis au couvre-pied défraîchi.

— Ouais, je l'ai dit et je le redis, insista Ghislain en déposant les bagages sur le lit, ça fait chalet en maudit.

— On paie seulement la bouffe, rappela Marie-Andrée, qui commençait à se faire à l'idée de ces vacances en groupe, on ne va pas être regardants sur les détails.

— Détails? marmonna-t-il. J'ai eu le dos en compote au bout de deux nuits, la fin de semaine passée. Qu'est-ce que ça va être dans trois semaines?

Dès les heures suivantes, il fut évident qu'Élise, avec sa bonhomie naturelle, laissait toute liberté à ses invités; autrement dit, ils devaient se débrouiller. Marie-Andrée eut la vague sensation d'être utilisée, mais elle s'interdit de telles pensées, qu'elle jugeait mesquines en comparaison du deuil et du début de grossesse que vivait sa jeune belle-sœur.

Françoise et Marie-Andrée se complétaient, comme elles l'avait fait spontanément quand elles travaillaient chez Field & Sons, à Valbois. Passer trois semaines ensemble leur apparaissait un véritable cadeau, tout comme pouvoir profiter de la présence de la petite fille adorable. « Un cadeau de la vie. De Luc…, pensa Marie-Andrée. Ouais, pour se faire pardonner », songea-t-elle avec amertume. Elle en voulait à son frère et le secret de son suicide érafla encore une fois le plaisir qu'elle commençait à ressentir au début de ces vacances inusitées.

Dès le lendemain, Ghislain revint de Joliette avec une table à pique-nique qu'il assembla dans l'heure.

– Les filles! On va pouvoir manger dehors!

Un train-train quotidien très décontracté s'installa dans une grande liberté et l'homme réalisa vite qu'il profiterait pleinement de ces trois semaines puisque l'été torride empêchait le gazon de pousser.

Le surlendemain, les trois femmes, imitées tant bien que mal par la petite Geneviève, s'attaquèrent au potager qui ressemblait maintenant à un champ en friche. Il faisait atrocement chaud et elles décidèrent d'en profiter pour bronzer en portant leur bikini. Comme le ruisseau tout proche les narguait de son chuintement insouciant, elles alternaient désherbage et baignade.

Finalement, les bikinis se salirent de terre et, à la baignade suivante, la petite Geneviève enleva spontanément son maillot minuscule pour jouer nue dans la rivière. Les femmes envièrent sa simplicité et, d'un commun accord, glissèrent leurs corps nus dans l'eau rafraîchissante, protégées des regards indiscrets par les arbustes touffus qui avaient poussé de chaque côté du ruisseau sinueux. Séchées en moins de deux, elles découvrirent à quel point un maillot mouillé avait été inconfortable. En entendant Ghislain s'approcher, elles se couvrirent spontanément en riant.

Le lendemain, elles se baignèrent encore nues, mais, après avoir échangé un clin d'œil complice, elles ne se couvrirent pas quand Ghislain se joignit à elles. Agréablement surpris, tout autant que mal à l'aise d'exhiber une virilité mal à propos, il voulut se montrer aussi naturel qu'elles. Il enleva son maillot mais se glissa rapidement dans la rivière, souhaitant que l'eau froide prévienne une érection compromettante. Il ne pouvait cependant y rester indéfiniment tant le ruisseau était peu profond.

Les femmes poursuivaient leur conversation en réprimant quelques sourires et rires un peu nerveux, savourant le plaisir de se faire caresser partout par le soleil. Un peu inquiet mais affichant toujours un air détaché, Ghislain sortit discrètement de l'eau et s'étendit… à plat ventre sur sa serviette de plage pour se faire sécher, tout en s'octroyant le droit de zieuter les trois femmes d'un air naturel. «Si elles sont nues, c'est qu'elles veulent être regardées, j'imagine.»

Marie-Andrée se sentait à l'aise dans sa nudité parce que le seul homme du groupe était son conjoint. Elle envia cependant la simplicité des deux autres qui ne se formalisaient pas plus qu'elle de la situation et qui glissaient leur regard, sans fausse pudeur, sur le corps musclé de l'homme qui ne s'attendait pas à être zieuté à son tour et qui se sentit plus intimidé que les femmes. «C'est pas correct; elles sont trois contre un.»

Élise comparait son corps à celui de Luc et ses sens lui ramenaient les caresses de son mari, ce qui accentuait le manque qu'elle éprouvait. Françoise pensait à Jean-Yves, qu'une autre femme regardait et caressait depuis deux ans déjà, et aux trois amants qu'elle avaient eus et qui, elle le constatait maintenant, ressemblaient à son ex-mari par un aspect ou un autre.

L'une et l'autre détournèrent leur regard. Élise regarda plutôt son ventre plat et qui ne s'arrondirait que dans quelques mois. Françoise s'allongea, sur le dos; en bougeant pour étaler la serviette de plage, elle sentit le soleil chauffer sa peau jusqu'à l'entre-cuisse. Jamais, en vingt-sept ans, cette partie de son corps n'avait été ainsi exposée aussi simplement et aussi totalement au soleil. Les autres personnes étant derrière elle, elle se sentit libre d'écarter légèrement les jambes pour que tout son corps soit exposé au soleil sans restrictions, pour la première fois de sa vie.

Marie-Andrée n'avait pu s'empêcher d'observer Ghislain du coin de l'œil à quelques reprises, inquiète malgré elle (et se reprochant de l'être) de savoir s'il semblait attiré par le corps de l'une ou l'autre des jeunes femmes, aussi attirantes qu'elle. En fait, il n'avait pas vraiment l'air attiré; il dissimulait même un certain malaise sous une indifférence qui ne la trompait pas. Rassurée, elle eut une brève pensée qu'elle chassa aussitôt : sa mère aurait certainement poussé les hauts cris devant leur comportement aussi… naturel!

L'habitude de la nudité à la baignade se prit ainsi tout simplement dès que la chaleur les faisait transpirer. Et pourquoi s'en seraient-ils privés? La maison de campagne était un peu isolée du chemin et des voisins, et la boucle du ruisseau les mettait à l'abri des regards indiscrets. Marie-Andrée était cependant ambivalente et elle se surprenait à guetter des regards qui auraient pu être trop complices, des blagues à double ou triple sens, des frôlements quotidiens qui étaient soit anodins, soit ambigus, elle ne le savait plus. Pourtant, dans la fraîcheur du petit matin quand Ghislain la baisait avec fougue, elle en oubliait ses craintes pour s'abandonner entièrement à l'homme qu'elle aimait.

En dépit des moments heureux de cette première semaine de vacances dans cet été si chaud, le premier d'Élise et Geneviève à la campagne, l'absence tangible de Luc remplit soudain toute la maison. La petite Geneviève venait d'éclater en sanglots et se frottait les yeux de ses petits poings fermés en criant :

— Je veux mon papa! Je veux mon papa!

Élise éclata en sanglots à son tour, fut incapable de consoler sa fille et la gronda d'une voix nerveuse et impatiente, ce qui redoubla les pleurs de la petite.

— Chicane-la pas, protesta Marie-Andrée. Elle a de la peine, elle aussi.

— De la peine? Et moi, j'en ai pas, peut-être? Vous ne savez pas ce que je vis!

— Mais oui, Élise, on veut juste…

— Laissez-moi tranquille! Vous comprenez rien! Foutez-moi la paix! cria-t-elle en montant en courant s'enfermer dans sa chambre pour y pleurer à son aise.

Mais l'enfant sanglotait toujours. Déconcertées, Françoise et Marie-Andrée la prirent tour à tour dans leurs bras, essayèrent les cajoleries, les bonbons, une berceuse, rien n'y faisait. Françoise déposa tout à coup Geneviève dans les bras de Ghislain qui allait sortir pour fuir les cris de la petite.

— Elle a besoin de son père. T'es le seul homme, ici; essaie de la bercer. Fais un effort, insista-t-elle avec une irritation mal dissimulée.

L'enfant en pleurs noua ses bras autour du cou de Ghislain qui referma instinctivement ses bras sur elle pour l'empêcher de tomber. Tout entière dans son chagrin, elle hoquetait contre l'épaule de l'homme, de plus en plus pesante contre lui. L'homme de près de trente ans, qui n'avait aucune expérience des bébés ou des enfants, était si maladroit que Marie-Andrée lui désigna la berceuse, irritée elle aussi. Les deux femmes sortirent carrément de la cuisine et prirent chacune une direction différente pour, à leur tour, trouver un peu de solitude.

Seul avec l'enfant, Ghislain la berça, ne trouvant rien à lui dire. Ce n'était pas nécessaire : elle venait de tomber endormie, épuisée d'avoir tant pleuré. Il pensa tout à coup qu'il pourrait un jour tenir son fils ainsi. Mais il n'y eut pas de déclic en lui; ce n'était qu'une hypothèse dans son cerveau.

Un froid s'était créé, les invités se sentaient maintenant de trop et en voulaient à Élise de les avoir amenés à modifier leurs plans de vacances pour, ensuite, subir un tel rejet. Marie-Andrée, assise près de la rivière, éprouvait une telle colère contre Luc que celle-ci effaça, pour un moment, toute l'affection qu'elle avait pu ressentir pour lui. «T'avais pas le droit de nous faire ça!» Elle pleura, tiraillée entre la peine et la colère, entre la culpabilité confuse d'en vouloir à son frère et une sensation d'étouffement avec le secret si lourd à porter.

Une fois calmée, elle rentra consoler sa belle-sœur, l'aida à retrouver un semblant de sérénité qui, elles le savaient toutes deux, n'était que provisoire. Élise redescendit, s'excusa en se mouchant, et la compassion de tout un chacun envers la si jeune veuve fit le reste.

— La peine, c'est comme les journées d'un alcoolique anonyme. *Une journée à la fois*, glissa Françoise tout en chassant résolument, elle aussi, des souvenirs douloureux.

En plus de ses averses de peine, Élise avait aussi des nausées caractéristiques des premiers mois de grossesse. Marie-Andrée l'observait avec d'autant plus d'attention que cela la préparait à vivre ces inconvénients à son tour, à plus ou moins long terme, si Ghislain et elle concrétisaient leur projet d'avoir un enfant.

Ce soir-là, Éva téléphona pour annoncer leur visite, à Raymond et elle, le samedi après-midi, ce qui les prit tous de court parce qu'ils en avaient oublié la notion du temps. Au début des vacances, Marie-Andrée avait craint cette intrusion, mais, dans les circonstances, ce changement à l'horaire modifia l'énergie pénible des dernières heures.

Souhaitant bien les recevoir, chacun s'activa le lendemain matin : préparation des repas, ménage, etc. Un peu avant midi, tout le monde se précipita à la rivière pour une baignade bien méritée par cette autre journée torride. Selon son habitude, Ghislain se baigna peu, enfila son maillot, sortit du bosquet et se fit bronzer non loin de là, tout aussi soucieux de protéger les jeunes femmes d'une visite inopportune, que de s'éloigner de leurs corps sensuels. Il s'était à peine allongé sur sa serviette de plage, à travers laquelle passait des brins d'herbe secs et piquants, que, trois heures plus tôt que prévu, il vit surgir ses beaux-parents, l'altière Éva qui avait maigri et Raymond, dont les épaules semblaient moins carrées.

— Il fait tellement chaud qu'on est partis de bonne heure, expliqua Éva en descendant lentement de voiture. On ne voulait pas être sur les routes dans la grosse chaleur.

— J'haïs bien ça conduire quand il fait chaud de même, ajouta Raymond en sortant leur valise. Les autres sont pas là? demanda-t-il, étonné.

– Elles vont arriver d'une minute à l'autre, expliqua leur gendre, mi-inquiet, mi-amusé par la situation. On vous attendait cet après-midi.

Ils ne répondirent pas. Ils cherchaient inconsciemment leur fils des yeux. Éva revint à la réalité et chercha plutôt Marie-Andrée, détournant son regard de la quasi-nudité du copain de sa fille, dont le maillot des plus réduits accentuait les formes masculines de façon presque indécente.

Il les conduisit à la maison, portant leur maigre bagage, et il haussa le ton pour que les filles l'entendent au-dessus du chuintement du ruisseau sur les galets. Il parla si fort que Raymond Duranceau s'en irrita, voyant là une allusion à son ouïe qui faiblissait.

– On n'est pas sourds! ronchonna-t-il.

Ghislain avait cependant atteint son but; les filles avaient enfin capté sa voix et surtout ses paroles. Comme des enfants prises en faute, elles s'enroulèrent prestement dans leurs serviettes de plage, maîtrisant à grand-peine un fou rire nerveux. Elles se montrèrent enfin, avec l'air le plus naturel qu'elles avaient pu se composer. Éva pressentit quelque chose d'inhabituel en remarquant rapidement qu'aucune bretelle de maillot ne dépassait des grandes serviettes de plage nouées autour des corps des trois jeunes femmes. Elle préféra croire qu'elle se trompait et que leurs bikinis n'avaient pas de bretelles. En portant la main à son cœur oppressé, elle refusa d'y penser plus longuement.

La petite Geneviève rejeta spontanément la grande serviette qui l'emprisonnait et courut au-devant de ses grands-parents, nue comme un ver. Après les embrassades, Françoise l'entraîna vers la maison pour aller s'habiller toutes deux, laissant les Duranceau entre eux.

À la fin de l'après-midi, Éva observa une scène qui apparaissait bucolique aux jeunes femmes, mais complètement démodée à la femme de soixante-sept ans. Avec leurs longues blouses fleuries et leurs jupes longues légères qui volaient au vent, les trois amies allaient cueillir des légumes dans un potager suffisamment vaste pour nourrir douze personnes. « Tout à l'heure, elles n'avaient à peu près rien sur le dos et là, elles sont plus habillées que nous autres dans l'ancien temps! Habillées de même dans une chaleur pareille!»

Puis, en constatant un autre détail, elle ravala l'indignation qui lui colora les joues malgré elle. Même si les trois jeunes femmes étaient relativement minces, il était évident qu'elles ne portaient pas de soutien-gorge. Éva n'arrivait pas à comprendre comment sa fille pouvait se permettre un tel comportement. « Les hommes ne pensent qu'à ça; elles le font exprès ou quoi?» Dans sa déception, elle voulut en rejeter la responsabilité sur une autre personne que sa fille. Comme sa bru, éprouvée, en supportait déjà plus que son lot, elle se rabattit sur Françoise. « Elle a encore trouvé le moyen d'être dans le décor, celle-là!» se dit-elle avec lassitude, accablée par la chaleur.

De son côté, Ghislain constata que son beau-père ressentait un certain malaise de se retrouver au milieu de cette gent féminine de tous âges. Pour démarrer un semblant de conversation, il parla de l'accord du gouvernement québécois avec les Cris au sujet du projet de barrage à la Baie-James. Raymond se mit alors à discourir sur la rivière Manicouagan, sur laquelle on avait prévu construire cinq barrages hydroélectriques, dont l'un s'était révélé non nécessaire en cours de réalisation du projet global, ce qui n'avait pas empêché qu'on nomme le dernier de la série, Manic-5.

Après cette tirade, il se tut, replongé dans son univers d'autrefois des chantiers hydroélectriques. Il avait cru que l'ampleur de Manic-5 ne serait jamais égalée et voilà qu'à la Baie-James le barrage de La Grande-2, communément nommé LG-2, les éclipserait tous. À la retraite depuis six ans (cela lui paraissait hier et, en même temps, au siècle dernier), il se sentait déphasé, de plus en plus déphasé. Certains soirs, il lui semblait qu'il ne s'était jamais remis de son retour dans ce qu'il appelait toujours «le Sud».

Perdu dans ses pensées sur les chantiers, il avait négligé de se blinder le cœur et, quand il revint au moment présent, la mort de son fils se rappela brutalement à lui. Il était chez Luc, son fils mort, son plus jeune fils, celui qu'il n'avait pas vu grandir, pas vu devenir un homme. Un fils qu'il ne verrait jamais vieillir. Un vide se creusa en lui. Le fils et le père s'étaient toujours comportés en étrangers; jamais la moindre complicité n'avait surgi entre eux, ne les avait même effleurés. «Pourquoi on met des enfants au monde si on n'est pas capable de les aimer?» Le mot avait jailli de lui-même dans toute sa cruauté. «J'ai aimé tous mes enfants, protesta-t-il douloureusement; je suis pas un père sans cœur!» Mais la blessure était là, béante, et il ne trouvait rien pour l'atténuer.

Traumatisé, il vit son gendre revenir avec deux bières fraîches et, dans un geste nerveux, il lui en arracha une des mains si brusquement qu'ils furent tous deux éclaboussés par la mousse dorée. Il se trouva si ridicule qu'il ne trouva rien à dire. Cet homme-là non plus, il ne l'aimait pas. Il ne s'habituait pas à lui, à sa tignasse rousse, à ses manières de vivre, au fait qu'il compromettait sa fille en ne l'épousant pas. À l'évocation de Marie-Andrée, il abandonna. C'était trop pour lui. Ce monde changeait trop vite à son goût; il n'y avait plus sa place.

– Il fait chaud sans bon sens. Je vais aller m'étendre un peu, marmonna-t-il.

Il retourna pesamment à la maison. Dans la canicule, les bretelles de son pantalon traçaient des lignes de sueur dans le dos de sa chemise à manches courtes. Ghislain réalisa que son beau-père prenait de l'âge et de l'embonpoint. Il avala de travers : son père vieillissait, lui aussi. S'il était encore en vie... Une colère le fouetta. «Moi, si j'ai des enfants, je resterai avec eux!» se promit-il, rejetant pour la première fois la certitude qu'il avait toujours entretenue qu'il ne pouvait pas être un bon père. Maintenant, il en était sûr, il se comporterait autrement que le modèle parental qu'il avait eu sous les yeux dans son enfance.

Élise conduisit son beau-père à l'étage, dans sa chambre, qu'elle offrait à ses beaux-parents.

– Je vais dormir avec Geneviève, dit-elle pour le mettre à l'aise, sans pour autant recevoir de remerciement de son invité qui considérait comme tout naturel d'avoir la préséance.

Au souper, Éva observait avec tendresse et chagrin sa petite-fille au front buté comme celui de son père et au nez retroussé comme celui de sa mère. «C'est bien jeune pour être orpheline...» Tout à coup, elle

constata que la petite Geneviève allait indifférem-
ment vers l'une ou l'autre des trois jeunes femmes,
comme s'il s'agissait de ses trois mères. Elle fronça
les sourcils. «Une mère, on n'en a rien qu'une : pas
trois!» trancha-t-elle en pensant plus précisément à
Françoise. «Et un seul père aussi...», ajouta-t-elle
en fermant les yeux pour y refouler des larmes.

Au début de la nuit, à peine assoupie dans la
chambre étouffante de chaleur sous le toit non isolé,
Marie-Andrée se réveilla. Quelqu'un marchait doucement dans la maison, ouvrait la porte-moustiquaire
qui grinça. Elle enfila une blouse très longue et
descendit à son tour. Sa mère était assise sur une
chaise de la grande galerie, du côté le plus frais. Le
profil du visage trahissait la peine qui l'habitait.

Marie-Andrée frissonna. Sa mère se remettrait-elle
de la perte de son fils? Regrettait-elle d'être venue
en visite dans cette maison qu'il avait été si fier de
leur montrer, trois semaines auparavant? Trois semaines... C'était hier et c'était il y a un siècle.
Elle serra les poings de colère. «Quel gâchis! Je te
pardonnerai jamais ça, Luc, jamais! T'es un lâcheur!
Un lâche...» À son tour, la peine l'envahissait. Elle
la refusa tout net et s'avança vers sa mère, s'exprimant d'un ton presque trop ferme.

– Tu dors pas?

Sa mère se retourna lentement, esquissant un
pauvre sourire.

– Il fait chaud, répondit-elle simplement.

Le vent fit voleter la blouse légère de Marie-
Andrée qui, ne sachant que faire, s'assit sur les
planches de bois, plus fraîches, et s'adossa à un
poteau de la galerie. Éva l'envia; elle avait si chaud
sous sa chemise de nuit et sa robe de chambre à

manches longues. Sa fille le constata aussi et dit spontanément :

– Dommage que tu n'aies pas de maillot; on pourrait aller se baigner dans la rivière.

La mère et la fille se regardèrent et comprirent toutes deux qu'il était inutile de nier la baignade naturiste, mais que ni l'une ni l'autre n'en parlerait, ni de Luc, deux sujets d'importance si différentes. Éva courba imperceptiblement les épaules sous un poids invisible. Un de plus. Elle ne comprenait plus sa fille et encore moins l'assurance tranquille qu'elle affichait. Avait-elle perdu le sens des convenances à ce point? Dans les journaux, on parlait beaucoup de communes, et la vieille dame y imaginait une sexualité débridée. Que se passait-il réellement, ici, dans ces curieuses vacances à trois femmes et un homme? Elle n'osa formuler ses craintes et balaya ses appréhensions du revers de la main, un geste qui lui était coutumier. «Luc n'aurait pas permis ça.»

Marie-Andrée avait perçu le geste involontaire; elle en déduisit que sa mère imaginait le pire. Mais qu'y pouvait-elle? Les soucis de sa mère découlaient de ses valeurs et ces valeurs-là, sa fille ne les partageait pas. Elle décida même que, dorénavant, elle chasserait tout sentiment d'ambivalence par rapport à la nudité d'Élise et de Françoise. Du seul fait que sa mère désapprouvait certainement cette nudité, elle l'accepta totalement et refusa d'y voir quoi que ce soit de répréhensible. «Je ne vais pas gâcher mes vacances au nom des idées que les autres se font sur ma vie.»

La nuit était douce, trop douce pour de l'amertume. Le ciel était rempli d'étoiles et, peu à peu, dans le silence, la paix s'installa entre la mère et la fille.

– Te baignais-tu, toi, quand tu étais jeune? demanda soudain cette dernière pour chasser le deuil palpable entre elles.

Éva la regarda. Elle envia sa jeunesse, son assurance. Elle eut peur pour elle, aussi. Vers quoi, vers quelles désillusions sa fille s'avançait-elle avec ses grands airs paisibles? Ignorait-elle à ce point que les hommes perdent la tête devant la nudité des femmes? Comment pouvait-elle faire confiance à cette... cette Françoise, et même à Élise, si jeune, qui, malheureusement, était privée d'un mari dans sa vie? Sa fille était-elle si certaine de la fidélité de son ami pour accepter leur nudité? Ou peut-être était-ce lui qui l'exigeait. Non, sa fille semblait trop sereine pour que cela soit plausible. Elle soupira et répondit finalement que les premiers maillots habillaient les baigneurs quasiment jusqu'au cou, mais qu'ils n'en moulaient pas moins les corps de façon presque indécente.

– On se sentait plus tout nus que si on l'avait été! admit-elle.

D'une phrase à l'autre, Marie-Andrée, qui avait envie de vivre pour oublier la mort, entendait parler de retenue, de parties cachées, de pudeur, de pudibonderie, d'interdictions, mais jamais de quoi que ce soit qui aurait pu ressembler à des rapports simples et naturels avec le corps, ni même d'acceptation du corps, ce corps omniprésent que chaque être humain gardait toute sa vie. Et encore moins de compassion ou de soins à donner au corps comme à un fidèle compagnon et, surtout, rien qui eût pu ressembler à un compliment. Sa mère s'était-elle, une seule fois dans sa vie, regardée nue dans un miroir et trouvée belle et désirable? Son mari avait-il pu, une fois au cours de leur vie commune, contempler sa femme de la tête aux pieds, en se permettant d'exprimer sa convoitise comme une réaction normale, même noble entre époux?

La jeune femme mesurait la distance qui la séparait de sa mère, une distance liée à l'âge, bien sûr, à l'expérience aussi, mais c'était plus que cela. C'était comme si elles n'appartenaient pas au même siècle! Comme si les valeurs de l'une ne concordaient pas avec le temps de l'autre. Dans cette douce nuit d'été, si proche physiquement de sa mère, Marie-Andrée accepta soudain la mort de son jumeau. Rien ne pouvait désormais y être changé. Elle pouvait s'entêter, se buter, refuser, mais cela ne le ramènerait pas. Il n'y avait qu'une façon de s'enlever ce poids au cœur : accepter la réalité. Elle le crut vraiment; elle le voulut sincèrement. Un poids invisible sembla alors se diluer et s'échapper d'elle. La tête appuyée contre le poteau de la galerie, elle laissa le vent glisser sur son corps et emporter aussi son déni et sa colère.

Elle redressa la tête : sa mère la regardait. Toutes deux attendaient. Quelle parole pouvait être prononcée pour les rapprocher l'une de l'autre? Quel geste suffisait-il d'esquisser pour laisser couler l'affection profonde qu'elles se portaient mais qu'elles ne savaient comment se communiquer, encore moins aujourd'hui qu'autrefois, se rencontrant si peu depuis quelques années?

La tâche parut soudain trop lourde à Marie-Andrée. Peut-être devait-elle simplement, avec sa mère comme pour Luc, abandonner, laisser aller... Elle prit la résolution inverse : vivre intensément sa relation avec sa mère pour qu'elles apprennent toutes deux à s'aimer comme femmes. «Ça prendra le temps que ça prendra.».

Le lendemain matin, après le déjeuner et une fois sa bru remise de sa nausée matinale, Éva demanda à lui parler et elles s'enfermèrent là-haut dans la chambre principale. C'était la première fois que la belle-mère et la bru se trouvaient en tête-à-tête. Solennelle, assise sur le bord du lit, Éva avait prévu une entrée en matière, mais elle l'escamota, trop peu sûre de trouver les bons mots, et elle choisit brusquement d'aller droit au but.

– Tu ne peux pas continuer comme ça. À la longue, tu ne pourras ni les supporter ni t'en défaire.

La jeune femme plissa le front; de quoi sa belle-mère parlait-elle? Celle-ci devina la question muette. Mais elle ne trouvait toujours pas les mots adéquats, ceux qui éveillent la peine sur la pointe des pieds, pour mieux l'emporter au loin tout aussi délicatement. Elle se leva avec un soupir douloureux et décidé, et ouvrit la garde-robe de son fils.

– Il ne faut pas vivre dans le passé. T'es jeune, t'as une petite fille, bientôt un autre bébé. Il faut vivre. Avec les vivants.

Élise se leva d'un bond et referma vivement la porte de la garde-robe. Luc restait présent par ses objets personnels, ses vêtements; rien ni personne ne les sortirait de là.

– C'est dur, je te comprends, insista sa belle-mère avec un trémolo dans la voix. Mais il faut que tu le fasses. Plus tu vas attendre, plus ça va être dur.

La jeune veuve allait protester, pleurer, s'imposer quand madame Duranceau l'écarta doucement avec une tendresse que personne ne lui aurait supposée et lui dit simplement, du ton qu'elle employait autrefois quand elle aidait ses jeunes enfants à effectuer une tâche très difficile :

— Viens… On va le faire ensemble.

Elle joignit le geste à la parole, sortit les premiers vêtements et les donna à sa bru. Les larmes de la mère et de l'épouse tombèrent sur les vêtements de Luc et s'y mêlèrent. Elles firent vite, en silence, avec l'impression insupportable d'enterrer Luc une seconde fois. Mais les vêtements et les objets personnels de ce fils, de ce mari devaient quitter les lieux et il était évident qu'Élise était trop désemparée pour s'acquitter de cette tâche douloureuse toute seule. Elle accepta de les donner tous à sa belle-mère, qui les remettrait à un organisme de charité à Valbois, loin de cette maison. Elles descendirent en silence : elles n'en pouvaient plus.

Au moment du départ, Élise embrassa sa belle-mère avec reconnaissance et celle-ci se crut obligée de lui dire :

— C'est mieux pour toi…

Élise s'enferma dans la chambre et réalisa que, désormais, ce n'était plus *leur* chambre, mais *sa* chambre… Elle ne souhaita plus que s'asseoir par terre dans la garde-robe et y pleurer à son aise. Mais le vieux placard était trop étroit. Elle y vit le signe que ses larmes devaient cesser. Elle s'étendit sur le lit, désemparée, et s'endormit profondément. Pour la première fois depuis le décès de l'homme qui avait été son premier amour et son mari.

Fermement décidée à surmonter son deuil, de force s'il le fallait, le jour suivant elle se jeta à corps perdu dans les confitures. Toute la maisonnée s'initia en même temps qu'elle à cette activité accaparante qui canalisait leurs énergies. Emportées par l'enthousiasme, les femmes engrangèrent des victuailles comme si elles allaient être privées de nourriture durant des années. La quantité suppléa dans certains cas à la qualité. Elles étaient en train d'acquérir de l'expérience, tout comme Ghislain par rapport à l'entretien du terrain.

Quelques jours plus tard, Élise et Ghislain allèrent à Montréal pour y faire un achat particulier. Élise revint dans la camionnette de Hugo, le copain de Ghislain, qui transportait le congélateur devenu nécessaire pour conserver les légumes du potager, qui promettait une récolte surabondante dans cet été de chaleur. Et le congélateur ne faisait que commencer sa carrière, au dire de la maîtresse de maison qui avait l'intention de faire des semis, le printemps prochain, pour avoir des plants de tomates.

Elle invita Hugo à rester. Il parla de syndicat, de revendications. Les autres l'écoutaient distraitement, le cœur et la tête aux vacances. À un moment donné, il s'esquiva discrètement avec Élise et la suivit dans sa chambre. Elle avait été franche avec lui; il n'était pas question de faire l'amour : elle en était incapable. Mais elle voulait passer la nuit dans les bras d'un homme, d'un étranger, pour essayer de sortir de son deuil et se sentir vivante et une femme… Ils parlèrent un peu, puis s'endormirent pesamment, repus de soleil, détendus par un bain de minuit et le cerveau alourdi par quelques bières. Ils firent l'amour au petit matin, en silence. Élise remercia mentalement sa belle-mère de l'avoir libérée de la mort, du moins temporairement. Elle continuerait à vivre même si Luc restait et resterait au creux de son cœur, et ce, aussi sûrement que l'enfant qui naîtrait.

Françoise n'avait que deux semaines de vacances et elle retourna au travail le lundi, revenant chaque soir à la campagne. À la fin de la semaine, peu enthousiaste à l'idée d'effectuer ce trajet soir et matin, encore moins à celle de retourner vivre seule dans son appartement, et pressée par Élise de s'installer à la campagne, elle réfléchissait à son avenir immédiat. Pour se détendre, elle alla faire le tour du potager qui lui avait fait découvrir sa passion pour la nature.

Elle travaillait dans un bureau de traduction depuis deux ans déjà et, depuis l'adoption, l'année précédente, de la Loi sur le français langue officielle, sa profession connaissait un essor important. À son bureau, le nombre d'employés avait augmenté et ils se trouvaient maintenant à l'étroit. Dans ces conditions, cela ferait peut-être l'affaire de son employeur qu'elle devienne traductrice pigiste. Elle pourrait alors résider n'importe où puisqu'il lui suffirait sans doute de se rendre au bureau une ou deux fois par semaine, ou même aux deux semaines, pour remettre ou prendre des textes et toucher son salaire.

Ce mode de travail ne l'avait jamais intéressée auparavant; au contraire, il lui était bénéfique de retrouver des collègues pour briser sa solitude. Mais la situation était tout autre maintenant. En fait, devenir pigiste lui permettrait de prolonger le bien-être qu'elle ressentait depuis quelques semaines en s'installant dans cette maison, ce qui répondrait aux demandes répétées d'Élise ainsi qu'à ses propres besoins, toutes deux étant esseulées et trouvant beaucoup de réconfort auprès de l'autre. Prosaïquement, elle évalua la contribution financière qu'elle pourrait proposer à Élise; même si elle était généreuse, cela se révélait malgré tout plus économique que d'assumer un logement à elle seule. Et puis, elle pourrait peut-être payer quelques réparations, pourquoi pas? Tous ces projets la faisaient exister de nouveau. Enfin!

Elle se pencha et tira sur le feuillage délicat d'une petite carotte pour la déterrer, et la nettoya entre ses doigts en songeant à un article qu'elle avait lu l'an dernier, traitant d'une enquête du gouvernement fédéral au sujet des communes. On y disait vouloir évaluer si cette formule de vie en commun pouvait s'avérer intéressante pour les jeunes, les familles monoparentales et les personnes âgées. «En tout cas, ça l'est pour moi!» conclut-elle en croquant avec appétit la carotte fraîche et savoureuse.

Le souper fut servi dehors, sur la grande table à pique-nique, symbole de leurs vacances. Comme presque chaque soir de ce mois de juillet 1975 exceptionnellement chaud, la table débordait de légumes frais, de plats odorants, de vins et de fleurs sauvages cueillies dans la journée avec la petite Geneviève au babillage incessant. Ghislain avait sorti un haut-parleur et faisait jouer pour la centième fois la chanson des Séguin qui parlait de «l'éternité de chaque instant» et qui représentait si bien ces vacances si particulières : «... Et regarder le soir qui tombe, dans la maison vaste et tranquille, et parler avec des amis...»

L'absence de Luc se rappelait à eux régulièrement, mais leur causait moins de peine au fur et à mesure qu'ils se forgeaient des souvenirs dans ces lieux, sans lui. La nuit chaude les trouvait souvent encore attablés, à parler de tout et de rien, et ils se permettaient de rire, tout simplement.

Ce soir-là, leur dernier soir tous ensemble, Élise annonça, émue aux larmes, l'emménagement de Françoise. Quand elle pensait à la fin des vacances et à sa prochaine solitude, elle perdait pied et n'arrivait plus à se raisonner. Que la grande et sérieuse Françoise s'installe chez elle en permanence lui apportait un tel sentiment de sécurité affective et concrète qu'elle mesura à quel point, malgré les apparences, elle n'avait pas accepté son veuvage. Quant à la petite Geneviève, qui s'accrochait aux jupes de Françoise dès que celle-ci quittait la maison pour faire des courses, il était évident que le départ de cette amie aurait été très pénible pour elle, comme un second deuil.

– Ton employeur va être content, commenta Ghislain qui voyait cette décision sous un angle fiscal. En t'engageant comme contractuelle, il n'aura plus besoin de payer les cotisations d'assurance-chômage, l'assurance collective, le fonds de pension.

Cet aspect n'avait pas effleuré Françoise et cela la contraria d'entrevoir un inconvénient à son beau projet; aussi l'écarta-t-elle rapidement. Que signifiait un fonds de pension dont elle profiterait seulement dans trente ou quarante ans, comparativement à sa liberté d'action pendant toutes ces années? Pourquoi paierait-elle de l'assurance-chômage, elle aussi, de toute façon? Il y avait tellement de travail en traduction. Et elle n'avait même pas trente ans; pourquoi penserait-elle à la maladie?

Marie-Andrée, d'abord étonnée de la décision de Françoise, en fut ensuite si soulagée qu'elle prit conscience que d'aider Élise, sa priorité depuis un mois, avait été lourd à porter. Elle réalisait, ce soir, qu'elle en avait peut-être oublié sa vie de couple, ces dernières semaines, son désir d'avoir un enfant, bref, de penser à elle.

Elle revint à la conversation générale. Ghislain parlait avec Françoise de ce nouveau style de travail, pigiste, et lui en énumérait des avantages fiscaux comme de déduire une partie des frais de la maison puisqu'elle y aurait son bureau. Françoise ne savait trop si elle souhaitait se prévaloir de ce droit; après tout, elle ne serait pas chez elle. «Les femmes! Dès qu'on parle d'argent, elles ne comprennent plus rien!» pensa Ghislain irrité, du peu d'effet de ses conseils judicieux et tout à fait appropriés. Je travaille à l'impôt, sacrament : je sais de quoi je parle!»

Il mentionna ensuite un autre avantage du travail de pigiste, l'horaire flexible, le comparant avec l'horaire rigide que lui-même devait subir. En l'écoutant, Marie-Andrée le trouva inconséquent. Il comparait les avantages d'être pigiste avec les désavantages d'être employé. «Il ne retient que les aspects qui font son affaire!» se dit-elle, déçue.

Maintenant libre de penser à leur départ sans mauvaise conscience, elle s'avouait sa hâte de reprendre leur vie à deux, dans leur appartement à Montréal. «En toute liberté!» Sa réflexion spontanée lui fit admettre qu'ici ils n'osaient trop se comporter en couple pour ne pas rappeler l'absence de Luc à leur belle-sœur, même si cette dernière n'y avait jamais fait allusion, ni rappeler à Françoise qu'elle n'avait pas d'amoureux.

Ghislain respirait mieux lui aussi. Après tout, cette propriété et cette maison n'étaient pas les siennes et les quelques travaux de dépannage qu'il avait effectués lui avaient pesé. De plus, les murs de la vieille maison étaient minces et le manque d'intimité compliquait les ébats sexuels. Les échappées dans le boisé, quant à elles, s'étaient révélées héroïques, parce que Marie-Andrée et lui avaient été assaillis par des nuées de moustiques.

À vrai dire, ils avaient regretté leur appartement à plus d'une reprise. Mais ce serait bientôt chose du passé. Les vacances se terminaient le lendemain et c'était bien ainsi. L'été commencé dans le deuil s'achevait dans l'amitié, et une abondance inattendue de projets et de changements pour les uns et les autres.

Françoise négocia un nouvel arrangement avec son patron, réussit à sous-louer son logement et put emménager définitivement à la campagne dès la fin août. Quand il fut question de sa contribution financière, Élise protesta vivement :

– Luc m'a laissé de quoi vivre! Je recevrai bientôt de l'argent de l'assureur.

– Ce n'est pas une raison pour que tu m'héberges pour rien! refusa Françoise qui insista longuement.

– Bon, bon… tu paieras l'épicerie puisque tu y tiens tant.

– Et les travaux de rénovation pour ma chambre et mon bureau, ajouta sa pensionnaire-colocataire qui souhaitait y apporter des modifications.

Ghislain demanda l'aide et la camionnette de Hugo Saint-Cyr, son copain du secondaire, comme il l'avait fait pour le transport du congélateur quelques semaines auparavant. Hugo espéra une autre nuit avec

Élise, mais celle-ci était dans un tout autre état d'esprit et il le comprit d'un coup d'œil.

Quoi qu'il en soit, l'emménagement tourna à la fête et fut expédié en moins de deux. Les meubles vieillots de la chambre d'amis furent transférés dans la chambre de Geneviève, et le petit lit d'enfant dans la chambre d'Élise, en attendant l'arrivée du bébé. Françoise fit monter à la chambre ses effets personnels. Ses autres meubles, de cuisine et de salon, furent répartis ici et là, sur l'impulsion du moment, et ils ajoutèrent une touche de finition dans la vieille maison achetée au printemps et qui n'était pas encore entièrement meublée.

Cette journée mouvementée, suivie d'un souper dehors, moins tardif parce que les soirées du mois d'août étaient déjà fraîches, prolongea les bons moments des vacances en commun. Au lieu de marquer une fin, ils participaient au contraire à un nouveau départ.

Les jours suivants, Françoise se soucia de s'installer plus adéquatement pour s'acquitter de son travail; une simple table dans sa chambre n'était pas l'idéal. Élise lui proposa d'utiliser la petite pièce attenante au salon pour y aménager son bureau et elles magasinèrent avec enthousiasme pour trouver un mobilier de bureau confortable, et discret comme l'était Françoise.

Quand Ghislain et Marie-Andrée revinrent à la campagne, deux semaines plus tard, les lieux n'étaient plus les mêmes. Le couple devait maintenant dormir sur le sofa-lit dans le salon ou bien dans la pièce qui servait de bureau, sur un matelas gonflable et dans des sacs de couchage. Ils sacrifièrent l'intimité et choisirent le confort, même relatif, du sofa.

Après avoir goûté à la fraîcheur et aux grands espaces de la campagne, Ghislain se trouvait à l'étroit et commençait, presque malgré lui, à évaluer l'hypothèse d'acheter une maison.

— Une maison neuve sur un petit terrain! précisat-il à Marie-Andrée. Je ne veux pas de jobs à faire, ni au-dedans ni en dehors.

Un enfant et une maison, c'était beaucoup pour lui; sa compagne en eut un regain de confiance en l'avenir. Cependant, ces projets soulevaient un questionnement important et urgent. Devait-elle avoir un enfant pendant que son conjoint y consentait ou profiter d'une liberté de mouvement qu'ils ne retrouveraient plus en devenant parents? Cela la ramenait à une interrogation fondamentale. Elle travaillait le jour, s'investissait dans des cours le soir et un déménagement s'ajouterait peut-être à tout cela. Que voulait-elle faire de sa vie, au juste? En fait, elle avait l'embarras du choix : tout était possible. Pourtant, elle avait parfois la vague sensation d'errer, sans embûches, mais sans véritable but. Elle repoussa son ambivalence en se disant que c'était sans doute le deuil de son jumeau qui n'était pas assumé et elle refusa de s'interroger davantage.

Au début de septembre, les deux campagnardes, en une journée pluvieuse et déjà froide, commençaient à penser à leur premier hiver à la campagne, enthousiasmées par les grands espaces blancs à venir.

— Que la neige doit être belle et blanche, ici! rêvassa l'une.

— Et le déneigement de la longue entrée, comment on va s'arranger avec ça, cet hiver? dit l'autre.

Sans se le dire, les deux jeunes femmes refoulèrent une certaine appréhension, chacune à leur manière.

– On demandera aux voisins ce qu'ils font, décida Françoise.

– Tu t'en occupes, O.K.? Je ne suis pas très bonne dans ces affaires-là.

Élise s'en remit en toute confiance à Françoise qui sentit un poids s'installer sur ses épaules. L'abattement d'Élise, qu'elle avait à son arrivée jugé normal, l'attribuant au deuil, dénotait-il plutôt une dépendance? Et si c'était le cas, était-ce une dépendance chronique?

Quelques jours plus tard, un visiteur débarqua à la maison de campagne sans prévenir et Françoise fut si estomaquée de le voir qu'elle en oublia même de le faire entrer. L'homme, près de la trentaine, bronzé par un an passé au soleil, la barbe longue et les cheveux à mi-dos, portait une chemise et un pantalon en coton indien sous un chandail chaud. L'accoutrement détonait, mais c'était bien là le style de Patrice, le calme et pondéré Patrice.

– T'es revenu de l'Inde? bredouilla-t-elle finalement en essayant d'apaiser son cœur et de se donner une contenance.

– Comme tu vois, répondit-il en ne la quittant pas des yeux. Tu peux m'embrasser, suggéra-t-il d'un air faussement détaché. Je ne suis pas une apparition.

Il était donc revenu de son année sabbatique en Inde; le projet dont il avait tant rêvé était déjà chose du passé. Il était venu de Montréal sur le pouce et avait terminé le dernier kilomètre à pied. La journée étant déjà avancée, Françoise et Élise lui offrirent spontanément l'hospitalité ce soir-là. Il resta deux jours et parla sommairement de son voyage; il écouta surtout longuement le récit de leur étrange été. L'une et l'autre apprécièrent l'occasion qui leur était offerte de se confier, ensemble et séparément, et cela les apaisa de pouvoir libérer tant d'émotions. Après s'être consultées, elles lui offrirent de rester comme homme à tout faire, le temps de se réintégrer au Québec, en échange du gîte et du couvert et d'un maigre salaire. Après un an en Inde, la nouvelle philosophie du paisible Patrice le rendait indifférent à tout superflu et, comme il était sans projet à court terme, il accepta.

Le fait que Patrice décide de rester sécurisa les deux femmes qui, avec les nuits de plus en plus froides, réalisaient que la vieille maison, même charmante, était mal isolée et nécessitait des travaux qu'elles ne pouvaient exécuter. De plus, regrettant déjà l'animation des vacances, elles se réjouissaient de cette présence provisoire. Autant pour la prolonger que pour entreprendre des travaux qui s'avéraient essentiels et possibles pour Élise, maintenant qu'elle avait reçu l'argent de l'assureur. L'isolation de la maison devint leur projet commun, d'autant plus que Françoise insista pour en partager le coût.

Patrice avait d'abord utilisé le sofa-lit du salon, puis Élise, qui ne s'habituait pas à dormir seule, décida quelques jours plus tard que sa fille coucherait désormais avec elle. La chambre de Geneviève fut donc libérée et le nouveau colocataire eut temporairement sa chambre, puisque le bébé, qui naîtrait en février, en aurait besoin à son arrivée.

La présence au quotidien de l'homme, qui parlait de spiritualité et d'amour universel, apporta un souffle nouveau et vivifiant. Cependant, les deux femmes, d'abord enthousiastes, durent affronter des prises de conscience auxquelles elles ne s'attendaient pas. Cette présence mâle dans la maison rappelait encore plus durement à Élise l'absence de Luc, et à Françoise, l'épisode amoureux que Patrice et elle avaient vécu à Montréal, quand ils étaient devenus colocataires après sa séparation d'avec Jean-Yves.

Cet épisode avait été bref. Elle avait vite été désillusionnée, pressentant intuitivement que le grand amour de son nouvel amant, c'était Marie-Andrée, même si cette dernière ne semblait pas le réaliser, obnubilée par le grand Ghislain, le roux flamboyant. Françoise, qui venait d'être abandonnée par son mari pour une autre femme, ne voulait rien savoir d'un amour qui ne soit pas entier. Aussi avait-elle mis un terme à leur relation amoureuse naissante en se louant un appartement.

Quelques années plus tard, Patrice vivait à nouveau sous le même toit qu'elle, mais il retrouvait une femme décidée plus que jamais à être choisie sans équivoque. Aussi décida-t-elle de le tenir à distance pour sauvegarder une sérénité chèrement acquise.

L'automne s'annonçait paisible avec la grossesse d'Élise et le travail de traduction de Françoise à domicile. Pour la cuisson et le chauffage, les deux femmes avaient acheté des cordes de bois. C'est Patrice qui s'était chargé de dénicher le bois en question et de le corder, mais dès que les premières bûches furent jetées dans le poêle, il y eut plus de fumée que de feu. Même inexpérimentés, les trois jeunes citadins finirent par conclure qu'ils s'étaient fait avoir : le bois était vert et ne serait pas vraiment utilisable avant un an. Furieux de s'être fait rouler, Patrice se mit en quête de bois sec mais n'en trouva qu'une petite quantité, insuffisante pour chauffer tout l'hiver.

D'un commun accord, Élise et Françoise, à qui la servitude du poêle au bois pesait déjà, décidèrent de moderniser le poêle et la fournaise, confiant allègrement à Patrice, qui ne s'y connaissait pas davantage, la tâche de choisir les appareils et de les faire installer. Ces transformations donnèrent le coup d'envoi aux rénovations.

Patrice n'était pas particulièrement bricoleur, mais la rénovation devenait à la mode et des nouveaux matériaux facilitaient la tâche des bricoleurs amateurs qui faisaient leurs expériences par essais et erreurs. Avec enthousiasme, il s'attaqua à la cuisine, retirant le revêtement de vieux plâtre posé sur des lattes de bois, y installant là aussi coupe-froid et laine isolante, pour finir le mur avec des panneaux de placoplâtre. Quand il sabla les joints et que la fine poussière s'infiltra partout, Élise fut contrariée et Françoise, complètement désemparée à la pensée de tout nettoyer, du fond des tiroirs d'ustensiles jusqu'à son bureau où la poussière pénétrait en passant sous la porte. De plus, comment pouvait-elle se concentrer sur son travail avec tout ce bruit et ce chambardement dans la pièce attenante à son bureau? À la ville, Ghislain et Marie-Andrée se réjouirent de vivre loin de ces tracas domestiques.

La cuisine enfin repeinte et terminée, Patrice voulut effectuer sans délai l'isolation du grenier, cause d'une déperdition importante de chaleur. En posant le coupe-froid et les feuilles de laine isolante au grenier, il lui vint à l'idée de l'aménager, ce qui augmenterait, à peu de frais, le nombre de chambres. Il se plongea dans quelques revues traitant du sujet.

Son caractère avenant et sa bonne humeur arrondissaient les angles et prévenaient fréquemment des affrontements, mais Patrice avait un certain mal à se réadapter à la vie en Occident. Qu'importe! Il était bien décidé à parvenir à ses fins. Un fait était indéniable : cette présence masculine apportait un certain équilibre dans cette maison de femmes et cela se faisait surtout sentir chez la petite Geneviève. Petite princesse des lieux, elle régnait sur eux tous, libre de glaner et de recevoir toute l'affection dont elle avait besoin chez ces deux femmes et cet homme qui formaient, sans s'en rendre compte, une famille dans l'amour universel et spontané qui était à la mode.

Du moins cela en avait-il toutes les apparences. Élise, qui trouvait son veuvage difficile et les responsabilités parentales lourdes à porter toute seule, se sentait de plus en plus réconfortée par cet homme sensible et travailleur, d'autant plus qu'il semblait ne rien y avoir entre Françoise et Patrice. De son côté, la sérieuse Françoise les observait avec plus d'attention qu'elle ne l'aurait souhaité, luttant de plus en plus difficilement contre un sentiment désagréable qu'elle ne voulait pas identifier et encore moins ressentir.

Un soir, plutôt que de dormir avec sa mère, Geneviève voulut se coucher avec Françoise, comme elle le faisait régulièrement. En montant à sa chambre, une heure après les autres parce qu'il aimait lire seul dans la maison silencieuse, Patrice entendit Élise sangloter dans sa chambre. Entré pour voir ce qui n'allait pas, il s'assit sur le bord du lit et s'y attarda, tant la jeune veuve broyait du noir. Nostalgique, envahie de peine, angoissée, elle se redressa soudain et noua ses bras autour du cou de Patrice, quémandant en pleurant qu'il la prenne dans ses bras et l'aime, comme il saurait si bien le faire, précisa-t-elle.

Françoise l'avait distraitement entendu monter, mais quand elle se rendit compte qu'il entrait dans la chambre d'Élise, elle se réveilla tout à fait et fut incapable de se rendormir. Il ne ressortait toujours pas et, luttant contre la jalousie, elle n'imaginait que trop bien ce qui pouvait se passer entre eux. Pour la première fois, elle en voulut profondément à Élise qui, une fois de plus, s'intéressait au même homme qu'elle : d'abord Luc, maintenant Patrice. Refusant un dépit douloureux, elle se félicita de ne pas avoir cru sincères les tentatives de rapprochement que Patrice avait semblé esquisser ces derniers jours. « Ils sont tous pareils… », conclut-elle ulcérée en se rappelant son ex-mari et ses trois amants.

Dans l'autre chambre, Patrice essayait de consoler Élise. Flatté de la proposition et en manque de sexualité lui aussi, il se mit à caresser, de moins en moins fraternellement, le visage et les épaules dénudées de la jeune femme. Il s'arrêta brusquement quand son membre se durcit.

En Inde, il avait renoncé à Marie-Andrée en comprenant à quel point il était attaché à Françoise, qu'il avait mal aimée dans leur brève liaison. Au bout du monde, seule la pensée de Françoise l'avait soutenu dans les moments difficiles; c'était son amour discret, mais profond, qu'il avait appelé du fond de sa désillusion mystique. Le fait de partager de nouveau et aussi rapidement son quotidien avec elle était au-delà de ses espérances.

Mais dans la promiscuité quasi familiale de la vieille maison, il n'avait pas encore su trouver d'occasions d'intimité pour la conversation qu'il s'était tant de fois promis de lui tenir. Ils avaient l'un et l'autre besoin de s'apprivoiser à nouveau, cela semblait évident. Mais pour lui, s'adapter à cette vie de famille nouveau genre, effectuer des travaux auxquels il n'était pas préparé, tout cela n'était pas aussi facile qu'il voulait bien le laisser croire. C'était beaucoup, en peu de temps, si l'on considérait qu'il était revenu de l'Inde à peine un mois auparavant. Cependant, au bout de ce mois de cohabitation, Françoise semblait de plus en plus difficile à reconquérir. Allait-il ce soir, pour une baise irréfléchie, céder à la jeune femme qui lui en voudrait peut-être d'ailleurs le lendemain, et, en plus, gâcher ses projets concernant celle qu'il aimait vraiment?

Il borda Élise comme une petite enfant qui avait surtout besoin d'être consolée et il attendit qu'elle s'endorme avant de quitter la chambre sur la pointe des pieds, sans pouvoir empêcher le vieux plancher de bois de craquer outrageusement dans le silence.

Il frappa discrètement à la porte de chambre de Françoise, attendit un peu, puis entra. Dans la demi-obscurité du clair de lune, il se pencha au-dessus du lit et prit dans ses bras la petite Geneviève qui dormait à poings fermés.

– Je la recouche avec sa mère, murmura-t-il simplement. Élise a besoin de compagnie, ce soir.

Le plancher gémit sous les pas qui s'éloignaient, puis qui revenaient. Patrice referma doucement la porte derrière lui. Il s'assit au pied du lit et, risquant le tout pour le tout, il parla à cœur ouvert dans l'obscurité et confia son désenchantement mystique, en Inde. Enfin, après un silence, il avoua l'amour qui s'était affirmé pour elle au fur et à mesure que l'essentiel prenait le pas sur l'illusoire, là-bas, au bout du monde. Son arrivée et son séjour prolongé n'avaient qu'un seul but, celui de confronter ses rêves à la réalité : Françoise et lui pouvaient-ils s'aimer de façon absolue, rassasier son cœur épris d'absolu ?

Après un long silence pendant lequel Patrice s'était senti observé intensément dans la pénombre, Françoise se leva, passa à côté de lui et se dirigea vers la porte… qu'elle verrouilla avec le crochet.

À Montréal, Marie-Andrée, assise sur le bord de son lit, regardait le résultat du test pour la dixième fois, le cœur battant, encore incrédule : elle était enceinte !

6

– Tu peux augmenter le chauffage? demanda Diane en frissonnant. Une tempête de neige, ça fait pas mal changement avec l'Afrique.

Le grand Ghislain garda ses deux mains sur le volant.

– Il est au boutte! Les Renault 16, ça sert à rien : ça chauffe mal. Mais on est bien assis, par exemple. Qu'est-ce que tu veux, on peut pas tout avoir! dit-il en jetant un coup d'œil à sa belle-sœur aux cheveux bouclés et coupés très courts.

Diane resserra encore davantage le manteau d'hiver de Marie-Andrée que son beau-frère lui avait apporté à Dorval et elle se renfrogna dans le siège baquet, effectivement très confortable. L'auto était de couleur jaune or, une couleur qui aurait été plus appropriée en Afrique et qui détonnait complètement dans cet après-midi de tempête de neige de mars.

Diane était épuisée par le long vol de son retour d'Afrique entrecoupé d'escales : Abidjan-Dakar, Dakar-New York, New York-Montréal, le dernier vol ayant, en plus, été retardé de quelques heures à cause de la tempête. Abattue, les traits tirés, elle préféra se concentrer sur la poudrerie et la redécouvrit avec une certaine joie. Ses oreilles percevaient presque comme une musique les sons qu'elle n'avait pas captés depuis des années, n'étant revenue au Québec que deux fois en sept ans, et durant l'été.

Cette fois, elle avait atterri en pleine bourrasque de mars. Et seul Ghislain l'attendait. Diane préférait la situation ainsi, trop fourbue pour apprécier une dizaine de personnes à la fois, comme à l'occasion de ses deux précédents retours. Elle frissonna : dans ces deux cas, sa mère avait été là pour l'accueillir.

— Marie-Andrée voulait venir, mais j'aimais mieux pas. Avec le boulevard Métropolitain un vendredi à l'heure de pointe, la tempête et les heures d'attente à Dorval, elle était mieux de rester à l'appartement. Déjà que, depuis qu'elle est enceinte, elle s'énerve pour tout, elle a eu son quota ces jours-ci.

Le beau-frère et la belle-sœur, qui ne s'étaient entrevus que deux fois en sept ans, évitaient manifestement de mentionner l'événement qui les réunissait aujourd'hui.

— Combien de mois de grossesse, déjà? s'enquit la passagère dont les yeux, embués de larmes, essayaient de percer la neige drue qui fouettait la Renault 16.

— Six! répondit-il vivement, heureux de s'en tenir à ce sujet de conversation. Je te dis que ça change une vie, ça, madame, soupira-t-il en louvoyant avec attention entre les traces profondes et glissantes de gadoue sur le boulevard Métropolitain. Et toi, SUCO t'a laissée partir?

— Je leur ai pas laissé le choix, répondit-elle laconiquement.

Il eut un air contrarié.

202

– Marie-Andrée a eu moins de chance pour son examen de la semaine prochaine. Les HEC ne le retarderont pas pour elle.

– Et toi, demanda-t-elle nerveusement, en s'accrochant au quotidien de sa sœur, qu'est-ce que tu fais de tes temps libres quand ma petite sœur étudie ?

– L'an passé, c'était du ski alpin. Cette année, Patrice et moi, on s'est acheté des motoneiges, on en fait quasiment toutes les fins de semaine.

– C'est qui, Patrice ?

– On était colocataires quand j'ai rencontré Marie-Andrée. On s'est perdus de vue un bout de temps et là, c'est le *chum* de Françoise. Françoise qui reste chez Élise, précisa-t-il.

– Oui, je le sais, confirma-t-elle. J'ai beau être loin, je suis au courant des nouvelles.

Elle regretta sa réplique vive et se fit plus conciliante.

– Il est né, le bébé ?

– Il me semblait que tu étais au courant des nouvelles, la belle-sœur, répliqua-t-il sèchement en passant sa main gantée sur le pare-brise qui s'embuait régulièrement. Oui, il est né le mois passé, ton neveu. C'est un petit gars, Pierre-Luc.

«Luc, comme son père», pensa Diane en sentant le deuil lui transpercer le cœur de nouveau. Ghislain préféra s'attarder à Patrice. Quand il l'avait vu, à son retour de l'Inde, il avait été agacé. S'intéressait-il encore à Marie-Andrée ? S'intéressait-elle encore à Patrice ? Il s'était vite rassuré ; Marie-Andrée était toujours dans le deuil de Luc et, enceinte sans le savoir, elle en était déjà changée. Et, bien sûr, quand la grossesse avait été confirmée, quelques jours plus

tard, les futurs parents avaient eu d'autres préoc-
cupations.

  – Un bébé, dit-il pensivement, ça prend toute la
place! Même avant de venir au monde! Qu'est-ce
que ça va être quand il sera là!

  Diane eut une lueur de contrariété à son tour. «Je
suppose qu'il parle de lui. Comme si les femmes
enceintes pouvaient avoir la tête à baiser avec leurs
nausées!»

  – Patrice a aménagé le grenier de la maison
d'Élise, reprit-il en s'en tenant résolument à des
détails pratiques. Françoise et lui ont leur nid d'amoureux là-haut, maintenant. Comme ça, les deux petits,
Geneviève et Pierre-Luc, ont chacun leur chambre.

  Sa passagère ne répondit rien; comme elle se
sentait étrangère à leur quotidien, si différent du sien
depuis plusieurs années!

  – Sept ans en Afrique, c'est long, ajouta nerveusement Ghislain pour meubler rapidement le silence
et ne voulant pas entamer une triste conversation.
Qu'est-ce qui te manquait le plus?

  – De voir un film! s'exclama-t-elle en se raccrochant à ce détail, anodin dans les circonstances.
Je voudrais voir dix films! Cent films! La télévision,
n'importe quoi! Pour toi c'est peut-être bizarre, mais
moi, dans le fond de ma brousse, j'avais ni télé ni
radio!

  – Eh bien, ce n'est pas ce soir qu'on va aller au
cinéma, lui dit-il, rattrapé par le réel.

  Dès qu'elle revit sa sœur, Diane fut frappée de
constater à quel point elle avait changé, et il n'y avait
sans doute pas seulement la maternité en cause. La
mort, dans une famille, peut-être que ça changeait
tout... «La mort, la vie...».

– Ça te va bien d'être enceinte, commenta Diane, envieuse. T'as l'air contente.

- Oh oui! Beaucoup plus que je pensais, pour être franche. En fait, j'aurais voulu le dire au monde entier!

Elle observa sa sœur, elle aussi, et la trouva si différente de ses souvenirs que, pendant un instant, elle lui sembla une étrangère. Son teint hâlé, acquis ces dernières années, contrastait avec le teint blême de Nordique de Marie-Andrée, en cette fin d'hiver. Ses cheveux, qui frisaient toujours autant, étaient coupés très courts, contrairement à ceux de sa sœur qui les portaient longs, très longs, comme c'était la mode au Québec. Sa démarche était maintenant plus lente, comme féline, tandis que celle de sa cadette, même ralentie par sa grossesse, était restée alerte. Quant à leurs voix, l'accent pointu français de l'une se démarquait nettement des sonorités québécoises de l'autre. Étaient-elles bien les deux sœurs élevées à Valbois?

Comme Diane avait changé en sept ans! Sept ans… Elle perçut soudain globalement les nombreux changements qu'elle-même avait vécus sans s'en rendre compte, complètement absorbée à les vivre au quotidien. Avec le recul, elle les percevait mieux aujourd'hui, en accueillant sa sœur qui était partie pour la première fois en Afrique un an après l'année charnière d'Expo 67 qui les avait ouvertes au monde entier. Elle inscrivit ses changements personnels dans la trajectoire de sa vie et elle en eut le vertige. Si Diane avait tant changé, elle-même devait certainement être devenue une tout autre femme.

Blottie dans un fauteuil, enveloppée dans un épais chandail de laine, la voyageuse observa le couple qui s'activait et fut frappée, encore une fois, par leur rythme de vie si différent de celui de l'Afrique. À peine arrivé, Ghislain repartait faire une épicerie sommaire, question de ne pas ouvrir un réfrigérateur vide quand ils reviendraient le surlendemain. La visiteuse fut également frappée du contraste entre cet homme et Gilbert, son mari. Cela s'expliquait par la stature, bien sûr, mais aussi par l'énergie que dégageait Ghislain, comme si elle était toujours agitée, au lieu d'être concentrée comme celle de son mari. Son beau-frère était-il aussi insaisissable que son énergie?

Quand elles furent seules, les deux sœurs ne purent se retenir plus longtemps de parler de leur mère à cœur ouvert. Diane voulait tout savoir, mais ni l'une ni l'autre ne pouvait prononcer le mot «maman».

– Penses-tu qu'elle a souffert?

Marie-Andrée secoua la tête.

– Les médecins pensent que non, à part l'infarctus, évidemment. Mais ça, il paraît que c'est court. On espère tous que ç'a été le cas, ajouta-t-elle d'une voix mal assurée.

Elle savait peu de chose, en fait. Leur mère avait été victime d'un infarctus au volant, entre Valbois et Granby, ce qui lui avait fait perdre le contrôle de l'auto et provoquer un accident. La fin était survenue une trentaine d'heures plus tard. La mort de leur mère, brutale, irréversible, envahit le salon.

– J'y crois pas encore, murmura Marie-Andrée en pleurant. Il me semble que je vais me réveiller et réaliser que c'était un cauchemar.

– As-tu pu lui parler? demanda Diane en pleurant à son tour.

– Non, elle n'a pas repris connaissance.

Étrangement, Diane en fut réconfortée. Ses regrets de n'avoir pu dire adieu à sa mère étaient estompés du seul fait que sa sœur, pourtant à une centaine de kilomètres de Valbois, n'avait pas eu ce privilège, elle non plus. Elle se sentit moins tenue à l'écart et garda silence, le temps d'accueillir ce qu'elle venait d'entendre. Durant les longues heures des trois vols qui l'avait ramenée de l'autre continent, elle avait ressassé tant et plus les brèves informations du télégramme. Un infarctus! Elle n'arrivait pas à y croire. Depuis quand leur mère était-elle cardiaque? Elle s'en ouvrit à sa sœur qui répondit spontanément :

– Elle n'était plus pareille depuis que Luc s'est...

Marie-Andrée se tut brusquement et se ressaisit.

– Depuis que Luc est mort, maman n'était plus la même. Elle semblait fatiguée; elle avait l'air forte, comme ça, mais au fond...

Diane ressentit très intensément la perte de sa mère, qui ne serait plus jamais là. Jamais. De tout le reste de sa vie. Un tel désarroi l'habita que, désemparée, elle se raccrocha à sa nouvelle qu'elle lança d'un jet, comme pour exorciser la mort.

– Je suis enceinte!

Elle l'était depuis presque trois mois, mais sa grossesse ne se déroulait pas aussi bien que prévu. Le médecin français qu'elle avait consulté, à Abidjan, lui avait fortement suggéré de retourner au Québec pour le reste de sa grossesse et son accouchement, mais elle avait refusé. Toutefois, quand elle avait reçu le triste télégramme de Louise, elle s'était décidée sur-le-champ. Heureuse pour sa sœur mais peinée de ses problèmes de santé, Marie-Andrée regretta presque d'afficher une grossesse si normale qu'elle en devenait peut-être arrogante.

– C'est pour quand? s'enquit-elle joyeusement en s'essuyant les yeux.

– Septembre.

S'en voulant quasiment d'être en santé, elle lui offrit l'hospitalité.

– Tu vas rester où? Veux-tu vivre ici? C'est petit, mais on peut s'arranger.

Diane avait formé un projet bien différent.

– Tu veux rester à Valbois? dit sa sœur, étonnée.

– Oui, répondit-elle fermement. On ne peut pas laisser papa tout seul : il ne peut même pas se faire cuire un œuf!

Elle avait tout décidé, convaincue que c'était la meilleure solution pour elle et son père. De toute façon, où aurait-elle pu loger, ailleurs que chez ses parents?

– Et Gilbert?

– Il va revenir à la fin juin.

– Définitivement?

Diane ne répondit pas et son visage se ferma soudain. Quel message fallait-il y lire? Questionnait-elle trop? Comme sa mère le faisait? Marie-Andrée ne lui posa pas d'autres questions et se contenta de la plaindre, devinant sa situation compliquée. Puis elle se moqua d'elle-même; sa propre situation était-elle si simple? Sa grossesse la rendait moins productive dans le seul cours qu'elle suivait ce trimestre-ci, et elle avait compté sur cette semaine pour rattraper le temps perdu et se préparer adéquatement à l'examen. Mais le décès de leur mère, inattendu et si dramatique, avait rendu ces considérations dérisoires.

Comment étudier avec tout ce chagrin au cœur? Comment se concentrer sur des problèmes relationnels dans l'industrie quand sa mère n'était plus là et qu'elle ne lui avait pas dit au revoir?

Les jours derniers, Marie-Andrée les avait vécus dans une bulle. Essayer de faire ce qu'il fallait faire, être là où elle devait être, dire ce qu'il fallait dire. Se blottir contre le corps de Ghislain pour décrocher de sa peine. Elle ne s'était pas autorisée à ressentir ses émotions, et encore moins à les exprimer. Elle s'était efforcée de se maîtriser, pour elle, pour souffrir moins, peut-être. Pour le bébé au-dedans d'elle qu'elle ne voulait pas traumatiser. Pour Ghislain qui, lui aussi, avait perdu sa mère et qui semblait déconnecté des émotions des Duranceau. Elle avait pleuré, seule, dans une sorte de colère de n'avoir pu voir vieillir sa mère, année après année. «Soixante-huit ans, c'est bien trop jeune…»

Aujourd'hui, elle avait eu une journée de répit après l'étape pénible et apaisante à la fois au salon mortuaire, parce que, pour permettre à Diane d'arriver d'Afrique, la messe des funérailles avait été reportée d'une journée. Cela avait été possible parce que, comme on était en mars, l'enterrement n'aurait lieu qu'en mai. D'ici là, la dépouille de leur mère ne serait que conduite au charnier; à lui seul, ce mot faisait paraître la situation quasiment plus triste encore.

— Veux-tu téléphoner à papa pour lui dire que tu es arrivée? proposa soudain Marie-Andrée.

Diane se remit à pleurer.

— Je ne serais pas capable de lui parler, balbutia-t-elle.

– On demandera à Ghislain de le faire, tantôt…

Accablée par le voyage et l'émotion, Diane voulut se coucher dès qu'elle sortit de table, ayant à peine grignoté. Marie-Andrée lui avait préparé le divan-lit et lui apporta un pyjama chaud.

– La dernière fois que je l'ai vue…, commença Marie-Andrée, marquant ensuite une pause, le cœur suspendu, c'était aux fêtes. Je sais que c'est loin, mais j'avais besoin de me reposer entre le travail et les cours. Et de passer du temps avec Ghislain, aussi. Après le premier tiers de ma grossesse, ça nous faisait du bien à tous les deux. Les premiers mois, t'as vécu ça toi aussi, peut-être, on n'est pas très… amoureuse, disons.

Les deux sœurs, maintenant assises côte à côte sur le divan-lit ouvert, laissaient émerger leur expérience de tous les instants de femme enceinte.

– Les nausées, l'envie de dormir tout le temps, l'absence d'envie du reste, dis-moi que ça va passer! demanda Diane d'une voix suppliante. Dis-moi que ça ne durera pas neuf mois! insista-t-elle.

Marie-Andrée sourit malgré elle devant le désarroi de son aînée; il ressemblait à celui qu'elle avait connu au premier trimestre de sa grossesse et à celui qu'Élise avait vécu, elle aussi. Et toutes les mères, sans doute. Elle rassura sa sœur. Après un premier tiers déconcertant, où la femme ne maîtrisait plus son corps qui se réajustait sans lui demander de permission, le second tiers amenait l'énergie, une force nouvelle et… le retour de la libido.

– C'est pas de chance! protesta Diane, en comptant sur ses doigts. Gilbert ne sera là qu'à la fin de mes six mois!

– Tu vas encore avoir le goût, affirma sa sœur, amusée, mais le bébé, lui, va avoir pris pas mal de place! De toute façon, poursuivit la cadette, depuis que je suis enceinte, mes valeurs ont changé; ce qui était important ne l'est plus. Je te dis, si je n'avais pas tant aimé mes cours à l'université, je pense que je les aurais abandonnés! En fait, ajouta-t-elle avec un sourire détendu et presque heureux dans les circonstances, depuis que je suis enceinte, j'ai l'impression d'être devenue une personne très importante.

– Moi aussi, je me sens différente, avoua Diane, étonnée de constater à quel point leurs réactions se ressemblaient, donc à quel point elles étaient soumises à des cycles qui les dépassaient. C'est vrai que je me sens importante…, ajouta-t-elle, songeuse.

– Ouais, les deux femmes les plus importantes du monde, maugréa Ghislain en se pointant, si vous avez envie de placoter, laissez-moi pas tout seul comme un coton! Venez jaser au salon.

Marie-Andrée se leva à regret, contrariée que Ghislain ait interrompu leurs confidences entre sœurs, si rares ces dernières années.

– On devrait plutôt aller se coucher. La journée va être longue, demain, dit-elle en soupirant.

Sa sœur se glissa lentement sous les draps et se laissa border. Quand elle se retrouva seule dans la chambre, comme elle avait été seule durant tant et tant d'heures de route, de vol et d'attente dans les aéroports, elle ressentit un manque douloureux de Gilbert, son mari, si loin d'elle en ce moment. Depuis leur premier retour d'Afrique, en 1970, ils ne s'étaient plus quittés. Aussitôt mariés, ils étaient retournés en Côte-d'Ivoire pour y enseigner, et ils en étaient maintenant à leur quatrième contrat consécutif avec SUCO.

L'Afrique… En 1968, elle était partie, avec la fougue de la jeunesse, pour sauver le monde. Rien de moins! Quel choc elle avait ressenti en se heurtant, mois après mois, aux limites de son aide individuelle par rapport aux besoins immenses d'un continent! Les besoins n'étaient pas seulement, loin de là, du domaine de l'instruction, mais bien de la survie dans de nombreux cas, des besoins liés à l'approvisionnement en eau potable et aux soins médicaux, ou la nécessité d'une infrastructure économique plus équitable. Que pouvait-elle faire, elle, Diane Duranceau, une simple enseignante, devant ces urgences gigantesques?

La jeune Québécoise ne s'était jamais remise de ce choc; son aide ne servait à rien, à presque rien… Tant d'efforts pour si peu de résultats. Non, elle ne s'en était jamais remise et, depuis un an ou deux, une amertume presque agressive s'était même développée en elle.

Mais il y avait Gilbert. Dynamique comme dix, même si la chaleur avait fini par le ralentir un peu à la longue, Gilbert était parfaitement adapté à l'Afrique. Il aimait la coopération dans le tiers-monde et voulait y consacrer sa vie. La question du pays dans lequel ils élèveraient leurs enfants avait été abordée cent fois entre eux et les avait divisés chaque fois. Aujourd'hui, sept ans après leur rencontre, elle se demandait si elle n'était pas tombée amoureuse de leur idéal commun plutôt que de l'homme lui-même. Et comme cet idéal n'avait pas résisté à sa désillusion… Maintenant, enfin enceinte, elle devait décider si cet enfant allait être élevé en Afrique ou au Québec. Et ce n'était pas simple.

Dans l'autre chambre, nu sous les draps même l'hiver, Ghislain entoura Marie-Andrée de ses bras musclés et elle s'y blottit pour se soustraire pendant quelques minutes à la triste situation qu'elle vivait. Il embrassa les seins plus volumineux de sa compagne, la caressa et elle commença à se détendre après sa journée chargée d'émotions. Ils eurent le goût de faire l'amour pour oublier le deuil, mais la proximité de Diane refroidit leur élan.

Il s'évada à sa manière. La poudrerie du dehors lui rappelait sa dernière randonnée en motoneige, que Marie-Andrée qualifiait de *machine bruyante sans bon sens.* «Machine bruyante! Ça prend bien une femme pour s'énerver avec ça. On ne peut pas avoir des machines sans que ça fasse du bruit!» Le bruit, il s'en moquait, grisé par la vitesse de l'engin lorsqu'il pouvait filer droit devant lui sans obstacles. La sensation de puissance frémissait encore dans ses doigts comme s'ils enserraient les poignées du guidon. Dans son souvenir, le vent froid et la neige l'enveloppèrent un instant et son cerveau lui ramena des images de pins enneigés, de coins de forêt où personne n'avait encore laissé de traces dans la neige fraîchement tombée, de ruisseaux gelés et d'une clôture de fil de fer barbelé qui avait failli le décapiter parce qu'il ne l'avait vue qu'au dernier moment.

— Tu conduis en fou! lui avait crié Patrice, stressé.

— Pas de danger! La preuve : j'ai rien!

— Ouais, ouais, avait maugréé Patrice en l'aidant à dégager sa motoneige, dont l'un des skis avait failli se briser contre le piquet de la clôture.

Dans la réalité de leur lit, Marie-Andrée trouvait du réconfort du seul fait d'être allongée tout contre lui. Un peu apaisée, elle lui murmura :

– Te souviens-tu comment tu trouvais ça difficile, au début de ma grossesse ?

– Mets-en ! répliqua l'homme qui ne pouvait pas, comme sa compagne, ressentir les émotions que suscitait le fait de porter un enfant dans son corps. Je ne pensais pas que te faire un enfant voulait aussi dire ne plus être ton amant ! ajouta-t-il en la caressant de nouveau.

– Mais après les premiers mois, c'est toi qui étais refroidi, lui rappela-t-elle en glissant amoureusement sa main dans ses cheveux roux.

– Mets-toi à ma place ! grogna Ghislain pour la forme. J'avais l'impression de faire l'amour à trois !

Elle nicha sa tête au creux de son épaule et se rappela à quel point elle avait été dérangée, elle aussi, quand, sur le point de jouir, elle avait senti le bébé bouger en elle. Elle en avait eu pour quelques semaines à s'en remettre et il avait fallu le cautionnement du médecin pour la rassurer. C'était normal et rien ne pouvait atteindre le bébé, bien protégé dans l'enveloppe du placenta. De toute façon, le sperme du papa n'était-il pas à l'origine de la vie du fœtus ? Qu'il se retrouve dans la maman ne pouvait être nuisible et n'avait rien d'indécent.

– Ce soir, chuchota-t-elle en pensant à sa sœur, j'aurais plutôt l'impression qu'on ferait l'amour à quatre…

Trente secondes plus tard, la respiration régulière de Ghislain témoigna de son profond sommeil. Sa compagne ferma les yeux, fatiguée, elle aussi, mais le cœur réconforté par ces heures d'intimité avec sa sœur, un havre dans ces derniers jours éprouvants.

Le lendemain, quand elle se retrouva dans l'église de Valbois, Marie-Andrée tomba dans le déni. Cette cérémonie funèbre, elle ne pouvait pas être pour sa mère. Sa mère, c'était celle qui existait et existerait toujours dans ses souvenirs avec toute sa vigueur et sa présence. Ici, en ce moment, ce n'étaient que des rites sociaux, des rites de transition, qu'elle espéra les plus brefs possible. Élise, elle, pleurait silencieusement, regrettant la femme qui l'avait comprise dans son deuil, mais qui l'obligeait aujourd'hui à le revivre à travers les mêmes rites funéraires, moins d'un an plus tard.

La petite réception qui suivit fut morne. Deux deuils en moins d'un an, c'était trop pour chacun d'eux. La présence rare de Diane apporta un souffle nouveau et alimenta un peu les conversations. Diane chassa momentanément sa peine en revoyant son frère Marcel, toujours aussi trapu et qui avait pris un peu de poids, ainsi que sa femme, Pauline, toujours aussi mince et dont les cheveux, maintenant teints en noir, faisaient ressortir encore davantage ses yeux sombres. Leur fils Kevin, un bambin de cinq ans, trapu comme son père, arborait la chevelure brune et bouclée des Duranceau. Mais le frère et la sœur furent forcés d'admettre qu'ils ne semblaient pas avoir plus de points communs qu'autrefois.

Diane, qui avait besoin de réconfort, retrouva avec plaisir la discrète Françoise, aussi grande mais moins maigrichonne que du temps d'Expo 67. Celle-ci aurait souhaité l'inviter à la campagne, mais, étant chez elle sans l'être, elle ne se sentait pas autorisée à faire des invitations.

Diane causa aussi avec sa belle-sœur Élise qu'elle avait trouvé pétillante et amusante mais qui, aujourd'hui, ressemblait plus à une jeune femme fragilisée. Elle était bien jeune pour être veuve et mère de deux enfants, réalisa-t-elle avec compassion. Cette dernière déclina l'invitation de se rendre chez les Duranceau; elle n'en pouvait plus.

— J'ai laissé les deux petits à Patrice; je ne veux pas abuser, expliqua-t-elle en s'éclipsant discrètement avec Françoise.

Raymond non plus n'en pouvait plus et, ses épaules carrées affaissées à la suite de ce deuxième deuil, il quitta brusquement la réception. Diane l'accompagna et, une fois dans la grande maison victorienne, elle lui parla de son projet de rester à Valbois. Il eut un tel regard de reconnaissance que sa fille en fut estomaquée.

— C'est bien certain que tu peux rester ici; voir si ça se demande! bafouilla-t-il en respirant difficilement et en glissant, par réflexe, ses doigts dans ses cheveux bouclés qui blanchissaient si vite, trop vite.

Elle ne savait plus que penser. Son père avait accepté qu'elle ne retourne pas en Afrique sans même s'étonner ni poser de questions.

— Papa, je reste aussi parce que... je suis enceinte.

Raymond sembla revenir à la réalité et lui sourit avec pudeur. Il lui trouva tout à coup le visage blême, amaigri.

— Ça se passe pas bien depuis que... que t'es arrangée de même?

Elle sourit malgré elle de l'expression prude et désuète.

— Non, pas vraiment, admit-elle. Le médecin français, là-bas, pensait que je serais mieux ici.

– Juste pour ça? s'étonna le père dont l'épouse avait eu cinq enfants sans problèmes, du moins à ce qu'il lui avait semblé.

– J'ai peut-être attrapé un virus. Il ne le sait pas, lui non plus. À Montréal, à l'Hôtel-Dieu, ils sont informés des maladies tropicales. C'est juste plus prudent que je reste au Québec.

Raymond la regarda et eut un geste inattendu. Il passa sa main rude dans les cheveux de sa fille, qui se blottit contre lui. S'abandonnant dans cette position de confiance et de tendresse, tous deux souhaitèrent s'y retrouver encore maintes et maintes fois, même si cela était peu probable. Diane se sentait une petite fille protégée par son père. Rien ne pourrait désormais lui arriver et son bébé allait naître en santé. Il se dégagea et raffermit sa voix pour en chasser toute émotion.

– Ton petit, tu ne vas pas l'amener dans la jungle, toujours?

– C'est pas la jungle, papa, c'est la brousse. C'est tout le contraire.

Raymond n'y voyait pas de différence, mais il devait y en avoir une puisque sa fille l'affirmait.

– Bon, ben, c'est correct, tu peux rester le temps que tu voudras, lui dit-il sobrement, presque intimidé par sa fille qui avait tant changé.

Dans l'heure qui suivit, les Duranceau les rejoignirent chacun leur tour. De se retrouver tous ainsi dans la maison familiale, mais sans leur mère, les bouleversa au point que, sans se concerter, ils se mirent à parler de tout, sauf de ce qui habitait leur cœur.

Louise regarda Nathalie, sa fille aînée de seize ans aux cheveux à peine bouclés et noirs comme ceux de son père, si fière du regard admiratif de sa sœur Diane qui n'aurait pas reconnu sa nièce en cette jolie jeune fille. Il en était de même pour cette dernière qui dévorait sa tante des yeux, admirait sa peau bronzée, ses gestes lents et son accent pointu.

Pour tout dire, l'adolescente était en pâmoison devant sa tante depuis qu'elle l'avait aperçue et cela la changeait du deuil oppressant. Cette tante, dont elle avait peu de souvenirs, avait acquis au cours des années l'aura de ceux et celles qui vivent loin, dans des pays exotiques. Et voilà que cette tante irréelle venait d'annoncer qu'elle allait vivre chez son grand-père Duranceau. L'adolescente ne voulait surtout pas perdre la face en posant une question idiote ni paraître trop intéressée, ce qui lui semblait pire. Mais, au bout d'une heure, elle n'y tint plus.

— Elles sont comment, les filles de mon âge, en Afrique?

Sa mère s'interposa.

— Achalle pas ta tante pour rien; elle est fatiguée.

Effectivement Diane n'avait pas l'air bien. Elle avait été prise d'assaut par tout un chacun depuis son arrivée et elle avait parlé sans arrêt pour répondre aux nombreuses questions. Mais ses forces se dispersaient vite et, malgré le bronzage, ses sœurs virent ses traits tirés. Diane était humiliée de se montrer dans un état si fragile, elle qui n'avait jamais été malade, et elle envia Marie-Andrée de vivre si bien sa grossesse. Louise décoda sa détresse, étonnée.

— T'as pas l'air bien. C'est le voyage en avion qui te rend de même? Va t'étendre un peu, insista-t-elle avec une autorité nouvelle.

– Nos affaires sont dans la chambre des filles, mentionna Pauline, mais on doit repartir pour Toronto tout à l'heure. Prends-la quand même, si tu veux.

Diane choisit plutôt celle des garçons et Ghislain alla y déposer la valise et le sac de vêtements d'hiver que Marie-Andrée prêtait à sa sœur. Cette chambre sembla inhospitalière à Diane, mais, au point où elle en était, quelle importance cela avait-il dans tout son dépaysement? Elle s'étendit et ferma les yeux un instant pour que les étourdissements cessent enfin et elle s'endormit profondément, en sécurité dans la maison familiale.

Dans le salon, Marie-Andrée cherchait l'occasion de parler en tête-à-tête avec sa belle-sœur, Pauline, pour retrouver la complicité de leur voyage en France, durant l'été de 1969. Elle alla s'asseoir près d'elle, admirant une fois de plus son joli visage sous sa chevelure maintenant d'ébène et longue, qu'elle avait relevée en une toque seyante.

– T'as l'air en forme, se réjouit Pauline. Ça te fait bien d'être enceinte.

– Moi, je ne t'ai jamais vue dans cet état-là, alors je ne peux pas dire si c'est la même chose pour toi, commenta Marie-Andrée, amusée.

Effectivement, elles s'étaient perdues de vue quand l'une avait emménagé dans le logement à quatre colocataires et que l'autre avait déménagé à Toronto avec son mari.

– Venez donc nous voir à Toronto, un de ces jours. Profitez-en; on ne sera peut-être pas toujours là.

– Ça va, toi? demanda Marie-Andrée.

Pauline eut un bref mouvement de recul et suivit son fils des yeux. Le bambin de cinq ans habituellement très grouillant était plutôt tranquille. Il ressentait de l'insécurité de ne pas tout comprendre ce que ses cousins, beaucoup plus âgés que lui, se disaient, d'autant plus qu'ils parlaient très vite, sans un mot d'anglais, contrairement à son milieu à Toronto. Il était aussi rondelet que sa mère était mince. Sa tante se souvint de certaines photos de son frère aîné, enfant.

– Marcel aussi était joufflu à son âge, paraît-il. Ça change avec le temps, dit-elle rêveusement en essayant d'imaginer son enfant à elle.

– Oui, le temps change bien des affaires, ajouta Pauline avec un sourire si énigmatique que sa belle-sœur ne sut comment l'interpréter et regretta que les circonstances ne leur permettent pas de s'isoler et, qui sait, d'échanger des confidences, comme Pauline l'avait fait en France, en 1969.

À la fin de l'après-midi, Marcel et sa famille étaient partis depuis plus d'une heure et Ghislain avait hâte d'en faire autant, quand Louise proposa de commander des mets chinois et du poulet BBQ. Quand ils s'attablèrent, la blonde Johanne dit ingénument :

– Ça fait drôle que grand-maman ne soit pas là.

Un silence lourd s'abattit sur la salle à manger. Nathalie fit les gros yeux à sa sœur qui bougonna :

– Ben quoi ? Tu trouves pas ça, toi ?

Pour dissiper la balourdise de sa fille, Louise ramena la conversation sur la nouvelle heureuse du jour, la grossesse de Diane. Mais celle-ci voulait plutôt savoir où chacun en était et elle demanda des précisions sur la maison que Louise et Yvon s'étaient acheté quelques années auparavant.

– C'est à combien de kilomètres d'ici ? demanda-t-elle en se choisissant une petite portion de mets chinois.

– Des kilomètres, la belle-sœur? fit Yvon. On est encore en milles, ici.

– Pas pour longtemps, le prévint Louise. À la réunion de parents, la directrice nous a informés qu'ils commenceraient à enseigner le système métrique en septembre.

– De toute façon, commenta Ghislain, heureux que la conversation reprenne sur un sujet plus léger, il va falloir s'y habituer; les panneaux routiers vont être en kilomètres l'année prochaine. Ceux qui ne sauront pas que soixante kilomètres à l'heure c'est pas mal moins vite que soixante milles à l'heure, ça va leur coûter cher!

– Encore de l'argent jeté par les fenêtres par le gouvernement! décréta Raymond, s'énervant parce qu'il était physiquement et mentalement épuisé. Quand on pense à tout ce que ça va coûter, ces folleries-là : enlever les panneaux de limite de vitesse, les pancartes de distance entre les villes, en faire d'autres, les installer partout. Tout ça pour des caprices. Des kilomètres! On a bien besoin de ça! Le gouvernement ne sait plus quoi inventer pour nous faire payer des taxes.

– C'est pas pour rien, affirma Ghislain; c'est pour nous uniformiser avec l'Europe.

– Puis les États, eux autres, ils vont faire quoi?

– Rester en mesures anglaises, évidemment! lança Yvon. Ils se pensent le nombril du monde : pas de saint grand danger qu'ils s'ajustent aux autres.

– Puis nous autres, là-dedans, protesta le père, on va être en milles avec les États puis en... en kilomètres avec le reste du monde? Être assis entre deux chaises, c'est le *fun*, ça!

Raymond gueulait pour taire son désarroi. L'absence d'Éva pesait lourdement dans la maison depuis une semaine et, quand il oubliait un seul instant que sa fille Diane allait rester à Valbois, il paniquait à l'idée d'être seul, complètement démuni dans une maison au quotidien.

– En milles ou en kilomètres, s'écria brusquement Diane d'un ton indigné, c'est des routes quand même! Réalisez-vous que vous avez des routes, au moins? Des routes asphaltées, bien tracées, ouvertes à l'année, pour vous rendre où vous voulez? Et c'est pas encore assez?

Elle se mit à pleurer. Le choc du retour était encore plus violent ici que chez Marie-Andrée qui vivait dans un appartement aux dimensions raisonnables, comparativement à cette belle et grande maison victorienne, même si les Duranceau n'utilisaient que le rez-de-chaussée. Cette maison paraissait si luxueuse quand elle la comparait à celles de son village, en Côte-d'Ivoire. Le silence l'enferma dans sa solitude et elle se sentit abandonnée sans Gilbert.

– Excusez-moi, dit-elle en se reprenant et en se mouchant. Le décalage, ça me met à l'envers.

– On comprend ça, la rassura Louise avec une telle compassion dans la voix que Diane perdit toute agressivité et regarda avec plus de sérénité sa sœur aînée qui, l'espace d'un instant, lui parut changée, elle aussi.

La conversation reprit et la voyageuse suivit en silence le débat sur les Jeux olympiques qui auraient lieu à Montréal dans quelques mois à peine, et dont les coûts astronomiques dépassaient largement le budget annoncé. Quand elle avait quitté le Québec, il y régnait une fierté quasi euphorique, après Expo 67. À son retour, elle découvrait un climat de colère et une sorte d'humiliation subtile causée par une gestion désastreuse de cet événement international qu'étaient les Jeux. Cette mauvaise gestion faisait les manchettes partout dans le monde, entre autres à cause de la toiture du stade principal, imaginée par un architecte européen, qui se révélait presque un fiasco.

Déphasée par rapport à ce projet dont elle ignorait à peu près tout, mais qui semblait provoquer beaucoup de déceptions, elle écoutait les membres de sa famille discourir, sans plus se mêler à la conversation, les redécouvrant les uns après les autres. Les femmes portaient les cheveux longs, les hommes aussi, du moins à la nuque, et Yvon s'était même fait pousser une barbe. Cela le changeait de ses cheveux coupés en brosse, du temps où il portait des chemises blanches à boutons de manchettes, contrairement à aujourd'hui où il avait revêtu une chemise de couleur, même pour des funérailles.

En les écoutant parler, elle se replongeait aussi dans les intonations de son enfance et le vocabulaire québécois. C'était «comme avant» et en même temps différent. Ses nièces et son neveu employaient des expressions qu'elle ne comprenait pas tout à fait : *tripper*, *être cool*... Mais il y avait autre chose de changé qu'elle n'identifia pas tout de suite.

— Toi, ma tante, tu connais ça, des kilomètres? demanda Simon, le blondinet, en la fixant de ses yeux sérieux derrière ses lunettes.

Elle s'aperçut tout à coup de sa présence et calcula rapidement l'âge qu'il devait avoir. Une douzaine d'années, probablement. «Déjà?» Elle pensa à l'enfant qu'elle portait. Serait-ce une fille ou un garçon?

Le silence autour d'elle la ramena à la réalité. Simon et les autres attendaient toujours sa réponse, intrigués de son long silence.

— Excusez-moi, j'étais distraite. Je pensais à toi et je me demandais quel âge tu avais maintenant.

— Onze ans! répondit-il fièrement.

— Ouais, on a hâte qu'il vieillisse un peu, ronchonna son aînée Nathalie de son ton arrogant d'adolescente. C'est un vrai petit monstre.

— Pas plus que toi! le défendit sa sœur Johanne, maintenant une adolescente de quatorze ans, un peu boulotte, mal à l'aise avec ses boutons d'acné et qui, depuis la puberté, changeait de caractère et affrontait davantage sa sœur aînée que dans son enfance où elle s'en laissait facilement imposer.

Le regard de Diane revint à Simon qui semblait beaucoup plus du genre intellectuel que sportif. Elle se rappela qu'Yvon s'était déjà vanté qu'il allait faire de son fils un sportif; si elle se fiait aux apparences, il avait complètement raté son coup. L'envie de taquiner Yvon lui effleura l'esprit, mais elle ne voulut pas réveiller une déception paternelle probable qui risquait d'entraîner des répercussions pour le jeune garçon.

— Puis, ma tante, les kilomètres, insista ce dernier, tu connais ça, toi?

— Oui, oui, bien sûr. En Côte-d'Ivoire, on a les programmes scolaires de France. En Europe, tout est en métrique.

— Ben oui! s'exclama le jeune garçon avec un éclair de compréhension dans les yeux. Dans les films français, ils parlent en kilomètres!

– Ah oui? Je croyais qu'ils parlaient en français, moi! railla Nathalie.

La tablée éclata de rire et une rougeur colora les joues du garçon. Diane eut de la compassion pour son neveu qui amusait la galerie à son détriment.

– On a tous compris ce que tu voulais dire, le rassura-t-elle. On te taquine.

– Les kilomètres, c'est pas tout, lança Ghislain. Il va aussi falloir s'habituer à des nouveaux degrés pour mesurer la température. On ne gèlera plus en Fahrenheit, mais en Celsius.

– Une autre affaire, astheure! protesta Raymond, de plus en plus convaincu de n'y rien comprendre.

Diane voulut les rassurer.

– Les mesures de longueur et de température, vous allez voir, ça s'apprend vite. Ce qui m'a causé le plus de problèmes, ce sont les mesures de quantité : les grammes. Les litres, ça allait bien, mais les grammes, ça m'embête encore.

– Ah oui? fit Marie-Andrée, étonnée. Tes livres de recettes sont en grammes ou en onces?

Diane fignola sa réponse pour ne pas paraître snob.

– Je n'en sais rien, je ne cuisine pas depuis des années. Là-bas, on ne vit pas tout à fait comme ici. En fait, on a une bonne qui fait la cuisine.

Les membres de sa famille la regardèrent et mesurèrent, à leur tour, à quel point son style de vie était différent du leur.

– Ouais, la féministe, va falloir que tu te réhabitues à voir à tes affaires, la taquina Yvon avec un brin de malice.

– Je cuisinais avant d'aller en Afrique, figure-toi donc. Et puis, ça va me désennuyer; être en repos, je n'ai jamais connu ça et ça ne me plaît pas vraiment. Mais ne craignez rien, papa va bien manger.

Elle regarda son père avec tendresse, mais il ne se tourna pas vers elle.

Louise, en femme pratique, lui offrit de l'aider à trouver un gynécologue et de l'accompagner dans les magasins intéressants de Granby pour acheter des vêtements plus appropriés au climat et à sa grossesse. Ghislain et Marie-Andrée lui offrirent l'hospitalité, quand elle viendrait en consultation en médecine tropicale, à l'Hôtel-Dieu de Montréal, pour déterminer quel virus lui causait des ennuis.

Raymond réalisa tout à coup que sa fille n'était pas bien. Cela lui paraissait maintenant tomber sous le sens : une femme ne quittait pas son mari et son travail, comme ça, pour des mois, sans une raison valable. Puis il se sentit démuni, impuissant. Que pouvait-il faire, lui, un père, pour faciliter la grossesse de sa fille? Que pouvait-il, lui, un simple journalier, pour lutter contre une maladie étrange et d'autant plus menaçante, contractée là-bas, sur ce continent inconnu qu'il ne verrait jamais?

— Qu'est-ce que t'as, au juste? lui demanda-t-il d'un ton si soucieux qu'il en parut brusque. Il n'y a pas de médecins, là-bas?

Elle fut touchée par l'inquiétude inattendue et, surtout, exprimée par son père avec tant de sincérité. Mais que pouvait-elle répondre sans l'inquiéter encore davantage?

— Des médecins, il y en a, mais…

Devait-elle aller jusqu'à dire la vérité? Toute la peine que Diane avait trois fois refoulée lui remonta au cœur.

– J'ai perdu un bébé… Trois fois…, ajouta-t-elle, et le fait d'entendre sa propre voix la réconforta.

– Hein? s'exclama Marie-Andrée, un peu déçue de ne pas avoir reçu cette confidence.

Marie-Andrée et Louise eurent un élan spontané de compassion maternelle pour leur sœur volontaire, parfois même revêche, qui leur apparaissait brusquement si vulnérable. Et si forte d'avoir supporté ces trois chagrins, si loin, là-bas.

– Pourquoi tu les perds, tes bébés? demanda Simon, le front barré d'une grave interrogation.

Avant que Louise ne rabroue son fils, Diane saisit la perche ingénument tendue et s'adressa à son neveu, se concentrant sur lui pour se donner le temps de diluer son émotion.

– On ne le sait pas, Simon, on ne le sait pas. C'est pour ça que je suis revenue. Gilbert et moi, on pense que j'aurais plus de chances, ici, de savoir ce qui se passe et, surtout, de faire ce qu'il faut pour garder celui que je porte.

– S'il faut aller à Montréal, on ira! affirma son père.

Diane respira profondément, librement. Elle avait enfin confié le secret qu'elle gardait depuis quelques années déjà et qui s'alourdissait à chaque fausse couche. Elle tripotait maintenant sa serviette de table, luttant contre un inconscient sentiment d'échec. Sa mère, ses sœurs et ses belles-sœurs avaient toutes eu des grossesses normales; alors pourquoi pas elle? Elle avait honte, malgré elle, de ne pas être à la hauteur, de ne pas s'acquitter d'une tâche féminine que n'importe quelle femme dans le monde pouvait faire. C'était vrai qu'elle avait besoin de soins médicaux plus sophistiqués. Mais elle avait aussi fui son nouveau milieu africain parce qu'elle était incapable d'affronter une quatrième fois la compassion des autres femmes, blanches ou noires, ou le mépris, exprimé ou sous-entendu, à tort ou à raison.

Dans le silence, le deuil plana à nouveau. Profitant de ce répit, Simon demanda :

— Comment tu vas l'appeler, ton bébé?

La conversation s'anima et Diane les fit rire en mentionnant des prénoms africains dont la consonance leur était complètement étrangère. Mais pour elle, ces prénoms évoquaient des frimousses enfantines qui étaient sa réalité quotidienne depuis sept ans. Petit à petit, elle raconta des parties de sa vie là-bas et sa famille l'écouta et l'accueillit selon les perceptions individuelles de chacun.

Raymond n'écoutait qu'à moitié. Il était encore sous le choc des fausses couches de sa fille et était saisi d'angoisse à l'idée que l'autre enfant qui s'annonçait ne naîtrait peut-être pas, lui non plus. Son impuissance à aider sa fille le mit hors de lui et cette émotion douloureuse trouva un autre terrain pour s'exprimer. Il se tourna vers Ghislain et lui demanda brusquement, coupant la parole à Diane :

— Puis Marie-Andrée, elle, son petit va s'appeler comment?

— On va d'abord attendre qu'il arrive, lui répondit son gendre.

— On a toutes sortes de noms déjà, mais on ne sait pas encore lequel choisir; ça va dépendre de ce qu'il aura l'air, ajouta Marie-Andrée, étonnée du ton de la question paternelle.

— C'est pas de ce nom-là que je parle! dit son père, irrité. Le nom de famille, ça va être lequel?

Son gendre le dévisagea, estomaqué d'une question aussi directe.

– Le mien, évidemment! répondit-il sèchement.

Raymond Duranceau, en proie à trop d'émotions refoulées depuis des jours, se rabattit sur la honte qui le rongeait : sa cadette vivait en concubinage et allait avoir un bébé sans être mariée et, qui plus est, tout le monde avait l'air de trouver la situation normale.

– Pourquoi *ton* nom? répliqua-t-il durement. Cet enfant-là, c'est ma fille qui a le trouble de le faire, il me semble!

Ghislain se revit brusquement devant son propre père quand celui-ci haussait le ton et le rabrouait vertement pour des peccadilles, et qu'il se sentait totalement inadéquat, exactement comme en ce moment.

– Cet enfant-là, comme vous dites, répliqua-t-il à son tour, en haussant le ton pour la première fois comme son père le faisait, et s'en étonnant lui-même, cet enfant-là, répéta-t-il en raffermissant sa voix, il va porter mon nom parce que c'est le mien.

– T'as pas fait grand-chose pour ça! maugréa Raymond.

– J'ai fait la même chose que vous! rétorqua son gendre en le toisant d'homme à homme.

Raymond Duranceau en resta bouche bée, puis il ajouta, mais d'un ton moins assuré :

– Mais moi, j'étais le mari de la mère de mes enfants, pas un... un gars de passage.

– Papa! protesta Marie-Andrée, blessée.

– Un gars de passage? cracha Ghislain en montant encore le ton d'un cran. C'est vrai que vous savez ce que c'est, vous, être un gars de passage!

Son beau-père rugit.

— Tu sauras, mon garçon, que quand on est un homme, il y a un temps pour enlever ses culottes puis un temps pour les mettre!

Il sortit de table, furieux contre l'ami de sa fille non mariée, angoissé pour son autre fille qui faisait des fausses couches à répétition. Pour s'occuper, il s'alluma une cigarette.

Ghislain était étrangement calme. Son beau-père lui apparaissait sous son vrai jour : complètement dépassé. Il se tourna vers Marie-Andrée et la vit si pâle qu'il l'entoura de son bras pour la soutenir. Elle était droite, presque raide, et n'eût été sa respiration rapide, elle aurait pu paraître au-dessus de la mêlée. Mais Diane la savait bouleversée. Elle se crut obligée de commencer à prendre soin de son père.

— Ne lui en veux pas. On est tous sur les nerfs aujourd'hui. Papa plus que nous autres.

Marie-Andrée se réfugia dans la compréhension pour atténuer son émotion. Après tout, son père avait perdu sa femme, sa compagne de tous les jours. N'était-ce pas normal qu'il en soit profondément affecté?

Louise se sentit la responsabilité d'intervenir en vertu de son statut d'aînée.

— J'ai bien hâte de lui voir l'air, à ce petit-là. Ça n'a l'air de rien, mais j'ai moins de neveux et de nièces que vous autres, moi!

Pendant que Simon fronçait les sourcils pour assimiler cette réalité selon laquelle sa mère avait plus d'enfants, mais moins de neveux et nièces, Louise fit le service avec empressement, inquiète de son père et de sa sœur.

— Bon, qui veut du café? Les filles, dit-elle à Nathalie et à Johanne, commencez donc à laver la vaisselle; j'ai mon repassage à faire avant de commencer ma semaine au bureau demain matin.

— Tu travailles dans un bureau? demanda Diane, étonnée, et heureuse de la diversion qui allégeait l'atmosphère.

— Oui, depuis six mois je suis commis de bureau, répondit-elle avec emphase. Ça me plaît beaucoup. Évidemment, ça a bien changé depuis le temps où j'ai fait mon commercial. Les secrétaires ont de nouvelles machines à écrire où le texte qu'elles tapent s'affiche dans une petite fenêtre avant de s'imprimer sur la feuille. Comme ça, elles peuvent le vérifier et le corriger au fur et à mesure.

— Ah oui? fit Diane. C'est pas dans la brousse que j'aurais ça.

— Bien sûr, c'est une ligne ou deux à la fois seulement, précisa Louise. Quatre-vingt caractères, en fait. Mais ça économise tellement de temps de correction.

— Et ça fait un texte sans erreurs! commenta Marie-Andrée en repensant à un texte, un certain vendredi à quatre heures, chez Field & Sons, qu'elle avait dû recommencer tant de fois. À la caisse, on a un système de traitement de texte.

— C'est quoi, ça? demanda Diane qui se sentait de plus en plus déphasée.

— Un clavier, comme celui d'une machine à écrire, avec un écran, un genre de petite télévision en fait, et le tout fonctionne par ordinateur. L'ordinateur lui-même est gros comme, comme une grosse télévision, disons. On écrit le texte, on le corrige, on le change, on le raccourcit, n'importe quoi. On peut le copier sur une disquette grosse comme un disque quarante-cinq tours; comme ça, il est archivé, au cas où on en aurait besoin de nouveau. Autrement dit, on fait n'importe quoi, du moment que c'est du texte. Et quand on est sûr de son affaire, on l'imprime. Avec une imprimante.

— Et ça s'appelle comment?

— Un ordinateur.

— Un ordinateur, répéta Diane pour s'en souvenir.

— Non, contredit Ghislain. C'est un système de traitement de texte, mais qui fonctionne avec un ordinateur. À l'Impôt, par contre, on a des ordinateurs qui, eux, calculent, stockent des informations, consultent des banques de données pour dénicher plein d'informations et, en réseau avec d'autres ordinateurs, peuvent travailler ou échanger des données.

— Ça fait déjà quelques années, ajouta Marie-Andrée, que des employeurs peuvent, par informatique, déposer les chèques de paie de leurs employés directement dans leurs comptes, à la caisse. Ou à la banque.

Diane perdait pied. La vie avait-elle tant changé en son absence? Comme pour répondre à sa question silencieuse, sa nièce Johanne ajouta à son tour :

— Depuis que maman travaille, c'est papa qui fait le souper parce qu'il finit d'enseigner avant que maman sorte du bureau. Mais c'est pas mal moins bon, commenta-t-elle.

Yvon eut un sourire énigmatique et répliqua :

— Tu pourrais cuisiner toi aussi, ma belle. Mais c'est vrai que ta mère n'a pas eu le temps de te montrer comment faire, glissa-t-il d'un ton mi-figue, mi-raisin.

– Je restais à la maison pour prendre soin de ma famille; j'avais pas à demander à mes filles de faire mon ouvrage.

– Sauf que maintenant, tu n'y es plus et elles ne savent pas cuisiner.

Marie-Andrée, d'abord troublée par la dispute entre Ghislain et son père au sujet de leur union libre, avait profité de l'échange sur les ordinateurs pour faire diversion et maîtriser son émotivité. Elle connaissait l'opinion de son père. Maintenant c'était dit; il avait crevé l'abcès. «Au fond, c'est une bonne chose de faite. Mais s'il pense que Ghislain va s'énerver pour ça, il se fait des illusions; Ghislain ne fait que ce qui lui tente!» Quand elle quitta la maison familiale, elle en eut le cœur serré. L'absence de sa mère lui parut encore plus définitive.

Sur le chemin du retour, elle eut enfin le temps de repenser à son aise à l'altercation entre son père et Ghislain. «Au fond, papa a dit ce que je pense moi-même.» Elle dut admettre qu'elle s'interrogeait sur la question du mariage depuis un certain temps. Depuis sa grossesse, en fait. Avant, elle se sentait libre d'agir à sa guise. Maintenant, elle était responsable de l'enfant en elle. Dans quelques mois, cet enfant naîtrait et il aurait des parents non mariés. Autrefois, il se serait fait appeler un bâtard. Aujourd'hui, en 1976, l'enfant en subirait bien peu de conséquences : au moins un dixième des enfants québécois naissaient hors du mariage, avait-elle lu quelque part. Mais que voulait-elle au juste? Garder son statut social actuel ou se marier? Se marier pour donner un statut normal ou conventionnel à l'enfant? Ou se marier pour elle, pour avoir la preuve d'un engagement de Ghislain envers elle? Ou ne pas se marier pour respecter le choix de son conjoint qui craignait l'engagement comme la peste? Devaient-ils continuer à vivre en conjoints de fait, tout simplement, comme ils le faisaient depuis trois ans?

Le deuil de sa mère avait créé un climat d'insécurité en elle. Son couple pouvait un jour éclater, comme celui de Françoise et de Jean-Yves en un mois. Mais l'enfant qu'elle portait serait toujours le sien. «Je ne t'abandonnerai jamais!» promit-elle. Cette réflexion spontanée lui fit mal parce que cela signifiait qu'elle croyait, et craignait que, si la vie de couple ne l'amusait plus un jour, Ghislain pourrait envisager de partir. Elle passa instinctivement la main sur son ventre rondelet et deux larmes coulèrent de ses yeux. Elle se secoua, s'en voulant de ruminer de telles pensées. «Être en deuil, ça mêle toutes les affaires.»

Au fur et à mesure qu'ils s'éloignaient de Valbois, la sortie orageuse de son père l'affecta de moins en moins, comme si la distance géographique en atténuait l'importance. Sur le point de devenir parent, elle percevait différemment le point de vue de son père; pouvait-elle en vouloir à un père de s'inquiéter pour sa fille? «Il y a au moins un homme sur terre qui s'inquiète de moi», pensa-t-elle, étonnée cependant de cette réflexion. Elle regarda l'homme qu'elle aimait, là, à sa gauche, et elle se sentit seule, comme si aucun autre être humain ne partageait l'espace dans la voiture.

Dès qu'ils rentrèrent, toute la fatigue et le stress de la dernière semaine l'accablèrent et elle se demanda comment elle aurait même la force de se déshabiller, complètement vidée par cette journée épuisante à tous points de vue.

– Et si on prenait un bain? proposa Ghislain avant qu'elle ne se mette au lit. Ça nous ferait du bien. Je vais faire couler l'eau, dit-il sans attendre la réponse, comme si cela allait de soi que sa décision soit acceptée.

Dans la baignoire, il l'attira contre lui et elle s'adossa contre son torse, se lova dans ses bras, si fatiguée, physiquement et moralement. Derrière elle, il se mit à parler de son père, Léopold Brodeur, ce qu'il ne faisait jamais.

– J'ai peur de faire comme lui, tu comprends? Je me dis que, si je ne me marie pas, eh bien, comme ça, je ne pourrai jamais devenir un mari qui abandonne sa femme! C'est aussi bête que ça!

Marie-Andrée trouva le raisonnement complètement tordu.

– Dans ce cas-là, pourquoi tu voulais un enfant? lui demanda-t-elle, confuse et peinée.

Elle le sentit se redresser dans son dos dans un mouvement de recul et dénouer son étreinte.

– À cause de Luc.

– Luc? fit-elle en se redressant à son tour et en se tournant à demi vers lui.

– Oui, ton frère Luc. Lui, au moins, sa vie avait servi à quelque chose. Mais moi...

Il l'enlaça de nouveau et elle se détendit. «Il ne se fait pas confiance...» Ainsi donc, ce n'était pas par rapport à elle qu'il ne s'engageait pas, mais à cause de son traumatisme familial. Mais elle l'aimait et lui donnerait tant d'amour que ses vieilles blessures d'autrefois se cicatriseraient. «Comment ai-je pu douter de lui?» se reprocha-t-elle.

– On va être heureux Ghislain, tous les trois ensemble. On s'aime… Qu'est-ce qui pourrait nous empêcher d'être heureux?

Des réminiscences de son passé sans amour refluèrent en lui. Il voulut les chasser une fois pour toutes en donnant un coup de barre dans sa vie et il l'énonça sans attendre pour ne pas changer d'idée :

– Marie-Andrée, c'est d'accord : on va se marier.

Avait-elle bien entendu?

– Se marier? murmura-t-elle, déconcertée.

– Le bébé aura le nom de son père, ajouta Ghislain comme s'il déclamait un monologue. Personne ne lui fera de misère à cause de moi, renchérit-il d'une voix ferme.

Elle avait déjà envisagé sérieusement le mariage avec Ghislain, et plus d'une fois. Dans ces cas, elle imaginait Ghislain la demandant en mariage avec, comment dire, plus de romantisme, dans un engagement d'amour. La demande d'aujourd'hui, présentée comme elle l'était, n'avait-elle pas l'apparence d'une décision prise uniquement pour faciliter la vie sociale de l'enfant qui serait bientôt là? S'était-elle vraiment fait soumettre une telle proposition dans son dos? Alors que, dans un moment aussi décisif, elle ne pouvait pas sonder le regard de celui qui la formulait?

– Tu voudrais qu'on se marie parce que… parce que tu m'aimes? osa-t-elle demander.

– En voilà une question! C'est évident que je t'aime. Alors, qu'est-ce que t'en dis! insista-t-il d'un ton contrarié, déçu de son temps de réflexion.

Devant la déception de Ghislain, Marie-Andrée nia la pertinence de ce qu'elle ressentait. «Je ne pense qu'à moi. Cette décision a dû lui coûter beaucoup et moi, je n'ai pas l'air de l'apprécier à sa juste valeur. Pourtant, s'il parle de mariage, ça veut dire qu'il veut s'engager, non? Avec moi et avec le bébé. Dans le fond, ça veut dire qu'il veut être un père responsable.» N'était-ce pas ce qu'elle attendait de lui?

— C'est oui, murmura-t-elle en appuyant son dos contre le torse solide de Ghislain qui l'entoura de ses bras rassurants.

7

– Dix-sept heures? grommela Ghislain à moitié endormi en regardant de nouveau le réveil, incrédule. C'est pas vrai! grogna-t-il en ramenant le drap léger par-dessus sa tête. Veux-tu bien me dire ce qu'elle bardasse dans la cuisine à cette heure-ci?

Sa dernière semaine de travail avant les vacances allait commencer. Lui fallait-il perdre ses dernières heures de sommeil en plus?

Dans la cuisine, Marie-Andrée sortait du four deux douzaines de muffins déjà cuits. Elle s'était levée avec cette idée, ce matin: cuisiner et congeler des aliments pour se faciliter la tâche après son accouchement.

Le grand événement, tout proche, la fascinait et l'effrayait. «Toutes les mères du monde ont connu ça; ça ne doit pas être si terrible.» La pensée de sa mère l'habitait. Comment avait-elle vécu sa grossesse quand elle l'attendait? Comment l'avait-elle accueillie? Puis elle revenait à son bébé qui donnait des coups de pied, et à leur fusion physique qui achevait.

La jeune femme, qui avait pourtant aimé être enceinte, n'éprouvait plus, depuis quelques semaines, que du désintérêt pour son état. Sa grossesse durait depuis presque neuf mois. «Les trois quarts d'une année!» s'était-elle dit dernièrement en sortant précautionneusement de la baignoire, lasse de devoir penser à tant de détails, tout le temps. Faire attention à ses pas parce qu'elle ne voyait plus ses pieds. Marcher à pas modérés à cause de la bedaine proéminente et lourde. Se priver d'aliments qu'elle aimait parce que son estomac ne les digérait plus ou encore pour éviter de prendre trop de poids. Ne plus arriver à dormir la nuit entière à cause de positions toutes plus inconfortables les unes que les autres. Bref, le bébé s'imposait et prenait toute la place, dans tous les sens du mot.

Marie-Andrée, essoufflée, là aussi dans tous les sens du mot, en avait assez. Et elle ne pouvait même pas se l'avouer clairement et piquer une crise libératrice, même seule dans l'appartement parce que, justement, elle n'était plus seule : l'enfant, à ce qu'elle avait lu dans des livres, ressentait ce qu'elle ressentait! «Un peu plus et je serais espionnée du dedans!» se dit-elle soudain dans un mouvement d'humeur. L'image était si caricaturale que la future maman éclata de rire… ce qui activa sa vessie. Néanmoins, le rire spontané lui avait ramené une sérénité qui lui fit du bien.

Deux heures plus tard, quand Ghislain se leva, elle avait confectionné un gâteau et préparé, découpé et mit à congeler vingt croûtes de tarte, prêtes à cuire. Dehors, le matin était beau, presque frais; à l'intérieur, cela sentait merveilleusement bon.

— Dis donc, ça te réussit, le travail de nuit! dit Ghislain en mordant dans un muffin.

— De nuit? Il faisait clair à quatre heures!

La fatigue lui alourdit tout à coup les jambes et elle réalisa qu'elle s'activait depuis son lever, vers quatre heures, et qu'il était maintenant sept heures. Déjeuner ne lui ferait sans doute pas de tort. Une contraction lui durcit le ventre. Une de plus. C'était devenu habituel ces dernières semaines.

Ils eurent du mal à trouver un coin de table pour déjeuner à travers les ingrédients, les moules à gâteaux, la vaisselle et les ustensiles.

— Qu'est-ce que tu fais aujourd'hui? demanda-t-il distraitement en insérant deux rôties dans le grille-pain.

— D'abord faire une commande à l'épicerie. Il me manque pas mal de choses.

Il se retourna, la cafetière à la main.

— T'en as pas assez fait?

— C'est juste des desserts, répondit-elle avec une sorte d'excitation dans la voix. Je veux faire un grand chaudron de sauce à spaghetti et un autre de bouilli. Je vais les congeler en petites portions.

— Du bouilli, l'été? protesta Ghislain.

— C'est nourrissant et on a tout là-dedans : de la viande et des légumes. Tu seras le premier à en profiter, ajouta-t-elle, déçue qu'il ne reconnaisse pas son travail.

Le déroulement de l'avant-midi l'irrita. La commande tardait à arriver et l'amoncellement de vaisselle sale ne l'amusait pas du tout. Elle entreprit néanmoins de la laver, en attendant de cuisiner de nouveau. «Ce sera ça de fait.» Quelques contractions la forcèrent à s'asseoir de plus en plus souvent. Seule dans l'appartement, dans la cuisine dont le comptoir et la table disparaissaient sous la vaisselle et les chaudrons encore vides, la femme enceinte se sentit vulnérable. Vulnérable à ce qu'elle avait soigneusement repoussé jusque-là : la peur d'avoir mal…

Pour se raccrocher à la réalité, elle jeta un coup d'œil au calendrier. Lundi 28 juin 1976. Le bébé devait naître ces jours-ci. Arriverait-il à la date prévue? Il ou elle?

La future mère éprouva brusquement le besoin de parler à sa mère et, pendant quelques secondes, elle oublia la réalité. Mais celle-ci la rattrapa; ce n'était plus possible. Ce ne serait jamais plus possible. Elle avait souvent eu cette sorte d'oubli ces trois derniers mois, comme si son cerveau refusait d'admettre l'aspect définitif et irréversible du décès de sa mère.

Elle avait cependant un si grand besoin de briser son isolement qu'elle se rabattit sur Diane. Son père décrocha et, à sa question, lui répondit que, oui, il allait bien. Après quelques autres questions d'usage, banales, sa fille ne poursuivit pas davantage son quasi-monologue.

– Diane est là?

– Je te la passe, dit-il simplement avec un empressement évident.

Sa sœur était nerveuse et volubile.

– Je ne te l'avais pas dit? Gilbert arrive d'Afrique cet après-midi!

Mais elle ne confia pas ses craintes à sa sœur. Dans ses dernières lettres, Gilbert exprimait sa hâte de retourner dans sa région, le Saguenay, vantant à sa femme la beauté des paysages, le rythme de vie plus humain que dans les villes surpeuplées, etc. Diane, pour sa part, ne pouvait se résoudre à abandonner son père vieillissant, incapable de vivre seul et d'assumer les tâches liées à la nourriture et à l'entretien. Gilbert accepterait-il de rester dans la région et de vivre chez son beau-père? Stressée à ce sujet depuis des semaines, Diane tut son inquiétude à sa sœur qu'elle devinait aussi stressée qu'elle, en ses dernières journées de grossesse.

— Je vais le chercher à Dorval avec Yvon et Louise. Il va avoir des affaires à régler avec SUCO, la semaine prochaine, à Montréal. Ils ont trouvé un remplaçant pour terminer son mandat de deux ans en Côte-d'Ivoire.

— Ça ne vous fera pas des retrouvailles très intimes, commenta sa sœur.

— Ah, tu sais, ça me fait tout drôle de le revoir, avoua-t-elle. J'ai l'impression qu'on est séparés depuis des années tellement ça m'a paru long.

La douleur d'une contraction plus forte que les autres ayant fait sursauter Marie-Andrée, elle abrégea la conversation téléphonique. Au même moment, la commande d'épicerie arrivait. Elle déballa les victuailles sur le comptoir maintenant dégagé et se sentit soudain dépassée, ne sachant plus par quoi commencer. «Téléphoner à Élise!» décida-t-elle.

Son interlocutrice soupçonna rapidement que le travail était commencé.

— Ghislain travaille, aujourd'hui?

— Oui, pour trois jours encore. Après le congé du 1er juillet, jeudi, il tombe en vacances pour trois semaines.

— Il peut rentrer rapidement à la maison, si ça devient nécessaire?

— Oui, oui, répondit évasivement Marie-Andrée qui ne voulait pas en être déjà à cette étape.

À midi, les contractions étaient plus rapprochées, plus fortes aussi et elle essaya de retarder le plus possible le déclenchement de l'événement tant attendu et maintenant tant redouté. Finalement, elle réussit à préparer tous les légumes pour la sauce à spaghetti, mais elle les fit congeler en vrac. Elle ne pouvait plus nier, maintenant, qu'elle n'aurait pas le temps de terminer cette tâche domestique.

Maîtrisant à grand-peine la peur qui montait en elle, elle téléphona à Ghislain, qui arriva aussitôt. S'il y avait une chose qu'il avait retenue des cours pré-natals et dont il pouvait s'acquitter, c'était de calculer la durée des contractions et le délai entre elles. Il en nota soigneusement quelques-unes, puis décida rapidement qu'il était temps de se rendre à l'hôpital.

– Téléphone d'abord au médecin, lui demanda la future maman.

– Il y a des médecins à l'urgence.

À minuit, Marie-Andrée avait tout oublié des respirations à faire. Elle avait mal, de plus en plus et constamment. Elle n'en revenait pas : il y avait des inventions de toutes sortes, même des fusées pour aller sur la Lune, mais, depuis que l'humanité existait, les femmes souffraient pendant des heures en accouchant et on n'avait rien trouvé pour les soulager. C'était injuste, cruellement injuste.

– Ah… laisse faire les chiffres! geignit-elle en voyant Ghislain tenir un compte précis des contractions. J'ai mal! Comprends-tu ça? Veux-tu savoir à quel chiffre j'ai mal sur l'échelle de Richter? ajouta-t-elle avec dépit en lui agrippant le bras pour descendre du lit pour la centième fois.

Ghislain se sentait démuni, inutile. Il ne savait pas qu'une femme souffrait à ce point avant d'accoucher. Lui non plus ne trouvait pas que c'était juste. Lui aussi trouvait inconcevable qu'il n'y ait rien pour la soulager. Marie-Andrée s'appuya contre lui et lui murmura d'une voix épuisée :

– Si t'étais pas là, je sais pas ce que je ferais.

Elle avait tellement besoin de lui. Dans cet hôpital où personne ne la connaissait, à part lui, elle se sentait si esseulée dans sa souffrance.

– Un bébé arrive à son heure, avait laconiquement dit une infirmière pour qui l'accouchement, celui des autres femmes, était une routine quotidienne.

Cette nuit-là, Marie-Andrée usa le linoléum du corridor, faillit reprocher à Ghislain d'avoir voulu un enfant et eut mal. Encore et encore. À la fin de la nuit, elle renonça, le corps mouillé de sueur; le bébé ne sortirait jamais. On l'avait trompée. On ne le lui avait pas dit, mais c'était comme ça.

Au matin, les eaux crevèrent et elle passa en salle d'accouchement. Son impatience décupla à mesure que ses forces déclinaient. Puis, elle se résigna. Elle n'en pouvait plus.

Enfin, dans une douleur et une poussée plus fortes, elle sentit, épuisée, incrédule, le bébé glisser hors d'elle et sortir enfin. Elle n'y croyait plus et le miracle arrivait. Il était arrivé. Ghislain, incrédule lui aussi de voir cette petite chose émerger, se vit remettre une paire de ciseaux pour qu'il coupe le cordon ombilical lui-même.

– Allez-y! l'encouragea le jeune médecin qui vérifiait rapidement si l'enfant était bien formé.

Ghislain, dépassé par les événements, pressa les lames et coupa le cordon. Marie-Andrée était séparée de son bébé.

– C'est une fille…, murmura-t-il d'une voix qu'il ne se connaissait pas.

Sommairement lavée, la petite fut placée sur le ventre de sa mère. Elle n'était plus dans son ventre mais dessus, et Marie-Andrée la dévorait des yeux, sous le choc de découvrir enfin l'enfant qu'elle avait porté pendant les trois quarts d'une année en elle. Cette petite chose toute fripée lui emplissait le cœur d'une joie inimaginable; rien de ce qu'elle avait vécu jusque-là ne pouvait être comparé à cette émotion indescriptible. Ghislain, près d'elle, était encore sous le choc de la transformation qu'il venait de vivre. Quelques minutes auparavant, il était lui-même; maintenant, il était le père de cette petite fille aux cheveux roux.

Marie-Andrée prit le bébé dans ses bras et eut la sensation ou, plus encore, la certitude que c'était elle qui venait de recevoir la vie et non la fille nouveau-née qui remuait lentement dans ses bras, tout étonnée sans doute de pouvoir le faire librement. C'était comme si sa fille venait de donner naissance à une autre Marie-Andrée, toute de gratitude, celle-là, pour le miracle qui s'était accompli en elle. Elle se sentit complètement responsable de ce petit être sans dé-fense et l'enveloppa de ses bras. Le père, grand et musclé, la prit à son tour et ne se sentit absolument pas à la hauteur.

Une semaine plus tard, c'était Marie-Andrée qui ne se sentait pas à la hauteur. Le bébé pleurait depuis une heure! Fatiguée, le ventre maintenant vide du bébé qui l'avait habitée si longtemps, la jeune mère en avait perdu tous ses repères. Depuis son retour de l'hôpital, elle était submergée par la responsabilité de cette enfant dont elle ne décodait pas les pleurs, dont elle ne savait comment soulager les coliques, qui lui morcelaient autant ses nuits que ses journées. Au bout de quelques jours, elle était persuadée qu'elle ne reprendrait jamais le dessus sur cet abattement. Elle s'entrevoyait prisonnière à vie des besoins de la nouveau-née et, surtout, incompétente dans les soins à lui donner. En une nuit, sa vie avait basculé de l'innocence insouciante à une responsabilité sans fin qui l'écrasait. Dans sa tête fatiguée, ses pensées se focalisaient sur une idée fixe : pourquoi enclencher tout le processus de mettre une enfant au monde pour réaliser qu'on n'avait pas le talent d'être une mère et, surtout, le découvrir quand l'enfant était née et qu'il était trop tard pour changer d'avis?

La dépression post-partum, qui, avait-elle lu, affectait deux mères sur trois, déstabilisait complètement Marie-Andrée, qui avait cru naïvement être à l'abri de ce dérèglement hormonal, et elle refoulait ses larmes devant Ghislain, encore plus dépassé qu'elle par l'expérience parentale.

Il était au moins présent parce qu'elle avait insisté pour qu'il prenne ses vacances à la date prévue pour l'accouchement. Mais il tournait en rond dans l'appartement. Celui-ci avait été assez grand pour deux personnes ne s'y trouvant que le soir; il en était tout autrement d'y passer vingt-quatre heures sur vingt-quatre depuis une semaine avec un bébé qui envahissait toutes les pièces avec la kyrielle d'objets nécessaires pour le laver, le nourrir et le coucher. Et si ce n'avait été que de la vue! Le bébé s'imposait aussi par ses cris, ses pleurs et ses besoins primaires. Et, en ce début de juillet, il faisait chaud!

Marie-Andrée en voulait à tout le monde. Elle s'en voulait de s'être lancée avec tant de naïveté dans une histoire qui allait lui gruger au moins vingt ans de sa vie, vingt ans au cours desquels elle serait accaparée à chaque minute de ses jours et de ses nuits. «J'étais bien avec Ghislain, mon travail, mes cours! Qu'est-ce qui m'a pris de tout bouleverser ça?» Elle en voulait à Ghislain qui ne prenait presque jamais le bébé, se réfugiant derrière sa méconnaissance des soins à donner à un tout-petit ou invoquant le prétexte d'un repas à préparer ou de l'entretien de l'appartement à faire, ce qu'il accomplissait de manière plus que sommaire, comme quand il vivait avec ses anciens colocataires. Cette vie de bohème avait plu à Marie-Andrée. Il agissait comme autrefois, mais elle n'y voyait plus aujourd'hui que de l'irresponsabilité. «Il n'a pas souffert dans son corps, lui, n'a rien ressenti du tout pendant ces neuf mois! Il n'a pas accouché, lui! Il n'a pas pris de poids, lui! Il est pareil à ce qu'il était avant! Il pourrait bien m'aider avec le bébé, il me semble! Il ne voit pas que je n'arrive à rien?» Au contraire, le père n'avait jamais été aussi consentant à sortir faire l'épicerie et aller à la pharmacie, les deux pôles représentatifs de ce qu'était devenue leur vie quotidienne.

Et le pire, ô horreur! elle en voulait à l'enfant d'être là, omniprésente, de ne se préoccuper de rien d'autre que de boire, dormir, être un tube digestif et pleurer. À la fatigue et l'impuissance s'ajoutait alors le remords. «C'est effrayant de penser des affaires de même!» se reprochait-elle. Pour rien au monde elle n'aurait confié de telles pensées aussi indignes d'une mère.

Pour se déculpabiliser, elle envisageait d'arrêter de travailler et de s'occuper de la petite pendant quelques années ; n'était-ce pas ce que toute mère, toute *vraie* mère devait faire, comme sa mère l'avait fait pour ses enfants ? Mais la conséquence était inévitable : elle deviendrait alors une femme dépendante financièrement. Le spectre de cette éventualité la faisait alors revenir au *statu quo* : elle retournerait au travail après son congé de maternité. Quand elle revenait ainsi à la case départ, le vertige la reprenait. Comment pourrait-elle assumer son travail à la caisse et les soins à donner à l'enfant, en plus de l'entretien de l'appartement, puisqu'elle n'y arrivait même pas maintenant, en étant présente vingt-quatre heures sur vingt-quatre ?

Quand Françoise lui téléphona, elle ne cacha même pas son désarroi et fondit en larmes. Sa grande amie l'écouta patiemment, longuement et, petit à petit, la jeune mère se sentit plus rassurée du seul fait de se confier. Mais cette sérénité retrouvée était très fragile. Le soir même, quand l'enfant eut pleuré sans arrêt pendant une heure malgré l'allaitement, les cajoleries, les mots tendres, la promenade dans l'appartement avec ses deux parents, à tour de rôle, et que Ghislain, exaspéré, s'enferma dans la chambre pour ne pas perdre le contrôle de lui-même, Marie-Andrée, assise dans un fauteuil avec le bébé qui pleurait toujours, éclata en sanglots, complètement dépassée par la situation.

La sonnerie de la porte retentit. La jeune mère était incapable d'aller ouvrir. Au contraire, elle alla se réfugier avec l'enfant dans la petite chambre. Le miroir lui renvoya d'elle une image qu'elle ne reconnut pas. Était-ce bien la jeune femme décidée, joyeuse et si jalouse de sa liberté que cette mère dépeignée, aux traits tirés et aux yeux rougis de larmes, qui promenait de long en large un bébé d'une semaine à peine qui s'époumonait à tant crier, ses fins cheveux roux mouillés de sueur?

À la troisième sonnerie, Ghislain, à la fois exaspéré et reconnaissant de cet imprévu qui changerait un tant soit peu l'atmosphère, alla ouvrir d'un pas rapide. Marie-Andrée, accablée par cette visite inopportune, la souhaita la plus brève possible. Les pleurs de l'enfant emplissaient toute la pièce, aussi n'entendit-elle pas que quelqu'un s'approchait de la chambre; elle ne vit que la porte s'ouvrir lentement. Refusant d'affronter qui que ce soit, elle se détourna, mais des bras l'entourèrent doucement et une voix amie quémanda gentiment une faveur :

– Je peux la prendre?

Françoise prit délicatement l'enfant, lui parla comme si elles étaient toutes deux de grandes amies, lui chuchota des mots tendres. L'enfant, étonnée, cessa un bref instant de pleurer, puis recommença, mais moins pathétiquement. Puis, bercée par la voix calme et posée, épuisée de ses pleurs, elle s'endormit sous les yeux incrédules de sa mère démunie. La visiteuse garda tendrement le bébé contre elle et alla s'asseoir au salon.

– Je ne sais pas ce que tu lui as fait, ronchonna le père, mais si elle n'avait pas arrêté, je ne sais pas ce que *moi* j'aurais fait. L'entendre pleurer de même, c'est simple, ça me rend fou.

Déçue, Marie-Andrée le regarda avec un air de reproche, mais dut admettre avec un sentiment de culpabilité, que c'était aussi ce qu'elle pensait, ce qui acheva de la décevoir d'elle-même, de son incapacité à être une bonne mère.

– Tu devrais rester…, supplia-t-elle en regardant Françoise, qui se mit à rire.

– Rester? Tu n'as pas vu ma valise?

Prétextant un goût soudain de se retrouver en ville, elle débarquait avec un travail en traduction à compléter, ses dictionnaires et des vêtements pour au moins une semaine. Elle confia aussi à ses amis que Patrice et elle se sentaient parfois de trop chez Élise qui changeait depuis la naissance de son fils. Aussi avait-elle prêté son auto à Patrice; après l'avoir amenée ici, il était parti pour une semaine en Beauce, chez ses parents qu'il avait peu vus depuis son retour de l'Inde.

Quand elle eut couché le bébé, qui dormait toujours à poings fermés, elle suspendit au-dessus de la couchette un mobile que Geneviève, aidée de Patrice, avait fabriqué pour sa nouvelle cousine et peint de couleurs vives, au mieux de ses trois ans.

– Merci d'être là, murmura Marie-Andrée d'une voix épuisée. Je ne sais pas comment te remercier.

– J'ai vu Élise déprimer après la naissance de Pierre-Luc. Et pourtant, elle avait de l'expérience, puisque c'est son deuxième. Alors je me suis dit que toi, avec ton premier…

Marie-Andrée parla longtemps, évacuant sa fatigue et sa déception d'elle-même. Du seul fait que sa détresse soit nommée et confirmée, celle-ci perdait de son emprise sur la jeune mère qui constatait, avec soulagement, qu'elle était une nouvelle maman normale, tout simplement, et qu'elle réagissait de son mieux, comme Ghislain, à une situation inconnue.

Françoise se chargea du ménage pour ne laisser à la nouvelle maman que le soin de l'enfant et un peu de temps libre pour refaire ses forces. Quant à Ghislain, il cuisina quelques repas, meilleurs que les précédents qu'il avait fricotés, heureux de parler d'autres sujets que ceux directement liés au bébé. Soulagé par cette présence féminine, il avait bonne conscience de ne pas s'impliquer, consciemment ou non, dans les soins quotidiens à prodiguer à leur fille. De toute façon, il était persuadé que Marie-Andrée, une femme, savait mieux que lui quoi faire ou ne pas faire avec un nouveau-né.

Bien sûr, il l'avait accompagnée aux cours prénatals, plus pour y glaner des informations médicales, en fait, mais il ne se sentait pas vraiment concerné par les soins ponctuels à donner au bébé. N'ayant que peu de famille, cette situation lui était trop étrangère pour qu'il s'y intéresse dans les détails, du moins de ce type. Il n'avait pas l'impression de renoncer à son rôle de père : il le reportait simplement à quelques années plus tard, quand l'enfant aurait acquis une autonomie minimale.

Pour l'instant, il était obsédé, écrasé par le fait qu'il avait la responsabilité financière de cette enfant pour au moins vingt ans ! Il ne s'était jamais engagé à long terme pour rien ni personne jusque-là, même pas avec Marie-Andrée. Et maintenant il était engagé et coincé pour vingt ans. Au fond de lui, il était convaincu qu'il avait fini par céder au besoin de maternité de Marie-Andrée, et non qu'il lui avait proposé lui-même de faire un enfant et encore moins qu'il avait même décidé du moment de concrétiser ce projet. Quelque part, confusément, il préférait garder ses réflexions pour lui, les justifiant ou les niant pour y échapper. «Marie-Andrée a *trippé* sur le bébé durant toute sa grossesse, mais moi, là-dedans?» Il ne trouvait plus sa place et, certains jours, la force de sa compagne, loin d'atténuer la pression, le faisait vaguement se sentir faible à côté d'elle, ce qui lui donnait une envie de fuir difficile à raisonner.

Il plut deux jours d'affilée et le troisième, Ghislain étant parti faire des courses avec enthousiasme, Françoise suggéra, en voyant le soleil luire à nouveau :

— On est en juillet, ma chère, et il fait très beau dehors. Le sais-tu? Va donc voir si j'y suis!

— Oui... peut-être... Je vais attendre que Ghislain revienne.

— Pourquoi? Ça ne te ferait pas du bien, une promenade toute seule?

Elle n'arrivait pas à déterminer si cela la tentait ou non. Elle ne savait pas davantage quel vêtement porter, ni comment peigner ses cheveux, qu'elle laissait d'habitude flotter librement sur son dos, quels souliers choisir, etc. Elle ne se reconnaissait plus. Assise sur le bord de son lit, elle allait pleurer quand elle entendit une voix moqueuse :

— Tu peux sortir, ma petite fille; ma tante Françoise va te surveiller du balcon...

La jeune mère réalisa à quel point, depuis les premières douleurs de l'accouchement, elle était déconnectée de la réalité. Docilement, elle se laissa convaincre et aider à se préparer, retrouvant peu à peu le goût de respirer un autre air. Sur le pas de la porte, un sentiment de culpabilité désarmant l'assaillit. Et s'il arrivait quelque chose pendant son absence? Avant même qu'elle ne se soit retournée, elle entendit Françoise lui chuchoter :

– Non, il n'arrivera rien pendant les dix minutes où tu seras absente.

Lentement, la jeune maman descendit l'escalier intérieur, ouvrit la porte de l'immeuble. L'air chaud de juillet lui enveloppa le corps et la ramena à l'été précédent, en ce si bel été de vie de commune à la campagne, entourée de gens qu'elle aimait. Un sentiment nouveau l'étreignit : elle avait ajouté un autre humain sur la terre qui, un jour, se mettrait à courir devant elle, comme ce petit garçon qu'elle venait d'apercevoir trottinant avec sa maman.

Elle marcha lentement, redécouvrant ses pieds maintenant qu'elle n'avait plus de bedaine proéminente et s'en amusant d'une joie presque puérile. Elle entreprit ainsi le tour du pâté de maisons, du pas de quelqu'un en convalescence. Maintenant seule dans son corps, seule avec elle-même, elle réalisait, un peu surprise, qu'elle s'était manquée, ces derniers jours. Ou ces derniers mois, peut-être. Elle pensa à la mort de sa mère, qui lui sembla si lointaine : c'était avant la naissance de sa fille… Finalement, elle s'enhardit jusqu'au bout de la rue et s'assit sur le banc du parc minuscule qui jouxtait l'arrêt d'autobus.

Elle avait attendu l'autobus si souvent à cet arrêt; mais jamais, pas une seule fois, elle ne s'était assise sur ce banc qui, aujourd'hui, lui était offert comme un havre de paix et de tranquillité. Elle leva les yeux pour constater, presque étonnée, que rien n'avait changé. Le ciel était encore là. Bleu. Immense.

Un autobus arriva, s'arrêta. Il était placardé d'affiches annonçant les Jeux olympiques qui débuteraient dans les prochains jours. Marie-Andrée revint à la réalité. Le monde n'avait pas arrêté de tourner pendant que Marie-Andrée Duranceau était devenue une maman. Cela avait été un événement capital pour elle, mais elle avait aussi, sans s'en rendre compte, perdu tout le reste de vue un certain temps.

Elle pensa à Diane et Gilbert. Retourneraient-ils en Afrique l'an prochain ? S'installeraient-ils à Chicoutimi ? À Valbois ? Et son père, pourrait-il vivre tout seul ? La réalité familiale revenait peu à peu et distrayait la nouvelle mère de son quotidien complètement axé sur un bébé depuis dix jours.

En voyant passer un autre bus qui annonçait lui aussi les Jeux olympiques, la jeune maman se sentit décidément très loin de l'événement sportif international abondamment commenté dans les médias. Son réel était tout autre et elle comprit, apaisée, que sa vie continuait, plus remplie qu'avant, mais dans la même direction. Avec sa fille, désormais. Avec Ghislain, comme avant. Avec ses cours, qu'elle reprendrait en septembre (septembre qui lui parut si loin en ce début de juillet…) et qu'elle terminerait d'ici deux ans au plus tard. Avec, peut-être, une promotion à la caisse un de ces jours.

Elle respira profondément et eut une envie irrésistible d'une crème glacée molle recouverte de chocolat. Qu'elle s'offrit. Et qu'elle dégusta comme s'il s'agissait du mets le plus délicieux qu'elle eût mangé depuis une décennie.

Quelques jours plus tard, la veille du départ de Françoise, elle lui demanda :

— Patrice vient te rejoindre ici ?

— Oui, il s'intéresse aux vieux meubles ces temps-ci. On va aller faire une tournée des antiquaires de

Montréal avant de retourner à la campagne, précisa-t-elle en s'assoyant au pied du lit pendant que son amie allaitait.

Françoise se sentait en paix avec elle-même. Cette visite avait freiné son désir impatient d'avoir des enfants. La présence d'un père dégourdi lui semblait indispensable. Les maternités des deux jeunes femmes lui avaient appris cela. Et elle ne savait pas quelle sorte d'homme Patrice serait sous ce rapport. Il était calme et pondéré, mais la paternité le changerait-elle?

— Vous allez bien ensemble, se réjouit sincèrement Marie-Andrée. Vous avez un je-ne-sais-quoi d'absolu dans votre manière d'aimer qui se ressemble.

— Ou c'est le fait que, tous les deux, on a aimé quelqu'un qui ne nous aimait pas…, ajouta lentement Françoise.

Marie-Andrée repensa à Mario Perron, son premier amant, un homme marié de près de dix ans plus vieux qu'elle et pour qui elle n'avait été qu'une aventure parmi d'autres, et son visage s'éclaira d'un sourire de complicité.

— On est tous passés par là, si je comprends bien… Mais toi, comment t'as pris ça, d'être avec Patrice?

Françoise fut prise de court. La question était directe, mais des plus pertinentes. La réponse ne pouvait être esquivée.

— J'étais pas mal mêlée, avoua-t-elle. Quand Jean-Yves m'a quittée et que vous m'avez accueillie à l'appartement, il a été très gentil pour moi. J'en avais tellement besoin, tu te rappelles? Puis, Ghislain et toi, vous êtes partis vivre ensemble. Finalement on a été amants. Un petit bout de temps.

Elle s'étendit sur le dos en travers du lit, les bras croisés sous la nuque.

— Ma séparation d'avec Jean-Yves était trop récente, je pense. Au-dedans de moi, j'avais encore trop mal. Alors on est devenus des amis, seulement des amis. Ensuite, il est parti en Inde. C'était bien comme ça ; il fallait que je me retrouve. On ne s'est pas écrit. Pas un mot. Et puis, il y a eu la mort de Luc, et tu m'as demandé d'aider Élise. J'étais sortie du tunnel ! s'exclama-t-elle en se redressant. Tu ne peux pas savoir combien ça nous a fait du bien à toutes les deux de parler de nos peines d'amour. Et Geneviève…, dit-elle tendrement avec un sourire maternel, je l'aime tellement, cette enfant-là ! C'est bien simple, si j'avais une fille à moi, je ne pourrais pas l'aimer plus. Puis là, ajouta-t-elle avec un air perplexe, Patrice est débarqué, comme ça, sans prévenir.

Elle se tut, songeuse. Marie-Andrée attendit et but un verre d'eau pour calmer sa grande soif. Françoise se rassit en tailleur.

— Je pense que j'ai eu peur. Peur qu'il tombe amoureux d'Élise qui n'aurait pas dit non, à mon avis. Même que, un soir, j'ai bien cru que c'était arrivé. Ça m'a fait tellement mal que j'ai compris que je tenais à lui beaucoup plus que je ne le pensais.

— Il a eu une aventure avec Élise ?

— Non, je me trompais, corrigea-t-elle avec un sourire amoureux. Il était revenu de l'Inde pour moi. Alors là, c'est fou, j'ai paniqué. Toute ma peine d'avoir été abandonnée m'est remontée au cœur. Elle a pris toute la place. C'était plus fort que moi, geignit-elle en relevant les genoux et y posant sa tête dans une attitude de grande lassitude. J'avais mal comme c'est pas possible! À la seule pensée qu'un autre homme me fasse ça, j'aurais hurlé!

Elle releva la tête et sourit, plus sereine.

– Patrice a été tellement patient, tellement gentil. Mais… je n'arrive pas à me laisser aller complètement, on dirait que… que je ne suis plus capable de faire confiance à un homme.

Elle se tut, soulagée de s'être enfin déchargée de ce poids au cœur. Déjà, il lui semblait que sa méfiance était moins grande, que la vie lui souriait davantage. Marie-Andrée regardait avec affection son amie, sage et sérieuse, si pondérée, qui avait si bien caché son tourment.

– Peut-être que c'est à toi que tu ne fais plus confiance, hasarda-t-elle intuitivement.

– À moi?

– J'ai dit ça comme ça. Peut-être que tu penses que si tu t'es trompée sur Jean-Yves, tu peux te tromper aussi sur un autre homme. Donc que tu ne peux plus te faire confiance sur tes pulsions ou tes élans.

Françoise se redressa, stupéfaite. Si c'était vrai – et cela résonnait comme tel au plus profond d'elle-même –, cela signifiait donc qu'elle pouvait à nouveau faire confiance à la vie, faire des choix, décider, oser. Vivre, tout simplement!

Elles étaient là, face à face, et leurs amours décevantes d'autrefois s'estompaient comme brume au soleil. Leur amitié était plus solide que jamais, et source de tant de compréhension mutuelle, si bonne à goûter. Le bébé se rappela à leur attention. Maintenant qu'elle avait bu tout son soûl, l'enfant bâillait et tétait distraitement entre deux assoupissements.

Marie-Andrée, lui soutenant délicatement la tête, l'appuya contre son épaule. L'enfant fit son rot, la maman la coucha sur le grand lit et la couvrit d'une couverture légère. Déjà le bébé dormait, ses petits poings serrés.

— Ça existe vraiment, l'instinct maternel? demanda curieusement Françoise.

Marie-Andrée s'éventa avec le coin du drap tant il faisait chaud.

— Je ne voudrais pas qu'il lui arrive quoi que ce soit de mauvais, ça c'est sûr. Si c'est ça, l'instinct maternel, alors je l'ai!

— Et elle, est-ce qu'elle aura l'instinct… filial? taquina Françoise.

Les deux femmes éclatèrent de rire; elles n'avaient jamais envisagé la relation mère-enfant sous cet angle.

— L'instinct filial, reprit Françoise, ce sera à voir; mais du caractère, ça elle en a. Et ça s'entend. Elle ne pleure pas souvent, mais quand elle pleure, alors là…, dit-elle en se levant pour aller chercher de l'eau à la mère.

Le regard de Marie-Andrée s'attarda sur la tête de la petite. «Qu'est-ce qui se passe dans ta petite tête? Est-ce que tu penses déjà? Et dans ton cœur? Qu'est-ce que tu ressens? Es-tu contente? As-tu peur parfois? Es-tu en colère quand tu cries? Contre moi? Tu es tellement petite…, se dit-elle en soupirant et en effleurant doucement du majeur le crâne souple dont les fontanelles ne s'étaient pas encore ossifiées et soudées entre elles. Toute petite et sans défense.»

— Et puis, penses-tu toujours arrêter de travailler? lui demanda Françoise, pince-sans-rire, en lui rapportant un pichet d'eau fraîche parce qu'elle était toujours assoiffée après l'allaitement.

– Ça fait trois mois que je suis en congé de maternité. Crois-moi, je ne pense pas que je suis faite pour rester entre quatre murs, lui répondit-elle en l'éclaboussant, en riant, d'une chiquenaude dans son verre d'eau.

Une semaine plus tard, Ghislain retourna travailler. Un nouveau quotidien s'installa. Ils n'allèrent à la campagne qu'une fois et revinrent chez eux le soir même. Ils avaient d'abord attendu que l'enfant ait au moins un mois et, de toute façon, il ne pouvait être question de rester à coucher dans la vieille maison. Il n'y avait plus de chambres disponibles, même avec le grenier transformé, depuis qu'un deuxième enfant occupait l'ancienne chambre d'amis.

Ils se considéraient maintenant comme des visiteurs; l'été dernier était bien loin derrière eux. Marie-Andrée en eut quelques pincements au cœur, mais cela ne dura pas. Sa vie à elle aussi avait changé et la vie de bohème ou de commune familiale de l'été précédent, dans la canicule perpétuelle, lui sembla à des années-lumière.

À la mi-août, juste avant son anniversaire, maintenant rétablie et encore incrédule d'avoir retrouvé ses forces, elle porta elle-même sa fille sur les fonts baptismaux sans glisser un regard à Ghislain. Il avait fini par accepter que sa fille soit baptisée et avait même promis de ne pas gâcher cette journée par des propos désobligeants à ce sujet.

– C'est de l'hypocrisie! s'était-il d'abord exclamé, refusant tout net. On ne va pas élever notre fille dans le *faire semblant*!

Elle avait protesté à son tour et s'était entêtée, pour une fois, au lieu de céder après cinq minutes pour acheter la paix, comme elle le faisait habituellement. Il avait été contrarié de sa fermeté.

– Je sers à quoi si je ne peux rien décider concernant ma fille ? Payer les comptes, c'est ça ?

– Les comptes, on les paie à deux, avait-elle rectifié, blessée. Le baptême de notre fille, ce n'est pas une question de savoir qui va avoir le dernier mot, mais de décider ce qui sera le mieux pour elle.

– Le mieux ? Le mieux pour elle ou pour les convenances ? Depuis quand tu te plies aux conventions sociales, toi ? Je t'ai connue plus indépendante que ça.

Marie-Andrée avait été atteinte dans son farouche désir de liberté et elle en avait été blessée.

– Et toi ? Tu ne m'as pas demandée en mariage, peut-être ? C'est pas une convention sociale, ça ?

– Ça n'a rien à voir. C'était ma décision personnelle.

Cette réflexion l'avait frappée. « Oui, t'as raison ; c'était *ta* décision. »

– C'est la même chose pour le baptême de la petite. C'est *ma* décision personnelle.

Ce soir-là, elle avait réalisé que la grossesse et l'expérience de l'accouchement lui avaient donné une assurance nouvelle. Ensuite, affronter et assumer quotidiennement tant de défis nouveaux, jour après jour, avait été et restait traumatisant dans le défi, mais réconfortant dans l'acquisition de l'expérience. Sans qu'elle s'en rende compte, son caractère s'était affirmé, et elle était bien décidée : sa fille allait être baptisée.

Assistant à la cérémonie, Diane, à son septième mois de grossesse, se sentait aussi déphasée que lors de son retour d'Afrique, en mars, agressée par les changements de mœurs et les contradictions qu'elle avait sous les yeux. Sa sœur vivait en union libre, comme si c'était l'attitude la plus normale qui soit, elle avait un enfant de l'homme avec qui elle vivait et, même si elle ne pratiquait plus, elle faisait baptiser sa fille !

Plus que jamais libre penseuse, elle ne comprenait pas ces anciens catholiques qui prétendaient ne plus pratiquer de religion tout en se précipitant à l'église pour les mariages et les baptêmes. C'est du moins ce qu'elle avait pensé en apprenant le baptême de Pierre-Luc. Maintenant, avec cet autre baptême, elle admettait que trop de changements à la fois était difficile à prendre pour son père qui vieillissait. Quand ils étaient à l'étranger, Gilbert et elle étaient bien résolus à ne pas faire baptiser leur enfant ; son père et ses beaux-parents en seraient attristés, mais Gilbert ne céderait pas. Toutefois, en regardant l'air satisfait de leur père, qui avait fait une remarque à ce sujet la veille, elle comprit Marie-Andrée de le ménager, même si elle ne pouvait se résoudre à lui donner cette satisfaction à son tour.

– Marie… Françoise… Marie-Ève…, je te baptise au nom du Père, du Fils et du Saint-Esprit.

Marie, comme premier prénom de toute fille catholique. Françoise en l'honneur de l'amie fidèle et si chère au cœur de la maman, la marraine et la tutrice en cas de besoin. Et Marie-Ève, les prénoms qui seraient usuels et qui réunissaient la mère et la grand-mère. Louise, l'aînée, se mit à pleurer, émue de ce qu'elle interpréta comme un hommage à leur mère.

Marie-Andrée avait opté pour ce nom en regardant son enfant dormir, une fois repue. Pendant l'heure de l'allaitement, la tenant tout contre elle, elle avait soudain souhaité que sa fille réunisse le meilleur des deux femmes dont elle était issue : qu'elle ait le goût intense de liberté de sa mère, et qu'elle éprouve de l'amour pour ses proches comme sa grand-mère en avait ressenti pour eux tous, mais en le manifestant chaleureusement au lieu de le camoufler sous des masques déconcertants, comme Éva l'avait malheureusement fait. Que Marie-Ève aime profondément et qu'elle le manifeste ! Tel était le souhait que sa mère formulait à l'intention de sa fille, ce bébé innocent au nom duquel Françoise, sa marraine, et Raymond Duranceau, son grand-père et parrain, rejetaient maintenant le démon par les prières d'usage. « Le démon de la confusion, pensa la maman, le démon du non-dit… »

À la petite réception qui suivit, à l'appartement de la jeune famille, Marie-Andrée eut la surprise de s'entendre chanter ce refrain affectueux pour son anniversaire tout proche :

Marie-Andrée, c'est à ton tour, de te laisser parler d'amour.
Marie-Andrée, c'est à ton tour, de te laisser parler d'amour.

Gilbert, amusé, essaya spontanément de chanter le refrain inconnu pour lui, créé par Gilles Vigneault l'année précédente, à la fête de la Saint-Jean, et que les Québécois avaient adopté d'emblée. Diane en resta bouche bée : toute la famille semblait connaître cette chanson d'anniversaire et la chantait à l'unisson. Depuis son retour au pays, elle n'arrêtait pas de constater des changements de mœurs, d'habitude. La vie avait-elle tant changé pendant son séjour dans le tiers-monde?

Pour tout dire, elle ne se réadaptait pas au Québec. À son arrivée, elle avait cru que c'était l'absence de Gilbert qui colorait sa vision. Mais il était revenu depuis deux mois déjà et, après d'intenses discussions, il avait renoncé à retourner au Saguenay et accepté d'enseigner dans la région de Granby; il commencerait d'ailleurs en septembre. De toute façon, il était convaincu de se trouver un poste n'importe où et n'importe quand. La question n'était pas là. Le dilemme se situait plutôt dans le style de vie.

Pour Diane, l'important était de s'acquitter de la mission qu'elle s'était donnée : prendre soin de son père. Sans s'en rendre compte, elle poursuivait l'œuvre de sa mère : s'oublier pour s'occuper de cet homme comme une femme après l'autre l'avait fait toute sa vie. Et cela signifiait demeurer à Valbois, chez lui.

Gilbert aurait nettement préféré aller au Saguenay. Devant l'insistance de sa femme, enceinte de sept mois et émotive (il ne savait trop d'ailleurs si la grossesse ou le deuil expliquait son émotivité), il avait cependant vu un avantage certain à faire de Valbois leur lieu de résidence : celui-ci ne serait que temporaire. Ils ne s'installaient donc pas vraiment au Québec; ils n'y vivraient que provisoirement en attendant de retourner dans le tiers-monde.

– Ça va, la réadaptation à la vie de couple et au Québec? demanda Françoise en avalant une gorgée du mousseux.

Diane haussa les épaules.

— Couci-couça. Regarde Gilbert. En Afrique, il était à l'aise comme s'il était né là-bas. Il est revenu et, en un tour de main, il s'est adapté. Il est bien partout! Si tu savais combien je l'envie!

— Dans le fond, son chez-lui, c'est là où il est, conclut Françoise.

Diane fut frappée par cette remarque toute simple et qui correspondait si bien à son mari. « Mais ça veut dire quoi? songea-t-elle soudain. Que je ne me sens chez moi nulle part? » Son cerveau lui concocta un questionnement. Cette difficulté d'adaptation, l'avait-elle aussi vécue en Afrique pendant sept ans?

— Au fait, dit Françoise les yeux brillants, viens, je vais te présenter Patrice.

Les cadeaux de baptême pour la petite et les cadeaux d'anniversaire pour la maman étaient à peine déballés que le buffet du traiteur arriva. Profitant du goûter, la maman s'éclipsa dans une sorte de fuite; il lui semblait qu'elle n'avait plus de conversation adulte depuis la naissance du bébé. Elle se retira dans sa chambre pour allaiter sa fille, dont le sevrage était déjà commencé pour qu'elle soit habituée aux biberons quand sa maman reprendrait son travail, trois semaines plus tard.

— Tu allaites encore? s'écria Louise qui trouvait cette pratique totalement désuète. T'es sûre que c'est… hygiénique?

— Qu'est-ce que t'en sais? fit Diane, indignée.

— Tu ne vas pas allaiter toi aussi? protesta l'aînée, découragée.

— Certainement! En plus, je compte bien accoucher selon la méthode Le Boyer.

– L'accouchement à la mode? La méthode qu'on appelle sans douleurs? Sans douleurs, mon œil! Quand t'auras accouché, tu m'en reparleras!

Diane, offusquée, sortit de la chambre. Marie-Andrée observait sa fille avec une joie sereine en écoutant distraitement les voix joyeuses des adultes, le rire de sa nièce Geneviève, les pleurs du petit Pierre-Luc et la voix de Simon qui muait déjà et qui s'entremêlait avec la voix adolescente de Johanne et celle, déjà féminine, de Nathalie. Un bruit de vaisselle brisée rompit brusquement les conversations. La voix d'Yvon tonna :

– Voyons, les enfants! Calmez-vous. C'est pas grand comme une maison, ici!

Ghislain annonça alors qu'ils songeaient à s'acheter une maison en banlieue. Marie-Andrée en resta bouche bée. Louise s'inquiéta de les voir entreprendre un tel chambardement, si rapidement après la naissance du bébé. Marie-Andrée, mortifiée de ne pas avoir été mise au courant des intentions de Ghislain, s'empressa de rassurer son aînée. Non, ce n'était pas pour les mois à venir; oui, elle prendrait le temps de recommencer à travailler, de s'adapter à sa nouvelle routine, etc.

Louise, rassurée pour sa sœur, s'assit sur le bord du lit et la regarda nourrir son bébé. Elle ne la comprenait pas d'allaiter depuis des semaines. «Se fatiguer de même quand c'est si simple de donner une bouteille! Qu'est-ce qu'elle a à vouloir retourner dans l'ancien temps? Tu parles d'un progrès. Être esclave d'un bébé qui prend une demi-heure à boire, six à huit fois par jour! Au lieu de garder son énergie pour se remettre sur pied, elle dépense toutes ses forces pour son bébé. Je ne la comprends pas; elle en fait trop. Elle va se mettre à terre avec tout ça. Puis le bébé? Comment elle fait pour savoir s'il a tout ce qu'il lui faut?»

— Elle boit à la bouteille, aussi? demanda-t-elle, espérant que c'était le cas. Ça t'épuise pour rien de l'allaiter.

Marie-Andrée la regarda et vit de l'inquiétude pour elle dans ses yeux; malgré sa déception de ne pas se savoir approuvée, elle choisit délibérément de ne voir qu'un souci sororal dans la remarque de sa sœur. Pourtant, allaiter la forçait au contraire à s'arrêter, à se reposer; elle dormait mieux et avait perdu du poids superflu. Bien sûr, c'était un peu plus accaparant, mais deux petits mois, qu'est-ce que c'était, au fond, sur l'échelle de toute la vie de sa fille? Deux petits mois qui achevaient parce que le travail et la vie quotidienne la rattraperaient bientôt. Deux petits mois d'intimité après neuf mois de cohabitation, n'était-ce pas une transition en douceur?

— Ça achève, dit-elle simplement. Dans trois semaines, elle va être sevrée. Je recommence à la caisse après la fête du Travail.

— Tu recommences pas tes cours, au moins? J'ai trois enfants et je travaille; je sais bien qu'on court tout le temps. N'ajoute pas des cours à tout le reste, pour rien. Vous n'avez pas besoin de ça pour vivre.

Marie-Andrée respira profondément, contrariée. Décidément, sa sœur entrevoyait toujours l'avenir d'une femme selon les revenus de l'homme qui partageait sa vie. «Suivre des cours, ça m'aidera à gagner ma vie. Et c'est aussi quelque chose que j'aime, figure-toi donc!» Mais comment sa sœur pouvait-elle évaluer ce qu'une formation universitaire pouvait apporter à sa cadette sur le plan professionnel?

– Tant mieux pour toi si tu aimes ton travail, dit-elle à haute voix.

– Qu'est-ce que tu veux dire?

– Que tu as l'air contente de ce que tu fais, c'est tout. C'est toi qui sais ce que tu aimes. Et moi qui sais ce qui me convient.

Elle se pencha vers sa fille et l'embrassa, ayant besoin d'intimité avec celle qui, pour l'instant du moins, semblait l'accepter telle qu'elle était. Émue, elle bécotait les petites joues, et le bout de ses longs cheveux aguicha la petite qui en attrapa brusquement une poignée.

– Aïe! s'exclama-t-elle en grimaçant. Veux-tu me les arracher?

Marie-Andrée riait et geignait parce que les menottes moites tiraient en lui faisant mal. Au lieu d'essayer de défaire les petits doigts crispés (elle avait déjà essayé et cela ne se révélait pas si facile), la maman lui présenta plutôt un bout de ruban rose vif de l'un de ses cadeaux de baptême qui traînait sur la table de chevet. Les yeux de l'enfant se fixèrent instantanément sur l'objet de couleur vive et les petits doigts s'ouvrirent pour se tendre plutôt vers le ruban, libérant ainsi les longs cheveux maternels.

– Ouais, ça se prend vite, le tour d'être mère…, l'encouragea Françoise en lui apportant une assiette bien garnie.

Louise se pencha et prit l'enfant qui avait fini de boire.

– Ah… ça me manque de tenir un bébé dans mes bras, dit-elle avec attendrissement.

Mais ses gestes étaient hésitants. Était-il possible que des gestes aussi familiers doivent être réappris? Elle allait quitter la chambre quand sa sœur lui rappela, par précaution :

— N'oublie pas son rot.

Elle l'avait oublié et s'en voulut.

— Bien oui, bien oui, marmonna-t-elle, prise en défaut.

Le soir, en se mettant au lit, Marie-Andrée aborda le sujet de la maison, reprochant à Ghislain d'avoir lancé une telle rumeur. Il nia cette affirmation.

— Ce n'est pas une rumeur, c'est vrai.

— Quoi?

— Mais c'est toi qui voulais une maison! T'es pas contente?

— Oui, avoua-t-elle, oui, bien sûr, mais… un projet de cette envergure-là, ça se décide à deux, il me semble!

— T'en veux une, oui ou non?

— Oui, mais plus tard. Comment veux-tu que je finisse mes cours aux HEC, si je suis en banlieue?

— Tes cours, tes cours, bougonna-t-il, irrité, on dirait qu'il n'y a que ça qui compte, tes maudits cours! Puis moi, j'ai le droit de vivre, moi aussi.

Elle reçut cette colère comme une gifle. C'était la première fois qu'il exprimait sa colère contre ses cours à haute voix. «Du moins devant moi…», rectifia-t-elle tout à coup comme si elle venait de se rendre compte d'une évidence.

Elle se rappela que, dès le début, il l'avait silencieusement désapprouvée. Pourtant, elle lui avait annoncé sa décision d'entreprendre des études avant même qu'il ne lui propose de vivre ensemble. Mais il avait cru, et le lui avait d'ailleurs dit, un jour, que le fait de commencer leur vie à deux lui ferait oublier ses projets de cours aux HEC.

À cette époque, Marie-Andrée, qui avait longtemps espéré et attendu qu'il s'engage envers elle, avait été étonnée de son revirement subit. Tentée de tout laisser tomber pour vivre enfin avec lui, mais devenue prudente après la séparation de Françoise et de Jean-Yves, elle avait jugé plus sage de ne pas trop attendre de lui. Il voulait vivre avec elle, là, maintenant, dans l'instant présent, mais il pouvait tout aussi bien changer d'avis dans six mois ou un an.

En fait, elle avait cru qu'il n'était pas très favorable à ses études parce qu'il se souciait d'elle. Il lui rappelait sa mère qui trouvait toujours qu'elle en faisait trop, oubliant qu'à son âge elle était déjà mère de famille. Petit à petit, difficilement parce qu'elle ne voulait pas y croire, elle avait commencé à se demander s'il se sentait diminué parce que sa compagne suivait des cours universitaires. À son corps défendant, elle avait été obligée de constater que cela en avait tout l'air. Elle avait donc évité de lui parler des connaissances qu'elle acquérait, même si elles l'enthousiasmaient souvent, ou encore des professeurs, dont certains assez connus, qui lui enseignaient.

Elle n'en avait apprécié Françoise que davantage, cette amie avec qui elle pouvait échanger sans arrière-pensée sur tous les sujets et qu'elle voyait de temps en temps, le temps d'un dîner à la sauvette, la semaine, quand Françoise venait à Montréal remettre des traductions terminées et chercher de nouveaux textes.

Marie-Andrée reconnaissait que, contrairement à sa crainte du début, Ghislain et elle étaient encore ensemble trois ans plus tard, et avaient même fait un enfant. Quant à ses cours, oui, il avait raison : c'était beaucoup de travail, et c'était très exigeant. Mais devait-elle pour autant abandonner ses études quand elle avait déjà réussi les deux tiers du certificat?

Et maintenant, de but en blanc, il parlait d'aller vivre en banlieue. Fatiguée des émotions de cette journée significative où son bébé avait officiellement et légalement reçu un nom, elle ne pouvait réprimer une certaine excitation à la pensée de vivre dans une maison à eux, d'avoir un jardin où cultiver quelques fleurs, de voir un autre horizon que ces nouveaux immeubles d'appartements de tous côtés, même s'ils étaient cachés progressivement par les érables dont la ramure augmentait d'une année à l'autre.

— Une maison, ce serait merveilleux! admit-elle finalement. Mais quand j'aurai fini mes cours, par exemple; ça me ferait trop de voyagement maintenant. Et il y a la petite. On a trouvé une gardienne fiable à deux rues; on devrait se compter chanceux. Ailleurs, est-ce que ce sera aussi facile?

— On ne va pas commencer à s'empêcher de vivre parce qu'on a un enfant! répliqua-t-il.

Le reflet de la lampe caressa ses cheveux roux qui rutilèrent; la jeune femme revit la tête rousse de Ghislain à Paris, baignée dans la lumière des vitraux de l'église Saint-Séverin. Comme il était indépendant ce jour-là! «Il l'est resté…», réalisa-t-elle. Elle se revit là-bas et sourit. «Moi aussi, j'étais indépendante.» Puis elle s'interrogea. «Est-ce que je le suis encore?»

Elle se sentit fatiguée tout à coup. La journée avait été bien remplie, et si Françoise et Louise n'avaient pas insisté pour laver et ranger toute la vaisselle avant de partir, tout traînerait encore sur le comptoir. Elle savoura le bonheur d'être en congé de maternité pour trois semaines encore, ce qui la ramena au sevrage qu'elle avait entrepris. Le bébé buvait déjà un biberon par jour, qu'elle avait finalement accepté après deux jours de protestations, exprimées sous la forme de pleurs et de cris jusqu'à l'exaspération de la mère et de la fille. Ghislain, qui s'était senti exclu des soins à donner au bébé en raison de l'allaitement, pourrait donc bientôt participer et faire boire sa fille. Mais ce soir, dans son berceau, l'enfant exigeait d'être prise dans des bras rassurants même si elle buvait au biberon. Marie-Andrée ne supporta plus de l'entendre pleurer, la sentant abandonnée dans sa couchette. Elle se leva, la berça, finit par lui donner le sein et l'enfant s'endormit une fois rassasiée.

Quand elle revint au lit, Ghislain l'attira contre lui pour lui faire l'amour. Elle accepta passivement, le cœur n'y étant pas, d'autant plus qu'il avait rechigné en enfilant un condom pour éviter une grossesse inopportune.

— Il me semblait que l'allaitement empêchait une grossesse !

— En principe, oui, mais on ne peut pas prendre de risques, et je ne peux pas reprendre la pilule tant que je vais allaiter. C'est si compliqué que ça, mettre un condom ? soupira-t-elle, déçue de sentir son propre désir s'effriter.

— Je pourrais me faire vasectomiser, comme Yvon, tant qu'à y être ! lança-t-il avec une pointe

271

d'arrogance en se glissant sous les draps une fois le condom installé.

– Hein? Yvon s'est fait vasectomiser?

– Ta sœur Louise veut pas prendre la pilule, il paraît.

– La contraception, c'est autant la responsabilité de l'homme que celle de la femme, rappela-t-elle.

– On sait bien, vous, les femmes, vous pouvez bien en parler de la vasectomie : c'est pas vous autres qui vous faites mutiler!

– Mutiler?

Marie-Andrée éclata de rire.

– Mutiler? Comme elles sont fragiles, ces petites bêtes-là…, le taquina-t-elle en lui chatouillant les parties génitales. On voit bien que vous, les hommes, vous savez pas ce que c'est d'accoucher!

Avant que son désir ne la déserte tout à fait, elle colla son corps contre celui de Ghislain, pour goûter le plaisir de redevenir une femme, une amante, dans une intimité retrouvée.

Elle s'assoupit en admettant avoir demandé plusieurs fois qu'ils fassent un enfant et que si Ghislain avait fini par le lui proposer, c'était sans doute pour lui faire plaisir. Conséquemment, n'était-ce pas normal qu'elle en fasse plus? Mais la responsabilité parentale lui pesa à nouveau lourdement sur les épaules et un vent de panique balaya tout son raisonnement, imbriquant dans son cerveau le bébé, la maison, son travail, les cours et un conjoint. Et Ghislain, lui, qu'avait-il? Son travail et une conjointe. Et une fille dont il ne s'occupait à peu près pas.

Elle se tourna rageusement, puis changea d'idée et revint s'allonger contre lui, comme pour quêter un peu de la force tranquille de celui qui dormait déjà. La hâte de reprendre le travail l'absorba tout entière. « Il est temps que je sorte de la maison. »

La veille de son retour au travail arriva enfin. Marie-Andrée n'en avait presque pas dormi les deux dernières nuits, à la fois fébrile, inquiète et heureuse, ayant appris tout récemment qu'elle avait enfin obtenu la promotion tant attendue. Dix fois, elle avait vérifié le stock de biberons, de couches et vêtements pour le bébé, le nouveau mobile qu'elle laisserait chez la gardienne et deux ou trois objets que Marie-Ève aimait tripoter de ses petits doigts, dont son écureuil en plastique. Dix fois elle avait changé d'avis quant à sa tenue vestimentaire pour, finalement, revenir à son idée première et suspendre un ensemble neuf au centre de la garde-robe.

— Cette idée de décider la veille ce que tu vas mettre le lendemain ! railla Ghislain.

— Ça gagne du temps. Mais tu peux bien parler, toi. C'est facile pour vous autres, les hommes. Un pantalon et une chemise avec un chandail ou un veston. Douze mois par année !

— Onze ! précisa-t-il. J'ai des vacances !

Elle s'était finalement endormie au petit matin pour se faire réveiller par la sonnerie stridente habituelle mais qui la concernait directement, cette fois. Elle retint Ghislain contre elle quelques minutes pour se donner du courage.

— Faut que j'y aille, dit-il en bâillant. On a un séminaire de formation aujourd'hui. Pour une fois que la routine change, je ne vais pas arriver en retard.

À son tour, elle enclencha son nouveau quotidien. Elle se leva et s'activa : il fallait faire la toilette de

Marie-Ève, lui mettre une couche propre, la revêtir d'un pyjama neuf, lui donner le biberon. L'enfant, bien réveillée, ne s'endormait plus aussi rapidement après avoir bu et elle jouait avec ses mains, bien en sécurité dans son petit siège incliné, au beau milieu de la table.

— As-tu repassé ma chemise verte? cria Ghislain de la chambre.

— Si elle n'est pas dans la garde-robe, c'est qu'elle n'est pas repassée.

— C'est celle-là que je voulais mettre ce matin.

— T'en as quinze! s'impatienta Marie-Andrée, énervée par sa nouvelle routine matinale.

Elle se dépêcha de prendre sa douche avant lui pour avoir le temps de se préparer. Elle voulait retourner dans son milieu de travail en paraissant à son meilleur, habillée de neuf et bien maquillée. Mais elle n'avait plus le temps que pour un maquillage élémentaire et elle faillit oublier de mettre des boucles d'oreilles. Pendant ce temps, le père déjeuna seul à seule avec sa fille pour la première fois, aussi étonnés l'un que l'autre. Dans son énervement, Marie-Andrée oublia presque de déjeuner à son tour et avala en vitesse le café et les deux rôties que Ghislain lui avait préparées en même temps que les siennes et qui étaient maintenant froides.

Ils partirent chacun de leur côté, lui en métro et elle en auto puisqu'elle devait aller conduire l'enfant chez sa gardienne avant d'aller travailler. Celle-ci ne demeurait qu'à deux rues, mais comme la jeune mère partait équipée comme pour une fin de semaine, il lui fallait un véhicule.

Dans la frénésie de ce matin de retour au travail, Marie-Andrée était si préoccupée de penser aux mille petits détails, pour elle et pour sa fille, qu'elle réalisa seulement en montant les quatre marches du perron et en sonnant à la porte chez la gardienne que, dans quelques instants, elle allait quitter sa fille pour une journée entière, pour la première fois. Le cœur lui manqua. Quelle sorte de mère était-elle pour abandonner ainsi son bien le plus précieux, pendant une journée, entre les bras de quelqu'un qu'elle connaissait à peine?

Après avoir consulté le journal du quartier, la jeune mère avait pris contact avec quelques personnes qui gardaient des enfants à la maison. Malheureusement, aucune ne pouvait accueillir un autre poupon, mais l'une d'elles avait suggéré sa tante, veuve depuis quelques mois. Celle-ci avait finalement accepté de tenter l'expérience sur les conseils de sa nièce et elle commençait donc son travail à domicile avec la petite Marie-Ève Duranceau-Brodeur. Elle pensait accepter d'autres enfants si l'aventure se révélait heureuse.

La porte s'ouvrit et Marie-Andrée serait restée là, l'enfant dans ses bras, empêtrée dans les sacs de couches et de vêtements, si madame Thibodeau, une femme courte et rondelette, dans la quarantaine avancée, ne lui avait doucement retiré le bébé des bras.

— Donnez-la-moi, vous devez avoir des affaires à rentrer.

— Oui, oui, bien sûr, bredouilla la maman qui retourna à l'auto tant pour maîtriser son émotion que pour en rapporter des jouets.

Quand elle revint avec le stock, elle entendit sa fille qui pleurait à fendre l'âme et, du coup, elle en aurait fait autant. Mais la gardienne ne semblait

275

nullement impressionnée par les pleurs stridents de l'enfant. Elle précéda la jeune maman dans le corridor et parla joyeusement à l'enfant, d'un ton égal et rassurant.

— Bien oui, mon petit trésor ne connaît pas encore ma maison. C'est pour ça que tu pleures. Regarde. Ça, c'est un mur. Ça, c'est une porte : la porte du salon. Tu veux aller voir ? Viens, on va y aller. Oh, la belle couleur ! Ça te plaît ?

À la grande surprise de la maman, le bébé s'arrêta de pleurer. Madame Thibodeau regarda la mère qui ne se décidait pas à partir.

— Je vous garde aussi ? demanda-t-elle en riant. Ça va être plus cher.

Marie-Andrée se ressaisit et alla spontanément embrasser sa fille et lui dire au revoir. En entendant sa voix, la petite se remit à pleurer. Madame Thibodeau eut pitié de la jolie maman aux longs cheveux bruns, à mi-dos, et qui était si élégante dans un ensemble pantalon rouge automne. Elle lui envia sa jeunesse, mais la plaignit d'assumer ses multiples rôles.

— Allez-y ! lui suggéra-t-elle en haussant la voix pour couvrir les pleurs de l'enfant. Ça va bien aller ! Inquiétez-vous pas.

La maman se retourna encore une fois sur le seuil, indécise, et madame Thibodeau lui fit signe de partir. Elle referma la porte derrière elle et les pleurs diminuèrent. Marie-Andrée se précipita dans l'auto pour ne pas revenir chercher sa fille. Une fois assise, elle posa sa tête sur le volant, bouleversée. Elle se trouvait sans cœur d'être aussi soulagée de partir, et aussi parce qu'elle avait hâte de reprendre le travail après quatre mois d'absence. Quand l'auto démarra, elle

eut la sensation de commencer une autre vie cons-
tituée de cette nouvelle routine.

À la caisse, tout était pareil et tout avait
changé. Elle retrouva les caissières : la sérieuse
Gisèle, Micheline aux cheveux d'ébène, Fernande,
qui rêvait maintenant de sa retraite, et aussi Mireille,
qui avait remplacé Manon dont le mari avait été muté
l'an dernier, et une nouvelle, Justine, qui dévisagea
celle qu'elle ne connaissait pas encore. Il y eut aussi
l'ouverture de la chambre forte par le comptable et
la caissière principale ; c'était Carmen, toujours aussi
petite et boulotte, qui assumait maintenant cette fonction, comme on en avait informé Marie-Andrée par
téléphone le vendredi précédent. Ne sachant trop
où diriger ses pas, excitée par la promotion tant
attendue, Marie-Andrée recevait les salutations de
ses compagnes de travail, heureuses de la revoir.
Micheline la trouva élégante, ce qui la rassura quant
aux effets de la maternité sur le corps.

Monsieur Langelier, le gérant, qui semblait ré-
concilié avec sa presbytie et portait maintenant ses
petites lunettes sans trop de dépit, l'amena dans son
bureau pour régler les détails de sa nouvelle fonction.
L'augmentation était intéressante, mais son salaire
n'en demeurait pas moins presque dérisoire, comparé
à celui de Ghislain, fonctionnaire au ministère fédéral
du Revenu. Quoi qu'il en soit, le salaire de Marie-
Andrée augmentait par rapport à celui qu'elle avait
auparavant. Ensuite, Xavier, l'agent de crédit qui
quittait la caisse sous peu, la reçut dans le bureau
qui, dans une semaine, deviendrait celui de sa remplaçante. Marie-Andrée jeta un coup d'œil de propriétaire à ce qui serait bientôt son domaine. C'était

la première fois depuis qu'elle travaillait, c'est-à-dire depuis douze ans, qu'elle aurait son bureau à elle.

La journée de travail commença. Sa nouvelle fonction d'agent de crédit comprenait les conseils de placements à donner aux sociétaires et elle eut une formation intensive à ce sujet. L'autre partie de son travail consistait à mener des entrevues lorsque des gens faisaient une demande d'emprunt hypothécaire ou personnel (pour acheter une auto, des meubles, faire un voyage, entreprendre des études, etc.) On lui montra comment élaborer le bilan du client (actif et passif), comment effectuer une demande d'informations auprès du Bureau de crédit et des employeurs, au besoin, et, finalement, sur quels critères recommander le prêt ou non à la commission de crédit.

Ravie et fière de la promotion tant convoitée, elle se concentra pour comprendre et retenir toutes les étapes de son nouveau travail. Mais elle devait lutter contre un sentiment pénible de mauvaise conscience. Quelle importance ces procédures financières pouvaient-elles avoir en comparaison du miracle quotidien d'un enfant qui s'éveille au monde? Elle se plongea dans les détails techniques avec d'autant plus de concentration que c'était la seule façon d'oublier que sa fille pleurait quand elle l'avait quittée, qu'elle pleurait peut-être encore après tout ce temps et qu'elle en serait peut-être traumatisée toute sa vie, comme pouvait le laisser croire le livre de psychologie populaire à la mode qu'elle avait lu récemment presque religieusement et qui affirmait que toute la personnalité de l'enfant se construisait avant six ans.

Au dîner, elle n'y tint plus et téléphona. Tout allait bien, Marie-Ève dormait. «Épuisée d'avoir tant pleuré, peut-être», imagina-t-elle avec remords. Carmen la réconforta et lui demanda des photos de la petite, qu'elle montra en dissimulant de son mieux son sentiment de culpabilité. Les photos firent le tour des caissières, ce qui lui permit de connaître Suzanne, la nouvelle caissière qui l'avait remplacée à son guichet et qui devenait permanente. Finalement, elle eut tout juste le temps d'aller manger au restaurant du coin, mais pas assez pour prendre un bon café.

À la fin de l'après-midi, elle avait absorbé cent formalités, assisté à une demande de prêt hypothécaire et complété un dossier de placement à terme.

Quand elle monta les quatre marches du perron du logement de la gardienne, elle était épuisée, madame Thibodeau aussi et Marie-Ève dormait à poings fermés, en souriant.

— On va s'habituer, l'encouragea la gardienne.

Et elles en rirent toutes les deux.

À quelque temps de là, un soir, Marie-Andrée achevait de donner le bain au bébé qui gazouillait et n'en finissait pas de l'éclabousser de petits coups de pied dans l'eau. Elle se hâtait, déjà fatiguée mais voulant consacrer au moins une heure à ses études, quand, en enveloppant l'enfant dans une flanelle chaude, elle arrêta brusquement son geste. Il lui avait semblé, l'espace d'une seconde, que l'enfant la regardait… Ce n'était pas seulement *voir* dans le sens d'avoir une vision normale; c'était bien plus que cela. C'était… *regarder*!

Interdite, la maman avait continué à prodiguer les soins au bébé plus lentement, plus précautionneusement, peut-être. Mais l'éclair ne s'était pas reproduit.

« J'ai dû imaginer ça ! » se dit-elle en couchant le bébé dans son petit lit avec une caresse à la petite tête rousse, et en rapprochant le mobile que l'enfant appréciait même si elle jouait autant avec ses mains qu'avec le mobile. Elle éteignit le plafonnier et alluma la lampe sur son bureau de travail, contre le mur opposé au lit du bébé, et se mit à travailler silencieusement.

Malgré le poids de sa journée, elle réussit finalement à s'absorber dans une situation fictive de conflits interpersonnels au travail. Elle était en train de rédiger les enjeux et les hypothèses de solution quand elle jeta, par réflexe, un coup d'œil à l'enfant. Soudain, elle se figea. Dans la lumière diffuse, l'enfant obsevait sa mère…

Le cœur de Marie-Andrée se gonfla d'une émotion indescriptible. Dans le petit lit, un bébé de trois mois, son bébé, sa fille, la fixait intensément. Elle se leva doucement et s'approcha pour confirmer, se confirmer, qu'elle ne rêvait pas. Leurs regards se fondirent l'un dans l'autre. La maman n'avait pas rêvé. Sa fille la regardait et lui adressa un sourire bouleversant. Un instant de pur bonheur…

– Tu me regardes ? C'est bien vrai ? balbutia-t-elle avec émotion.

Marie-Andrée se sentit nue jusque dans son âme et se voulut, pour sa fille, une mère d'amour et de tendresse.

Ce n'était plus un bébé qui se trouvait dans le lit d'enfant ; c'était la petite Marie-Ève, un être humain, au même titre que ses deux parents adultes.

8

— Tu crois? insista la jeune mère au bord de la panique. T'es vraiment sûre?

— Pour moi, elle perce une dent, conclut Élise, réveillée à trois heures du matin.

— Mais elle a dix mois! Elle en a déjà percé, des dents, et elle n'a jamais fait de fièvre!

— C'est différent d'une dent à l'autre et d'un bébé à l'autre, expliqua patiemment sa belle-sœur en bâillant. Une dent qui pousse, ça perce la gencive. C'est normal que le bébé souffre; il salive beaucoup aussi. Est-ce que Marie-Ève bave beaucoup? Est-ce qu'elle a les joues rouges? As-tu passé ton doigt sur ses gencives? Tu sentirais bien s'il y avait une dent qui poussait.

Rassurée par les paroles d'expérience d'Élise, Marie-Andrée alla voir. Marie-Ève, fiévreuse, chignait et mordillait rageusement son petit écureuil en plastique. Tous les symptômes y étaient, y compris la salive qui dégoulina sur le doigt de la maman. Ce n'était qu'une dent qui poussait.

— Tu lui donnes quoi, à Pierre-Luc, quand il fait de la fièvre?

— Rien! répondit Élise, indignée. Je ne vais pas commencer à droguer mes enfants à quelques mois!

— Au moins, je sais que ce n'est pas une maladie, dit son interlocutrice maintenant mal à l'aise de l'avoir dérangée pour si peu. Heureusement que je t'ai parlé ; ça nous évite d'aller à l'urgence.

— À l'urgence pour une dent ? T'as pas fini si tu commences ça. Bon, je peux me recoucher maintenant ? demanda-t-elle en bâillant.

Marie-Andrée réalisa l'heure qu'il était, s'excusa deux fois plutôt qu'une, et la remercia de tout cœur. Elle raccrocha, réconfortée par la pertinence des avis et conseils de sa jeune belle-sœur qui, après une grande insécurité due au deuil, avait pris beaucoup d'assurance durant la dernière année. Mais, dans ses bras, le bébé gémissait toujours sous l'emprise de la fièvre. La maman se résolut à lui donner au moins une goutte d'un analgésique pour enfants, la trouvant si pitoyable de tant souffrir dans son petit corps de dix mois.

— Je te l'avais dit, aussi, que tu t'énervais pour rien, commenta Ghislain en bâillant. Viens te coucher.

— Je ne pourrai pas dormir.

— Amène-la avec nous autres, grogna-t-il. Non, on ne l'étouffera pas, ajouta-t-il avant d'entendre cette objection pour la dixième fois.

Le lendemain matin, il était évident que Marie-Ève allait à peine mieux et qu'elle aurait mal et se lamenterait toute la journée dans des accès de colère contre cette souffrance dans sa bouche. Marie-Andrée ne pouvait pas la conduire chez madame Thibodeau dans un tel état. Ghislain ne se sentit pas plus concerné cette fois-ci que les autres fois où une situation analogue s'était produite, alléguant qu'il ne connaissait rien aux maladies d'enfant et que, de toute façon, le rôle d'un homme n'était-il pas d'aller travailler ?

— Travailler ? Je travaille aussi ! protesta-t-elle.

— Oui, mais moi je gagne trois fois plus que toi!

— Et alors? fit-elle, humiliée. Les hommes gagnent plus que les femmes : on le sait! C'est déjà assez injuste de même sans que tu me nargues avec ça!

— En plus, je viens de changer de niveau. Depuis que je suis PM3, je suis chef d'équipe, au cas où tu l'aurais oublié. Une dizaine de personnes à gérer, ça ne se fait pas en restant à la maison. Si je commence à prendre des journées de maladie pour garder la petite, qu'est-ce que tu penses qui va arriver? Tu choisis mal ton moment pour me faire manquer des journées d'ouvrage.

— *Je* choisis? Et j'ai décidé que Marie-Ève serait malade ce matin, je suppose?

— C'est pas la même chose, répliqua Ghislain, sincère, en la regardant d'un air étonné. C'est toi, la mère.

Il l'embrassa sur la joue et alla prendre sa douche. Pour la nième fois depuis la naissance de leur fille, le père rejetait sur ses épaules la responsabilité des soins à donner à cette enfant et, en sous-entendu, de sa naissance. Oui, elle l'avait souhaitée souvent, demandée, même. Mais c'était lui qui avait pris la décision et qui, en plus, avait choisi le moment, qui n'était pas le meilleur pour Marie-Andrée. Et ce matin, une fois de plus, elle devenait l'unique responsable.

Après une nuit d'inquiétude rognée sur le sommeil, elle n'arrivait pas à démêler ses émotions. Éprouvait-elle surtout de l'humiliation parce que son temps et son travail à la caisse étaient si peu considérés? Ou de la déception en constatant, jour après jour, que l'homme qu'elle aimait ne comprenait pas son rôle de père et ne s'en souciait pas? Ou de l'accablement à force de se faire remettre toute la responsabilité de leur fille entre les bras? Une autre émotion, de la colère indignée cette fois, s'ajouta aux autres.

Ghislain avait dit qu'il ne pouvait pas *garder* la petite. «La *garder*! Est-ce que je *garde* ma fille, moi? J'en prends soin! Et lui, il se prend pour qui? Pour un *baby-sitter* ou le père?» L'inégalité des responsabilités parentales entre eux lui apparut brusquement si évidente qu'elle refusa de poursuivre sa réflexion sur sa situation personnelle immédiate et la transféra sur les revendications féministes, souvent radicales, dont on parlait abondamment dans les médias ces années-ci. Les féministes décriaient les inégalités salariales et une répartition injuste des tâches domestiques et des responsabilités parentales.

Marie-Andrée n'avait même pas le temps de lire, dans les journaux et les revues, les articles traitant de ce sujet: elle était dans le feu de l'action. «Je vis ce qui est écrit, si je comprends bien!» Dans son cas, les solutions lui échappaient. Elle n'avait jamais de répit pour s'asseoir pour y penser. «Diane a raison de tant râler: les femmes ne sont pas les seuls parents des enfants qu'elles mettent au monde.»

Puis, le sentiment de culpabilité repoussa tout le reste. Elle pouvait bien critiquer Ghislain et son manque de sens des responsabilités; quelle sorte de mère était-elle donc pour se soucier, ce matin, d'autre chose que de la santé de sa fille? La porte de la culpabilité étant ouverte, un deuxième motif se profila. La jeune femme soupira en pensant aux sociétaires qui se pointeraient peut-être à la caisse aujourd'hui pour consulter l'agent de crédit et qui s'en retourneraient bredouilles puisqu'elle n'était pas à son poste. Par des remarques des sociétaires, elle savait à quel point certaines et certains d'entre eux étaient anxieux de demander un prêt. À cause d'elle, quelques personnes allaient peut-être passer la fin de semaine stressée. Elle se secoua. « Je ne fais que monter le dossier ; je ne décide pas. Les clients n'auraient pas eu de réponse aujourd'hui de toute façon », conclut-elle pour se donner bonne conscience.

Ghislain sortit de la douche et asséchait ses cheveux avec une serviette, quand il lui suggéra de bonne foi l'idée qui venait de lui traverser l'esprit.

– Tu devrais t'organiser pour avoir une gardienne de rechange, qui viendrait à la maison. Comme ça, tu ne serais pas obligée de t'absenter de ton travail.

– M'organiser ? répliqua-t-elle, blessée de cette critique injustifiée. On est deux parents, il me semble ! Et la gardienne de rechange, comme tu dis, elle va faire quoi les trois cent soixante-quatre autres jours de l'année ? Attendre que je l'appelle ? C'est vrai que le temps des femmes, c'est loin d'être précieux et important comme celui des hommes !

Marie-Ève se remit à pleurer, la fièvre et la douleur l'incommodant. Sa mère alla la chercher et revint la bercer au salon, regrettant de ne pouvoir prendre sa souffrance à sa place. « C'est tellement petit pour souffrir… Peut-être que ça fait partie de la vie, aussi, soupira-t-elle, de souffrir pour grandir. » Elle essuya doucement les petits cheveux roux de sa fille, baignés de sueur. L'enfant, réconfortée par les bras maternels, se calma, un peu. Marie-Andrée la cajolait, essayait de lui faire oublier sa souffrance.

«Un homme ne pourrait jamais prendre soin d'un bébé comme les femmes savent le faire…», dut-elle admettre, ne sachant s'il y avait lieu de s'en féliciter ou de s'en attrister.

«Pourquoi les femmes ont-elles tant de choix à faire?» songea-t-elle tristement. Les femmes portaient les enfants, avec tout ce que cela comportait de bouleversements physiques, de malaises, de souffrances à l'accouchement. Était-ce normal qu'en plus, une fois l'enfant né, elles en soient les seules responsables? Il lui vint pour la première fois à l'idée que les femmes portaient la continuation du monde sur leurs épaules. L'humanité continuait à exister d'abord et avant tout parce que les femmes voulaient des enfants, parfois ou souvent contre le désir de leur conjoint, ensuite parce qu'elles les mettaient au monde et, finalement, parce qu'elles les protégeaient, les soignaient, les aimaient, pour tout dire.

La fameuse désinvolture de Ghislain ne suscitait plus, chez elle, l'admiration béate du début de leur relation. «Il y a des moments pour la désinvolture et d'autres moments pour la responsabilité», osa-t-elle formuler. Quand il partit travailler à l'heure habituelle, Ghislain lui lança gentiment :

— Profites-en pour te reposer. T'as fini ton dernier examen de l'année mardi; ça ne te fera pas de tort de dormir à ton aise. Bye!

Se reposer? Arriver à se détendre, à se relaxer entre les tâches qui l'attendaient? Surveiller la température de sa fille, la changer, la laver, la bercer, essayer de la nourrir, la consoler, la distraire! Et supporter qu'elle souffre! «Il en a de bonnes, lui! Me reposer, mon œil!» Elle finit par coucher sa fille avec elle dans le grand lit, s'efforçant, difficilement, de rester éveillée après sa nuit sans sommeil pour téléphoner à la caisse vers neuf heures trente pour prévenir de son absence. Elle téléphona même avant, au cas où quelqu'un serait déjà arrivé, mais la sonnerie retentit en vain. Malgré sa vigilance, elle s'assoupit pour se réveiller en sursaut à dix heures vingt.

Son cerveau venait de lui rappeler qu'elle avait un rendez-vous à dix heures et demie pour annoncer à Rosaire Trépanier, un sociétaire dans la cinquantaine au caractère ombrageux qui en imposait à plus d'un, que la caisse ne lui octroyait pas le prêt demandé. La veille, les trois personnes qui siégeaient à la commission de crédit s'étaient réunies, comme d'habitude, le jeudi à dix-huit heures. Devant eux et Gervais Langelier, le gérant, Marie-Andrée, à titre d'agent de crédit, avait présenté, comme chaque semaine, les demandes d'emprunt qu'elle avait préparées dans la semaine. Dans un cas, elle avait même dû effectuer une vérification auprès des deux employeurs précédents de l'emprunteur. Finalement, elle avait conclu avec sa recommandation d'acceptation ou de refus, à la lumière des informations recueillies. Selon les dossiers, il y avait acceptation à l'unanimité ou demandes d'éclaircissements ou même un débat, parfois difficile.

Cela avait été le cas la veille quand elle avait soumis le dossier de Rosaire Trépanier et, finalement, après une discussion interminable entre les trois commissaires, il avait été décidé que sa demande d'emprunt était refusée.

Marie-Andrée, qui avait consulté sa montre trois fois, en espérant que la gardienne serait patiente, avait pris note de la décision de la commission de crédit avec un peu d'appréhension. Le sociétaire attendait son prêt avec tant d'impatience qu'il avait déjà pris rendez-vous avec elle pour le lendemain, le vendredi matin, à dix heures trente.

— Ne t'en fais pas, lui avait dit le gérant en riant, Trépanier parle fort mais il ne mord pas.

Ce matin, Marie-Andrée venait de réaliser qu'elle devait appeler monsieur Langelier pour lui demander de rencontrer le sociétaire ombrageux à sa place. Elle s'énerva. « J'y suis pour rien, mais je vais avoir l'air de celle qui lui refile une job désagréable ! » Impuissante, elle se sentait perdante sur tous les aspects. Fatiguée et stressée, elle exagéra les conséquences de la situation. Le gérant croirait qu'il ne pouvait pas se fier à elle. Ghislain avait raison : elle gagnait moins que lui et elle n'améliorerait pas ses conditions salariales en s'absentant de son poste. En bout de ligne, elle était une mauvaise mère de ne pas se soucier exclusivement de la santé de sa fille.

Perturbée comme elle l'était, elle demanda avec une telle nervosité au gérant de recevoir monsieur Trépanier qu'il ne put qu'en conclure ce qu'elle voulait éviter à tout prix.

— C'est vrai que c'est un client difficile ; je vais m'en occuper, répondit-il d'un ton contrarié.

Son employée perdit pied et voulut se justifier.

— C'est pas ça du tout : ma fille a fait de la fièvre toute la nuit ! On a même pensé aller à l'urgence. Elle perce des dents et je ne peux pas l'amener malade comme ça chez la gardienne !

— Ah oui ? Je te plains ! dit spontanément monsieur Langelier avec compassion. Quand mon dernier-né a eu ses prémolaires, on a failli aller à l'urgence, nous autres aussi; il en a même fait une gastroentérite. À côté de ça, rencontrer Trépanier, c'est de la routine. Oublie ça, je vais m'en occuper.

Elle raccrocha, épuisée, et se rendormit, sa fille couchée près d'elle dans le grand lit.

Elles dormaient profondément quand la sonnerie de la porte les réveilla toutes les deux. Tenant dans ses bras le bébé qui criait, encore en robe de chambre à cette heure tardive, Marie-Andrée reçut un bouquet de fleurs de la part de Ghislain. «*Aux deux femmes que j'aime*», lut-elle dans la carte. Émue, elle perdit tout ressentiment. «Je ne suis pas parfaite et lui non plus! C'est bête, mais c'est comme ça.»

– T'es bien arrangée avec deux parents comme nous! dit-elle à sa fille en l'embrassant sur ses deux petites joues rougies par la poussée des dents.

Finalement, elle réussit à se fricoter un dîner vers une heure et se mourait de faim quand, sur le point d'avaler la première bouchée de son sandwich vite fait, ce fut le téléphone qui retentit.

– C'est Diane!

Elle pleurait et sa sœur décela des accents de colère plus que de peine.

– Il n'a pas le droit! criait-elle. Il n'a pas le droit!

La nouvelle laissa Marie-Andrée bouche bée. Son père avait rencontré une femme aux réunions de l'association de l'âge d'or. «Qu'est-ce qu'il fait là? s'étonna-t-elle. Maman n'a jamais réussi à l'y amener et maintenant, il…» La situation lui apparut dans toute sa réalité. «Mon père a une blonde. Mon père?» Cela lui semblait si invraisemblable qu'elle faillit en rire. Au bout du fil, par contre, Diane ne riait pas : elle pleurait d'indignation, de peine et de colère entremêlées.

— Je me sacrifie pour lui et c'est tout ce qu'il trouve à faire! Remplacer maman!

Marie-Andrée ne riait plus. Comment son père pouvait-il faire une chose pareille moins d'un an après son veuvage? Elle en eut mal pour sa mère, comme si c'était la trahir, la faire mourir une seconde fois.

— Prends pas ça de même, conseilla-t-elle pourtant à sa sœur. C'est peut-être… juste pour se désennuyer, pour passer le temps.

— Passer le temps? Juste avec elle, oui. Il nous a même dit, à Gilbert et à moi, qu'on pourrait partir quand on le voudrait avec le bébé. Une manière détournée de dire que René le dérange!

Curieusement, Marie-Andrée avait l'impression d'entendre sa mère. Cette sorte de colère non nommée, lancée en tous sens, dite à ceux qui n'étaient pas concernés, oui, cela ressemblait aux mauvais côtés d'Éva. «Maman n'avait jamais rien étudié en psychologie et elle ne se comprenait pas elle-même. Mais Diane, elle est enseignante, elle a étudié, elle devrait essayer de comprendre, il me semble!» Cette fois, la cadette n'eut pas envie de consoler qui que ce soit. Elle avait son quota de stress. Et elle avait faim, terriblement faim.

— Diane, je ne peux pas te parler plus longtemps. Je te rappelle, O.K.?

— Mais il faut qu'on se parle! Il faut faire quelque chose!

Marie-Andrée ne se sentait aucunement concernée par les problèmes de son père d'autant plus que, vraisemblablement, il n'en avait pas, de problèmes. C'étaient les problèmes de qui, alors? De Diane? «C'est pas de ses affaires ni des miennes.»

— Je te rappellerai quand je pourrai.

— Ce soir?

— Euh… oui, c'est ça, c'est ça. Bon, il faut que je te laisse. Bye!

En raccrochant, elle réalisa que sa sœur ne s'était même pas étonnée de la trouver à la maison, un vendredi après-midi. «Elle a ses problèmes et moi, j'ai les miens, dont elle ne se soucie pas une miette. Ça me suffit pour aujourd'hui.»

En avalant son sandwich, l'oreille tendue pour entendre tout gémissement du bébé, elle repensa à sa sœur. «Elle a accouché en septembre; elle devrait être remise depuis longtemps, il me semble. René a sept mois déjà! En tout cas, elle était énervée pour vrai, l'Africaine.» Ce surnom venu spontanément à son esprit l'amusa, puis elle comprit par quel détour son cerveau le lui avait amené. «Ouais, s'ils quittent la maison de Valbois, peut-être que Gilbert va vouloir repartir en Afrique… Méchantes discussions avec Diane en perspective!» soupçonna-t-elle.

Au fur et à mesure qu'elle avalait son repas et se détendait, elle commença à revenir à la réalité quotidienne. Le ménage à faire, entre autres. Elle l'avait négligé les deux fins de semaine précédentes, plongée dans la préparation de son dernier examen de la session et les soins à donner à sa fille. Mais la poussière l'avait patiemment attendue. Et elle ne se laissait pas oublier. Marie-Andrée promena son regard sur les meubles, les bibelots et ses trois plantes qui jaillissaient des jardinières en macramé, serties de billes de bois vernies, qu'Élise lui avait tressées. « Elle a du temps, elle… », pensa-t-elle en soupirant. Les plantes semblaient nettement manquer d'eau, surtout la plante araignée dont les stolons s'étiolaient depuis quelque temps. « Faudrait que je change le terreau », se dit-elle.

Libérée de ses cours jusqu'en septembre, avant d'entreprendre ses deux dernières sessions, elle comptait en profiter pour accomplir les mille et une petites tâches domestiques : ranger les vêtements d'hiver, acheter de nouveaux vêtements pour le bébé qui les usait à se traîner partout, dégager son coin bureau pour l'été, renouveler sa propre garde-robe, puisque l'été dernier, nouvelle accouchée, elle n'avait eu ni le temps ni le goût d'acheter des vêtements qui seraient de toute façon devenus trop grands quelques mois plus tard. Ragaillardie, elle décida de vaquer à ses travaux domestiques : elle commençait par passer l'aspirateur. Mais elle y renonça vite : elle n'allait surtout pas risquer de déranger sa fille qui ne faisait presque plus de fièvre et qui, enfin, dormait plus paisiblement.

Elle changea alors ses plans du tout au tout et s'offrit le luxe d'un bain, un long bain, luttant contre la mauvaise conscience de s'accorder du temps pour fêter la fin de ses cours, les nouvelles dents de Marie-Ève et, pourquoi pas… une soirée d'amoureux pour se sentir une femme ? Pas une mère, pas un agent de crédit, pas une ménagère, mais une femme ! Totalement ! Égoïstement !

— Tu devrais rester à la maison tous les vendredis, lui murmura Ghislain après l'amour. Ça commencerait bien les fins de semaine, tu trouves pas ?

Elle s'étira longuement, comblée par l'orgasme qu'elle ressentait différemment depuis son accouchement, comblée par le temps qu'elle s'était donné, qu'ils s'étaient donné. Puis elle se blottit dans ses bras, alanguie, voulant continuer de goûter ce bien-être qui l'habitait dans le silence de l'appartement paisible où, dans l'autre chambre, l'enfant dormait profondément après plus de vingt-quatre heures de souffrances.

Un bras replié sous sa tête, l'autre entourant les épaules nues de Marie-Andrée, Ghislain l'informa qu'il irait tôt, le lendemain matin, faire provision de vins et de boissons.

— Pourquoi? Tu veux te soûler en fin de semaine? demanda-t-elle en riant.

— Je ne veux pas risquer d'en manquer; à huit, on va sans doute boire pas mal.

— Comment ça, huit personnes? s'exclama-t-elle en se dégageant de son bras. Quand ça?

— Ah, je ne te l'avais pas dit? fit-il d'un air étonné. On reçoit mes *chums* du bureau demain soir.

— Quoi? s'écria-t-elle en se redressant brusquement. Demain soir? répéta-t-elle avec une colère mêlée de panique.

— C'est quoi, le problème? s'exclama Ghislain en donnant des coups dans son oreiller. Ils seront seulement six; il n'y a rien là! Tu reçois bien ta *gang* de la campagne! Pourquoi c'est un drame de recevoir ma *gang* du bureau?

Marie-Andrée se laissa retomber sur le lit et s'abria jusque par-dessus la tête comme pour se couper de la réalité. Pour une fois qu'elle avait un samedi pour elle... «Recevoir ses collègues à souper! C'est pas

293

vrai ! » Elle avait terminé son certificat mardi et son sprint final lui avait demandé toutes ses énergies. Depuis la fin de l'examen, elle rêvait de ce premier samedi ordinaire qui, pour elle, avait des allures de vacances : elle ferait l'épicerie, le ménage, passerait la journée avec Ghislain et leur fille. Le rêve, quoi ! Et elle apprenait qu'elle devrait, le lendemain, faire un tour de magie : mettre deux journées en une ! Et elle était sans doute la dernière informée. « C'est tellement normal pour lui que je fasse tout qu'il n'a même pas pris la peine de m'avertir. »

— Mais à quoi t'as pensé ? se plaignit-elle.

— En voilà une question ! À fêter ma promotion ! On n'a plus de vie sociale depuis que t'es devenue enceinte !

Le reproche était si mesquin qu'elle ne sut que répondre, profondément blessée. Non seulement n'avait-il pas souffert pendant ces neuf mois, mais, en plus, il lui en voulait d'avoir eu une vie sociale moins remplie. Devant son silence, Ghislain crut son argument accepté et il renchérit :

— Toi, tu reçois bien tes amies ? Est-ce que je te fais une crise, moi ?

— Non, mais je te le dis d'avance, précisa-t-elle d'une voix triste. Je ne t'arrive pas avec ça à la dernière minute.

Il la regarda, sincèrement déconcerté.

— T'aurais mieux aimé que je t'en parle quand tu préparais ton maudit examen ?

Marie-Andrée répliqua, furieuse :

— Ah ! parce que tu le sais depuis tout ce temps-là ?

— Réponds ! lança-t-il avec aigreur. Aurais-tu vraiment préféré que je t'en parle la semaine passée ?

«NON! Ce que j'aurais aimé, c'est que tu me laisses souffler un samedi. Un seul samedi, c'était trop demander, ça, peut-être? Fêter la semaine prochaine, ç'aurait été la catastrophe, peut-être?» Elle rejeta les draps et alla s'enfermer dans la salle de bains pour se calmer sous la douche.

L'eau giclait sur sa tête et Marie-Andrée sentait sa colère se diluer petit à petit dans l'eau chaude qui l'enveloppait dans une bruine apaisante. «Si je refuse, il est capable de claquer la porte et de ne revenir que demain...» Son cœur se serra. Il l'avait déjà fait; il pouvait le faire encore. Et lui reprocher une fois de plus de s'occuper de tout le monde, c'est-à-dire de Marie-Ève, de tout, c'est-à-dire de ses études, de tout sauf de lui et de son besoin d'espace. Elle avait le choix, bien sûr, mais quel choix? Concocter un souper pour huit personnes à la dernière minute ou le savoir ailleurs cette nuit!

Elle examina son corps sur lequel l'eau continuait à gicler. Elle allait avoir vingt-huit ans; son corps était encore ferme, son poids, à peine différent d'avant la grossesse, sa poitrine, ronde, ses cheveux, longs et soyeux. Elle passa ses mains dans son visage qu'elle savait charmant, encore plus épanoui depuis la naissance de sa fille. Elle le savait par les regards de certains sociétaires qui ne la regardaient plus de la même façon. Alors pourquoi doutait-elle à ce point de pouvoir retenir Ghislain près d'elle? Pourquoi craignait-elle tant que l'homme qu'elle aimait trouve une autre femme plus intéressante qu'elle?

— Pourquoi tu t'en fais avec ça maintenant? avait-il rétorqué, quelques mois auparavant quand elle lui avait manifesté son désaccord à son retour d'une escapade. Une baise d'un soir, avait-il ajouté, tu le sais que ça ne change rien entre nous. On faisait comme ça quand on s'est connus; tu ne trouvais rien à redire dans ce temps-là! Compte-toi chanceuse : je ne te demande pas de vivre dans une commune, je ne change pas de femme chaque soir, quand même! C'est avec toi que je vis. C'est toi que j'aime. Pourquoi changes-tu d'attitude aujourd'hui?

— Parce que c'est plus pareil, maintenant, avait-elle avoué.

— Comment ça?

— Eh bien... on a un enfant, on...

— Ah! s'était-il écrié avec un regard trahi. C'était pour ça que tu voulais un enfant? Pour me garder à toi toute seule?

— Quoi? C'est toi qui as décidé d'en avoir un! Et tu ne voulais même pas attendre que j'aie fini mes cours! Si je n'avais pas été enceinte, je les aurais finis, justement, mes cours!

Elle avait crié si fort qu'elle avait réalisé tout à coup que la petite pouvait entendre; un jour, en entendant une phrase de ce genre, sa fille penserait peut-être que l'un de ses parents ne la désirait pas et, pire encore, elle croirait peut-être que c'était sa mère.

— Ne mêle pas Marie-Ève à ça! avait-elle ajouté en dissimulant son émotion, soucieuse de ne pas montrer sa vulnérabilité.

— Alors arrête de brimer ma liberté.

— Je brime ta liberté? Moi?

— Oui, toi. J'ai besoin d'aller voir ailleurs de temps en temps, je suis de même. Tu le sais! Tu m'as connu comme ça et tu m'as pris comme ça. On n'est plus au Moyen Âge ni dans les années cinquante, Marie-Andrée Duranceau! On est dans les années soixante-dix! T'es contente que les femmes ne soient plus considérées comme la propriété des hommes? Ben c'est pareil pour nous autres. Les hommes ne sont pas la propriété des femmes non plus.

Il l'avait prise dans ses bras.

– Marie-Andrée, j'ai pas changé, moi. Tu m'as aimé de même; pourquoi tu changes les règles du jeu, aujourd'hui? Aimerais-tu ça que je te retienne prisonnière, que je t'empêche d'aller ailleurs?

– Ah bon! Parce que ça ne te ferait rien que j'aille voir ailleurs à mon tour?

– Au moins, tu me sacrerais patience avec ça! avait-il grogné dans une demi-boutade. Avoue-le donc que tu ne tolérerais pas que je touche à ta liberté!

La liberté… Ce soir, sous la douche, Marie-Andrée ne savait plus quoi penser. «Si j'avais vraiment envie, un jour, d'aller voir ailleurs, est-ce que j'accepterais qu'il m'en empêche?» Elle ne savait plus. Le souvenir de Patrice remonta en elle. Aurait-elle accepté, le soir où ils avaient fait l'amour, que Ghislain le lui interdise? «On ne sortait même pas vraiment ensemble!» se dit-elle en glissant ses mains dans sa longue chevelure pour en extraire l'eau. «Je suis toute mêlée!» s'avoua-t-elle.

– C'est Diane, au téléphone, vint lui dire Ghislain. Tu devais l'appeler, il paraît.

– Ah non! Je l'avais oubliée, grogna-t-elle en fermant le robinet à regret.

– Ta sœur est sur le gros nerf! Qu'est-ce qui se passe?

– C'est papa, dit-elle en enfilant son peignoir. Il paraît qu'il a une blonde, ajouta-t-elle en enroulant ses cheveux dans une serviette.

– Une blonde? répéta-t-il, incrédule. Déjà? Eh bien, il ne perd pas de temps, Raymond, dit-il en gloussant.

– Lui, au moins, il attend que sa femme soit morte, lui décocha-t-elle avec colère en passant devant lui sans le regarder. Oui, Diane, dit-elle en prenant le récepteur, je suis là… Ben non, c'est pas contre toi que papa fait ça…

Elle se laissa choir dans le fauteuil et se revit, s'armant de patience quand sa mère lui téléphonait pour se plaindre de tout et de rien. Cette seconde évocation de sa mère dans la même journée lui ramena une nostalgie poignante. Pour ne pas y céder, elle prêta une attention compatissante aux propos de sa sœur.

Diane était encore plus survoltée que l'après-midi. Elle sortait, la rage au cœur, d'une dispute orageuse avec Gilbert et avait décidé de partir pour la fin de semaine, question de réfléchir loin de Valbois.

– Réfléchir à quoi?

Diane ne pouvait plus supporter qu'Yvonne Sansoucy se pavane aux côtés de son père et, avait-elle insisté – ce qui avait fait exploser la situation familiale tendue –, elle n'allait certainement pas être sa servante au dîner de dimanche auquel Raymond Duranceau l'avait invitée. Marie-Andrée ne savait que penser. Son père en était-il déjà là? D'un autre côté, il était veuf, donc il était libre.

Elle n'eut pas le loisir de poursuivre sa réflexion parce que Diane l'informait d'une situation encore plus alarmante selon elle. Gilbert ne trouvait rien de répréhensible à la conduite de son beau-père et il l'avait clairement exprimé à sa femme, avec fermeté et contrariété.

— Il est veuf. Il est chez lui. Il peut faire ce qu'il veut! Non, mais tu te rends compte?

Elle se sentait trahie, rien de moins. Incapable de rester une journée de plus sous le même toit que ces deux hommes qu'elle qualifiait de *machos*, elle venait de prendre la décision de quitter Valbois.

— Tu vas aller où? demanda innocemment sa sœur, estomaquée.

Un silence se fit. Marie-Andrée comprit et carbura à toute vitesse pour trouver une solution et les mots pour la formuler.

— Écoute, Diane, ça me ferait plaisir de te dépanner, tu le sais. Mais cette fin de semaine-ci, pour être franche avec toi, c'est un peu compliqué. Marie-Ève a fait beaucoup de fièvre la nuit dernière, et demain soir on reçoit à souper. Je ne pense pas que j'aurais le temps de m'occuper de toi comme je le voudrais.

Et elle ajouta malencontreusement :

— Si c'était une urgence, c'est sûr que...

— Une urgence? rugit sa sœur. C'est pas assez une urgence pour toi? Qu'est-ce qu'il te faut?

— Calme-toi, dit marie-Andrée en s'énervant à son tour. T'es fatiguée, mais ton côté rationnel va reprendre le dessus et...

— Laisse faire! coupa sèchement Diane. Je ne te dérangerai pas plus longtemps! dit-elle en lui raccrochant la ligne au nez.

Pour la troisième fois ce jour-là, Marie-Andrée se rappela une situation analogue avec sa mère quand celle-ci était contrariée que sa fille ne partage pas son point de vue sur un sujet ou un autre. La présence – et l'absence – de sa mère s'imposa au point d'en devenir presque palpable. La jeune femme se sentit si profondément abandonnée qu'elle se leva brusquement pour ne pas se laisser aller à un débordement d'émotion. Le vrombissement du séchoir et les mouvements saccadés de la brosse dans ses longs cheveux la ramenèrent à la réalité et elle repoussa sa peine, une fois de plus.

Tôt le lendemain matin, Marie-Ève se réveilla en grande forme, arborant deux nouvelles dents à sa gencive. La fièvre avait disparu, tout aussi vite qu'elle l'avait-elle terrassée. Marie-Andrée n'eut d'autre choix que de se lever et, une fois les travaux planifiés, elle insista pour que Ghislain passe l'aspirateur immédiatement après le déjeuner, précisant :

– La petite ne peut pas se traîner dans un appartement sale de même et l'aspirateur doit être passé avant l'époussetage.

– C'est pas si sale, maugréa-t-il.

– Pas sale? Une soue à cochons, oui. Pas question de recevoir des gens dans un appartement dans un état pareil!

Il ronchonna mais se débarrassa de cette corvée qu'il détestait. De toute façon, il était encore trop tôt pour aller acheter du vin.

Marie-Andrée n'arrivait pas à déterminer le menu. La fondue bourguignonne, elle commençait à en avoir assez. Des brochettes, comme elle avait vu Françoise en préparer, auraient été délicieuses, mais elle n'était pas équipée pour les préparer. Une pièce de viande, bœuf ou jambon, lui semblait convenir plus à un repas de famille qu'à un repas entre amis. Finalement, elle opta pour une fondue chinoise; cela commençait à être à la mode et avait l'avantage de contenir moins de gras. Elle ajouta à la liste qu'elle préparait pour Ghislain des fromages et du pain croûté. Aucune idée ne lui venait pour l'entrée.

– Des escargots à l'ail? suggéra Ghislain.

– Ça fait années soixante. Pour le dessert, va à la pâtisserie. J'ai pas le temps de préparer quelque chose.

Ghislain partit faire les courses; il aurait fait n'importe quoi plutôt que le ménage. Marie-Andrée astiqua tout l'avant-midi et réussit à faire quatre brassées de lavage, de séchage, puis à plier et à ranger le tout, mais elle renonça au repassage avec l'enfant qui bousculait tout au fur et à mesure que sa mère rangeait. La petite avait encore ouvert les armoires du bas dans la cuisine et avait fait dégringoler les casseroles. Elle s'était aussi enfermée dans la garde-robe, quand sa mère cherchait quels vêtements porter au souper et avait hurlé de peur.

Vers dix-huit heures, le bébé était en pleine forme, déjà lavé et en pyjama, l'appartement était propre, le minibar que Ghislain avait installé dans un vieux coffre posé à la verticale débordait de vins et de boissons diverses, incluant des apéritifs et des digestifs. Le repas était prêt et les bouteilles de vin s'alignaient sagement sur le comptoir. Ghislain rayonnait, et Marie-Andrée était complètement fourbue.

– Tu vois bien qu'il n'y avait rien là, lui glissat-il en l'embrassant langoureusement. T'es super organisée.

Il se recula et la détailla du regard en lui disant d'un ton nerveux :

– Cette jupe-là, ça date un peu, tu ne trouves pas?

Cette remarque acheva la jeune femme.

– Je voulais justement magasiner aujourd'hui, figure-toi donc!

– Ben, ce ne sera pas demain non plus, les magasins sont fermés, le dimanche.

Maintenant incertaine de son choix vestimentaire, elle voulut se changer, mais le premier couple arrivait. Marie-Andrée n'avait jamais vraiment remarqué que Hugo était aussi trapu avant de le voir entrer avec Jacinthe, une grande femme à l'allure sportive, qui était enseignante. Ils formaient un couple visuellement mal assorti; cependant, du point de vue de leurs idées socialistes et leur engagement dans leur syndicat respectif, ils étaient parfaitement bien assortis. En cette soirée fraîche du début de mai, la grande Jacinthe portait un chemisier et une longue jupe indienne qui faisait début des années soixante-dix. L'hôtesse respira de soulagement : sa jupe longue, droite et fendue sur le côté, faisait plus chic et plus mode, quoi qu'en dise Ghislain.

À peine les apéritifs servis, le deuxième couple se pointa. L'hôtesse ne connaissait ces gens que par des commentaires de Ghislain. Il s'agissait Rolande, une collègue chef d'équipe comme lui, au service des renseignements à la clientèle, et de son mari, Jean-Claude. Marie-Andrée n'en crut pas ses yeux : la femme était petite et boulotte, maquillée comme pour le cinéma, et portait un pantalon sur lequel retombait un chemisier si ample qu'il avait l'air d'un poncho. Rolande cherchait ainsi à dissimuler des rondeurs plus qu'apparentes. Était-ce vraiment là la femme qu'elle craignait chaque fois que Ghislain en parlait?

Elle se moqua d'elle-même. «Franchement, tu frises la paranoïa, ma vieille!»

Par ailleurs, la conversation de Rolande était si vive, si enjouée, qu'elle comprit l'engouement de Ghislain pour elle; la personnalité de sa collègue devait correspondre à sa propre désinvolture naturelle, et il n'y avait sans doute pas d'attirance sexuelle entre eux. Du moins, elle choisit de le croire. Bien pris et costaud, le mari prenait beaucoup de place, à tous points de vue. Marie-Andrée, qui surveillait sa fille du coin de l'œil, s'amusa de la voir agripper fermement son pantalon et s'en servir pour se lever lentement et sûrement sur ses jambes de plus en plus solides.

— Elle va aimer les hommes, celle-là! dit Jean-Claude en essayant de dissimuler son inquiétude pour son pantalon que les petites mains humides froissaient.

— Comme sa mère, répliqua Ghislain d'un ton macho, tournant ainsi le compliment à son avantage.

— T'aimerais mieux qu'elle soit aux femmes? demanda Rolande en s'esclaffant.

Marie-Ève fit ensuite une crise de timidité et refusa tous les bras sauf ceux de sa mère, se mettant carrément à pleurer chaque fois que quelqu'un lui tendait les bras, la regardait ou lui parlait. Et pourtant, cette petite tête volontaire aux fins cheveux roux était si mignonne que les aures femmes auraient bien voulu prendre l'enfant, surtout Martine, l'épouse de Gilles, le troisième invité, qui venait d'arriver. Le père était déçu de sa progéniture.

— Elle ne fait pas ça d'habitude…

Puis ce fut la kyrielle de «non». Non, elle ne voulait pas être déposée au sol; non, elle ne voulait pas ses jouets; non, elle ne voulait pas manger; non elle ne voulait pas s'asseoir avec un album sur ses genoux; non, elle ne voulait pas rester seule au salon. Contrarié, Ghislain l'installa finalement sur le tapis devant la télé, qu'il ouvrit sans mettre le son, et l'enfant resta assise, les yeux rivés sur l'appareil.

– C'est pas une émission pour enfants, protesta la mère.

– Ça va l'endormir! répondit le père en espérant que ce serait le cas.

Profitant de cette accalmie, ils passèrent à table. Le troisième couple refroidissait cependant l'ambiance. Gilles avait été le supérieur hiérarchique de Ghislain et de Rolande, et ces derniers semblaient bien décidés à l'impressionner, ce qui avait plutôt l'air de le laisser complètement indifférent. Marie-Andrée n'avait pas souvent vu son conjoint dans une attitude de subalterne et ne savait trop si elle devait s'en amuser ou l'épauler. Quant à la femme de Gilles, Martine, grande et élancée, elle ne pouvait s'empêcher de jeter des coups d'œil furtifs à Rolande, comme pour se rassurer sur le fait qu'elle était la plus élégante et la plus féminine des quatre femmes autour de la table.

Ils finissaient l'entrée au caviar, une idée de Ghislain, quand Marie-Ève, qui s'était hissée sur un pouf après dix minutes d'efforts acharnés, tomba dans un boum inquiétant suivi de hurlements de douleur et de colère qui couvrirent les voix animées des convives.

– C'est fini! C'est fini! lui dit Marie-Andrée en la promenant pour le consoler. Maman est là.

Ghislain la regarda, contrarié de ces pleurs stridents, et elle s'enferma dans la chambre du bébé, avec l'envie d'y rester toute la soirée pour laisser son charmant compagnon se débrouiller avec les invités. Elle réussit cependant à coucher la petite qui tombait de sommeil après sa nuit mouvementée et s'endormit en cinq minutes. L'hôtesse revint à table en pleine discussion.

– Le PQ a déjà commencé à tout changer! disait Hugo, s'enflammant. Déjà, depuis son élection en novembre, on n'est plus gouvernés de la même façon.

– T'as bien raison, répliqua Gilles, qui avait atteint le même échelon hiérarchique que lui, mais au service du recouvrement des impôts. C'est pire que tout ce qu'on a connu.

– T'es vraiment de mauvaise foi. Ce gouvernement-là gère avec une tout autre idée que le fédéral : favoriser l'autonomie!

– Attends qu'ils soient quelques années au pouvoir. Ils feront bien comme les autres.

– Ah bon! Comme ça, t'admets que *les autres*, comme tu dis, gouvernent pour eux-mêmes et non pas pour le bien des citoyens?

Le vin coulait largement. La discussion s'échauffa. Marie-Andrée, fatiguée, suivait la conversation sans trop s'y mêler. Comme bien d'autres, elle avait suivi, de loin, la victoire du nouveau parti en novembre 1976. Son père n'en était pas encore revenu. Non seulement y avait-il désormais, officiellement, un parti autre que libéral, conservateur ou créditiste, mais il était au pouvoir! Marie-Andrée n'était pas très politisée mais elle avait tout de même été étonnée, elle aussi, de constater que l'ordre des choses pouvait être modifiée, somme toute aussi rapidement, même s'il s'agissait du gouvernement.

Mais elle le réalisait aujourd'hui, elle avait vécu ce fait historique de loin, d'une certaine façon, complètement absorbée par sa maternité et une nouvelle routine quotidienne difficile à assumer. «J'ai pas fait de politique mais, en 1976, j'ai mis au monde un enfant de plus au Québec, comme Élise et comme Diane», se dit-elle en revenant à la réalité du souper qu'elle avait préparé pour les collègues de Ghislain et en promenant un regard las autour de la table. Martine, s'avoua-t-elle soudain en se dépréciant, était d'une telle élégance qu'elle se sentait pauvrement accoutrée à côté d'elle; elle lui envia son assurance et sa féminité jusqu'aux bouts des ongles.

Soudain, celle-ci se leva de table et lui demanda discrètement de l'accompagner à la salle de bains.

— T'aurais pas une serviette? murmura-t-elle nerveusement, les larmes aux yeux. Mes règles étaient pas prévues. J'ai rien apporté avec moi.

— Bien sûr, la rassura Marie-Andrée.

Debout près d'elle, Martine paraissait encore plus grande. Deux grosses larmes coulèrent sur les joues savamment maquillées et la femme joignit ses mains sur son nez, comme pour essayer de se contrôler.

— Ne t'en fais pas, il n'y a pas de taches de sang sur ta robe.

L'autre fondit en larmes.

— C'est pas ça… J'étais tellement certaine d'être enceinte ce mois-ci.

Marie-Andrée entendit les invités réclamer le dessert en riant et Ghislain l'appeler.

— Vas-y, dit Martine en se mouchant. Ils vont se poser des questions.

Mais elle la retint un instant.

– Tu ne connais pas ta chance d'avoir un beau bébé comme ta petite. On dirait un petit soleil avec ses petits cheveux roux.

Elles se regardèrent et Marie-Andrée fut payée de ses peines.

Au café, l'hôtesse s'assit enfin pour de bon, libérée de son stress; les invités avaient bien mangé et bien bu et tout le monde semblait satisfait. Elle était une bonne hôtesse, une bonne cuisinière et Ghislain semblait fier d'elle. La fatigue lui tomba sur les épaules d'un coup. Elle n'avait plus qu'une envie : aller se coucher et dormir! Elle ferma les yeux un instant et les rouvrit soudain; il lui semblait que quelqu'un lui parlait.

– Qu'est-ce que tu fais comme travail? lui redemanda Jacinthe.

– Agent de crédit dans une caisse, répondit-elle sobrement, n'ayant plus l'énergie d'entreprendre une conversation à cette heure avancée.

– Tu travailles dans l'argent à cœur de jour? commenta l'autre avec une pointe de mépris. Moi, j'aime mieux travailler avec les enfants. Au moins, ça sert à quelque chose.

Marie-Andrée, piquée, répliqua aussitôt.

– Conseiller les gens, les aider à épargner, c'est utile à beaucoup de monde, aussi. Si les femmes se désintéressaient moins de l'argent, elles seraient moins démunies. Moins démunies, elles auraient plus de contrôle sur leur vie.

La syndicaliste et l'agent de crédit se dévisagèrent. «On fait chacune un travail important; descends donc de tes grands chevaux! aurait voulu dire Marie-Andrée. Tu vas bien avec Hugo, toi! Vous êtes deux rêveurs ! » Pour éviter de prononcer des paroles désagréables, elle se tourna vers Ghislain qui semblait en grande conversation avec Martine. Cette dernière avait remis son masque de femme fatale et jetait de la poudre aux yeux à son hôte qui ne perdait pas de vue que son patron suivait attentivement le manège de sa femme, l'obligeant à rester sur ses gardes.

Mine de rien, Gilles rétablit la différence de statut hiérarchique entre eux en parlant abondamment de la maison luxueuse qu'il avait achetée le printemps précédent.

— J'ai eu du flair. Le prix des maisons a quasiment doublé en un an. Les taux d'intérêt commencent à monter aussi. Puis toi, Ghislain, vas-tu élever ta famille ici ?

L'interpellé se raidit.

— On aurait déjà acheté une maison, mais Marie-Andrée n'a pas fini son cours à l'université.

— Ouais, retarder l'achat d'une maison pour terminer des cours et payer ensuite trois, quatre ou cinq pour cent d'intérêt de plus, c'est pas une économie. Tu devrais savoir ça, Marie-Andrée : tu travailles dans une caisse. Vas-tu avoir une promotion en conséquence, au moins ? À l'Impôt, nous autres, on...

— Je ne suis pas inquiète, répliqua-t-elle en le remettant à sa place avec un grand sourire. Ghislain a un bon travail et *un bon boss*, comme dit Yvon Deschamps. Vraiment, je ne m'inquiète pas du tout ! Un autre café ?

Martine la gratifia d'un regard complice et Ghislain comprit que les belles façons de son invitée n'étaient que feintes. Il en perdit son air et resservit un digestif à Hugo.

Quand les invités furent tous partis, Marie-Andrée ressentit comme un suave bonheur le fait de se glisser, enfin, dans les draps pour dormir. Alors quand Ghislain se rapprocha d'elle avec l'idée de faire l'amour, la colère gicla en elle : il n'en était pas question. Il lui avait réquisitionné toute sa journée, il n'était pas question qu'il touche à une seule minute de son sommeil.

— Bonne nuit, lui dit-elle en se retournant.

— Après ça on chiale parce que les hommes vont voir ailleurs, grogna-t-il.

Elle réagit à la menace d'une manière qui l'étonna elle-même.

— C'est ça, vas-y.

Estomaqué de cette réplique, il voulut avoir le dernier mot et ne trouva rien de mieux à dire que :

— Au fait, qu'est-ce qu'elle te voulait Diane, hier soir ?

Le deuil l'envahit d'un coup. Ce qu'elle refoulait consciemment depuis la veille et inconsciemment depuis un an, le manque de sa mère, lui fit si mal qu'elle éclata en sanglots. Sa mère ne serait plus jamais là. Jamais. L'aspect définitif et irréversible de la mort l'acculait à une impuissance insupportable. C'était injuste. Décédée à soixante-huit ans, sa mère n'avait même pas eu le temps de vieillir. Marie-Andrée n'avait pas eu le temps d'apprendre à bien l'aimer, telle qu'elle était, à le lui manifester comme une adulte aimante, une femme complice.

— Je t'ai juste demandé ce que Diane voulait... Qu'est-ce qui se passe avec ta sœur ?

Elle rejeta les couvertures et s'enfuit au salon où elle se recroquevilla dans un coin du sofa et pleura à son aise toutes les larmes qu'elle ne s'était pas permis de verser l'année précédente pour passer à travers la pénible semaine du décès et des funérailles, pour ne pas traumatiser l'enfant qu'elle portait, pour, simplement, moins souffrir... Ce soir, elle pleurait la petite Marie-Andrée qui ne téléphonerait plus jamais à sa mère pour lui parler de tout et de rien.

— Elle n'a jamais vu ma fille! dit-elle en sanglotant dans les bras de Ghislain venu la rejoindre, inquiet de sa réaction inattendue. Ma fille n'a jamais vu sa grand-mère. C'est pas juste : tous les enfants ont une grand-mère!

Ghislain s'assombrit. Sa mère non plus n'avait pas vu sa fille et sa fille ne verrait jamais sa grand-mère paternelle, décédée depuis une dizaine d'années. Marie-Andrée pleurait dans ses bras, elle évacuait le deuil de sa mère à sa manière. «Une manière de femmes», pensa-t-il. Il avait vingt ans quand sa mère était morte d'un cancer, après des mois de souffrances si intenses qu'il avait souvent été incapable d'y faire face, espaçant même ses visites. Il eut une pensée de reconnaissance pour Éva d'avoir évité à sa fille une expérience aussi traumatisante.

— Pleure, pleure, je suis là, murmura-t-il, déconcerté d'un tel chagrin.

Elle sanglotait toujours, inconsolable.

— Je lui ai pas assez dit que je l'aimais. Elle n'avait pas le droit de nous faire ça!

Elle frissonna.

— Viens te coucher, proposa Ghislain en se levant.

Elle leva les yeux vers lui et il la trouva tellement vulnérable, les bras dénudés, transie dans sa chemise de nuit légère, recroquevillée sur le sofa dans la pénombre. Mais elle secoua la tête, obstinée.

– Vas-y, toi.

Elle s'enfonça dans le coin du sofa, lui tournant le dos. Il revint l'envelopper de sa robe de chambre et la laissa seule, comme elle le lui demandait. Elle ne voulait plus que se raccrocher à l'un des derniers moments qu'elle avait vécus avec sa mère, peut-être le plus heureux.

Au début de sa grossesse, elle avait ressenti le besoin de voir sa mère et elle était allée à Valbois, seule, un samedi après-midi. Son père était parti au garage et la mère et la fille s'étaient retrouvées en un tête-à-tête inattendu. La conversation avait été anodine jusqu'au moment où Marie-Andrée avait simplement demandé :

– T'as une nouvelle coupe de cheveux ?

– Ne m'en parle pas ! avait soupiré Éva. Hier je suis allée chez la coiffeuse et j'ai pas été capable de lui dire que j'en voulais pas, de sa nouvelle coupe.

Elle avait regardé sa mère avec étonnement. Celle-ci était plus que désemparée : elle était humiliée. Elle avait ensuite versé le café dans les deux tasses pour s'occuper les mains et le cœur, comme une enfant au bord des larmes.

– Tu aurais pu simplement lui dire que tu voulais la même coupe que d'habitude, avait hasardé sa fille.

– Je sais bien, mais…

– Mais quoi ? C'était toi, la cliente. Si tu ne voulais pas de cette coupe de cheveux, tu n'avais qu'à la refuser.

Elle s'était tue en réalisant que sa mère ne savait que trop avoir été lâche. Être incapable à son âge, une mère et grand-mère, de dire à une jeune coiffeuse de vingt ans qu'elle ne voulait pas que ses propres cheveux soient coupés de telle ou telle façon, ce devait être humiliant. Et doublement humiliant de l'avouer à sa fille!

— Comment ça se fait qu'à mon âge, s'était demandé Éva en larmoyant, je ne suis même pas capable de dire ce que je ne veux pas?

Sa main ridée avait chiffonné la serviette de table. Le jonc qui ornait son doigt depuis une quarantaine d'années avait lui sous le pâle rayon du soleil d'après-midi. En regardant, reconnaissante, cette main qui pendant tant d'années avait besogné pour les autres, Marie-Andrée s'était interrogée : que pouvait-elle faire, à son tour, pour sa mère, aujourd'hui?

— Pour dire ce qu'on veut ou ne veut pas, avait-elle finalement trouvé, il faut peut-être, tout simplement, croire que ce que l'on pense a de l'allure, croire qu'on peut aussi penser différemment des autres.

— Eh bien, ça a l'air que j'ai pas appris ça! avait répliqué vivement sa mère dans une plainte douloureuse.

Les larmes amères de la femme vieillissante étaient tombées dans la tasse de café qui tremblait dans ses mains ridées et mouchetées, et des gouttelettes avaient débordé de la soucoupe. Éva avait déposé sa tasse et sorti un mouchoir de papier de la poche de son tablier.

Marie-Andrée avait été doublement émue de constater qu'elle éprouvait, une génération plus tard, la même difficulté à énoncer clairement et fermement ce qu'elle voulait ou ne voulait pas à Ghislain. Combien de fois n'avait-elle pas osé refuser ou demander quelque chose? Elle avait ressenti un besoin soudain de complicité avec sa mère.

– Dans le fond, avait-elle admis, ce n'est pas si simple de dire ce qu'on veut... Pour ça, il faut croire en soi-même. Et pour croire en nous, il faut que nos parents nous aient dit que c'était possible quand on était petits, et l'aient confirmé par des compliments. Tes parents ne t'ont peut-être jamais dit ça.

– Mes parents? s'était exclamée sa mère dans un cri douloureux. Mon père, complimenter? Il n'ouvrait la bouche que pour faire des reproches, toujours des reproches. Ce qu'on faisait n'était jamais correct! Ma mère, elle, ne reprochait rien, mais ses yeux nous le disaient, quand c'était pas à son goût.

Marie-Andrée en était restée bouche bée. Les griefs que sa mère refoulait depuis cinquante ou soixante ans, ces mêmes griefs, une génération plus tard, sa fille les nourrissait à son égard. «On peut répéter des comportements qu'on n'aime pas sans s'en rendre compte?» constatait Marie-Andrée, effrayée à cette idée. Elle avait été si troublée qu'elle avait préféré revenir à la souffrance de sa mère plutôt que de s'interroger sur elle-même.

– J'ai lu que la confiance en soi, ça vient de loin. Il paraît que, quand les parents ne rassurent pas l'enfant, il ne développe pas sa confiance en lui. Même aujourd'hui, tu n'as pas confiance en toi. C'est peut-être parce que tes parents ne t'ont jamais dit qu'ils t'aimaient et qu'ils étaient fiers de toi.

Éva s'était retournée brusquement vers sa fille, les yeux agrandis par l'émergence soudaine d'une compréhension qui lui brisait le cœur.

– Mais... je vous l'ai jamais dit non plus! s'était-elle écriée en éclatant en sanglots.

Devant tant de chagrins et de regrets, la fille était devenue la mère. Marie-Andrée avait entouré de ses bras les épaules affaissées de la vieille femme qui pleurait son enfance sans mots d'amour, qui pleurait l'enfance de ses enfants sans ses mots d'amour de maman.

– Je vous l'ai jamais dit non plus…, répétait-elle, inconsolable.

Marie-Andrée avait resserré son étreinte, effleurant doucement les cheveux gris. Elle avait constaté qu'elle était devenue un peu plus grande que sa mère qui se tassait avec les ans. Celle-ci lui était apparue comme la petite fille fragile d'autrefois qui avait attendu des paroles de tendresse de ses parents. En vain. Elle avait aussi attendu de telles paroles de la part de ses enfants, mais elle-même n'en avait jamais dit parce qu'elle n'avait jamais appris comment les formuler. Et elle avait tout autant été incapable de recevoir la tendresse lorsqu'on la lui avait exprimée ou manifestée. En cet instant d'abandon, sa fille s'était enfin sentie le droit de ressentir et surtout d'exprimer librement l'amour qu'elle ne demandait qu'à donner à sa mère.

– Tu as fait ce que tu as pu, avec ce que tu avais reçu, lui avait-elle dit tendrement pour la rassurer. Tu nous as donné plus que ce que tu avais reçu et même mieux, j'en suis certaine. Tu ne peux pas t'en de-mander plus.

– Mais ça a eu le même effet sur vous autres? avait demandé Éva, pleurant toujours.

Marie-Andrée ne pouvait nier que cette carence en matière d'approbation maternelle lui nuisait pro-bablement, que ce manque de mots de tendresse ne lui avait pas bâti une confiance en elle solide. Mais elle ne s'octroyait pas le droit, en cet instant, d'aug-menter davantage le désarroi de sa mère.

– Nous autres, avait-elle finalement trouvé à dire, on est plus outillés. On peut lire des livres de psychologie, suivre des thérapies… Et puis, il n'est pas trop tard pour commencer…, avait-elle suggéré, éprouvant soudain un si grand besoin de ces mots d'amour.

– Vous êtes grands, avait gémi Éva. C'est trop tard…

La fille avait enserré doucement le visage de sa mère entre ses mains, embrassant les joues ridées mouillées de larmes.

– Je peux pas parler pour les autres, mais moi, j'ai besoin d'entendre ces mots-là, même maintenant. C'est pas trop tard parce qu'une mère, j'en ai rien qu'une… et c'est toi.

Cet instant avait été unique. Marie-Andrée vivait ce jour-là des moments privilégiés avec sa mère, des moments qu'elle ne croyait plus possibles, qu'elle n'attendait plus. Une telle connivence d'abandon et de tendresse les avait unies l'une à l'autre qu'elle s'était abandonnée, elle aussi, redevenant la petite fille assoiffée de tendresse.

– Maman, dis-moi que tu m'aimes! avait-elle quémandé d'une voix câline.

Sa mère, mal à l'aise, avait souri pour chasser la gêne qui la saisissait chaque fois que le mot *aimer* était prononcé.

– Tu le sais bien…, avait-elle dit en essayant de s'esquiver.

– Peut-être, mais j'ai un trou de mémoire. Je ne m'en souviens pas vraiment. Mes oreilles aimeraient ça te l'entendre dire.

Éva avait ri nerveusement, avait cherché à se dégager de l'étreinte de sa fille. Mais celle-ci l'avait emprisonnée encore davantage dans ses bras et avait à nouveau exprimé sa requête, d'un ton mi-amusé, mi-suppliant.

— Dis-moi que tu m'aimes…

— C'est pas correct de profiter de ta force contre ta mère…, avait-elle dit en souriant et en se débattant un peu. J'ai plus ton âge !

— Bien non : t'es ma mère !

Elles avaient ri ensemble, savourant ces moments comme un baume sur leurs cœurs en attente. Éva avait cherché encore à s'échapper. Marie-Andrée lui avait reprit doucement le visage entre ses deux mains. Moqueuse, elle avait articulé lentement, mais fermement, sa demande.

— Répète après moi. Tu vas voir, la mâchoire ne te craquera pas. Ma-rie-An-drée-je-t'ai-me !

Éva avait pouffé de rire nerveusement. L'étreinte ne s'était pas desserrée d'un centimètre.

— Répète après moi…, avait insisté sa fille. Ma-rie-An-drée-je-t'ai-me !

Éva avait cessé de rire. Marie-Andrée aussi. Un silence s'était cristallisé entre elles. Sa mère arriverait-elle à prononcer des mots aussi simples ? Marie-Andrée avait dégluti de chagrin, mais s'était obstinée comme en une sorte de revanche pour tant de mots non dits depuis tant d'années. Elle s'était obstinée comme pour chasser un mauvais sort. Un tel besoin de ces mots criait en elle ! Puis, elle avait admis que sa mère ne savait peut-être pas comment les employer pour exprimer ses sentiments. Il lui revenait donc de lui tracer le chemin.

— Maman, je t'aime… Beaucoup ! avait-elle murmuré d'une voix douce. T'es ma seule mère. Et j'ai besoin que tu me dises, toi, avec des mots, que tu m'aimes, moi, ta fille…

Éva n'avait pu retenir les larmes qui coulaient de ses yeux. Elle s'était abandonnée dans les bras de sa fille et, dans le creux de son cou, lui avait murmuré entre deux larmes de joie :

– Je t'aime…

Si cela avait été possible, Marie-Andrée aurait voulu que cet instant se prolonge indéfiniment. Près de deux ans plus tard, orpheline, elle se raccrochait à ces moments bénis de tendresse et de complicité. Elle voulait demeurer dans le cocon de cette heure heureuse avec sa mère, refrénant à grand-peine la colère de s'être fait enlever de si belles rencontres à venir dans cette complicité enfin installée.

Sa mère était-elle heureuse maintenant? se demanda-t-elle en se mouchant et en séchant ses yeux, maîtrisant peu à peu l'émotion brutale qui l'avait assaillie tout à l'heure. Sa mère avait-elle déjà été heureuse?

Et elle, avait-elle été une fille aimante? Si ça n'avait pas été le cas, il était trop tard pour y changer quoi que ce soit. Mais aujourd'hui, maintenant, était-elle, pour sa fille, la mère qu'elle aurait tant voulu avoir?

9

– Ils s'en viennent, mes cousins? redemanda Marie-Ève, assise sur la plus haute des cinq marches du perron, les coudes appuyés sur ses genoux, le visage au creux de ses menottes.

La fillette, qui venait d'avoir trois ans, soupira profondément. Comme c'était long, attendre...

Marie-Andrée déposa avec soulagement le lourd pot de géraniums à gauche des marches du perron et recula en se frottant les mains pour les nettoyer. Elle jugea de l'effet, retourna déplacer le pot de quelques centimètres, recula à nouveau, puis se redressa, enfin satisfaite, savourant le plaisir immense d'être véritablement chez elle, pour la première fois de sa vie. Elle essuya son front moite du revers de la main. Le début d'après-midi était déjà très chaud en cette mi-juillet.

– Ils s'en viennent, tes cousins, assura-t-elle à Marie-Ève. Mais ton cousin René vient de loin. Ça prend beaucoup de temps pour arriver.

– Icoumi! dit la fillette en se redressant le dos et en faisant de grands gestes, toute fière de s'en souvenir. C'est loin, loin, loin...

– Chicoutimi, oui, confirma la maman, étonnée que sa fille se souvienne, même imparfaitement, du nom de la ville. (Puis elle lui fit une récapitulation pour que l'enfant ne soit pas trop dépaysée par l'arrivée des familles maternelle et paternelle.) Sa maman s'appelle Diane et son papa, Gilbert. Ton cousin René est un peu plus jeune que toi.

– Plus petit? demanda Marie-Ève en plissant le front.

– Franchement, je ne sais pas, répondit la mère, amusée. Plus jeune, ça oui; mais ça ne te dit rien, bien sûr, plus jeune ou moins jeune, lui dit-elle en riant et en prenant le temps de s'asseoir quelques minutes avec elle, regardant avec une fierté légitime sa fille unique, vraiment mignonne.

L'enfant portait, pour cette journée de fête, une petite robe bleu clair avec de minuscules points blancs et cela lui allait à ravir. La couleur de ses cheveux, roux comme ceux de son père, était rehaussée par le bleu de la robe, une couleur que l'enfant aimait beaucoup.

– Ils vont arriver bientôt, mes cousins? redemanda-t-elle pour la dixième fois en autant de minutes.

– Tu te souviens de leurs noms? demanda à son tour la maman en lissant sa longue chevelure brune qui retombait harmonieusement sur sa blouse sans manches, d'un rouge clair qui tranchait avec le blanc de son short.

La fillette se redressa, tout excitée.

– Pierre-Luc!

– Et sa grande sœur? Et sa maman?

Elle ne savait plus.

– Geneviève et tante Élise, souffla sa maman. Et son ami, il s'appelle… comment déjà? Ah oui, Hubert!

– Et le bébé? demanda soudain l'enfant avec de grands yeux. Il va jouer avec moi?

– Il est trop petit, celui-là ; il a seulement deux mois. Il s'appelle Martin. Sa maman, c'est Françoise et son papa, c'est Patrice.

– Et ton papa à toi, c'est qui ? demanda Ghislain en les rejoignant et en soulevant la fillette dans ses bras au-dessus de lui.

Le cœur de Marie-Andrée s'emplit de joie et de bonheur à la vue des deux têtes rousses qui brillaient l'une contre l'autre dans le soleil d'été. Quelle belle journée pour pendre la crémaillère : au printemps, ils avaient en effet emménagé dans cette maison.

– Vas-tu te baigner avec tes cousins ? demanda le père en déposant la petite sur les genoux de sa mère.

– Oui, répondit-elle le plus sérieusement du monde avec un petit hochement de tête. Mais pas avec ma robe, ajouta-t-elle en la lissant de ses petites mains.

– Ni sans qu'on soit là, lui rappela sa mère.

– Ophie, elle va se baigner aussi ?

– Non, elle est trop petite, expliqua son père.

– Monique va venir, finalement ?

– Heureusement ! Sinon il n'y en aurait eu que pour les Duranceau. Ma sœur Monique, son mari et la petite Sophie, ça fera au moins trois Brodeur.

– Petitclerc ! rectifia moqueusement Marie-Andrée en faisant allusion au fait que sa belle-sœur Monique, même si les femmes mariées avaient maintenant le choix de garder leur nom de famille, avait allègrement troqué le sien contre celui de son mari, Gaétan Petitclerc. Petitclerc, insista-t-elle en riant.

– C'est pas toi qui prendrais mon nom, susurra Ghislain, mi-déçu, mi-amusé.

Ils se regardèrent. Elle éclata de rire et lui caressa discrètement la cuisse.

– Tu as mon cœur… mon corps…, lui chuchotat-elle langoureusement en remontant sa main le long du corps de son homme jusqu'à la moustache qu'il portait depuis deux ans et qu'elle tira d'un coup sec en disant : Mais mon nom, je le garde!

Dans la rue paisible, aucun visiteur ne se pointait encore. Aussi impatiente que sa fille et voulant contrer sa fébrilité, même si elle ne s'était accordé que cinq minutes de répit depuis le matin pour tout préparer, elle décida de rentrer vérifier une dernière fois si tout était prêt pour le souper. Un klaxon retentit à trois ou quatre reprises et la retint sur place. De loin, la petite Geneviève agitait la main pour saluer sa tante préférée. «Enfin!» pensèrent en même temps la mère et la fille.

À en juger par son entrée précautionneuse dans l'allée, le fameux Hubert devait être très fier de sa Volvo familiale. Il se gara derrière les deux autos de ses hôtes, et les portières s'ouvrirent aussitôt. Geneviève sortit en trombe pour aller embrasser sa tante mais, tombant sous le charme de sa cousine si mignonne, elle courut d'abord vers l'enfant.

– Allô, Marie-Ève!

Déjà âgée de six ans, la petite Geneviève au front buté et au nez retroussé allait commencer sa première année scolaire en septembre; c'était d'ailleurs en l'inscrivant à l'école du village qu'Élise avait rencontré Hubert, un enseignant au début de la trentaine. De taille moyenne, mince, les cheveux au cou, noirs, et le visage allongé par une barbe étroite finement taillée, il semblait avoir un regard observateur toujours en alerte. Élise et lui se voyaient depuis quelques mois seulement et c'était la première fois qu'elle le présentait aux Duranceau.

Le nouveau venu se sentit observé à son tour par la belle-famille de sa copine, mais d'emblée il trouva ces gens sympathiques et ce fut réciproque. Bien qu'ayant quatre mois de plus que sa cousine, Pierre-Luc paraissait du même âge qu'elle parce qu'il était de la même taille. Marie-Ève, encore trop petite pour dévaler l'escalier d'une traite, descendit une marche à la fois, tenant Geneviève par la main. Une fois en bas, sans regarder personne d'autre, elle prit la main de son cousin et l'entraîna, par la gauche, vers l'arrière de la maison.

— J'ai installé des balançoires et une barboteuse, annonça Ghislain.

— As-tu apporté les maillots des petits? demanda Marie-Andrée.

— La barboteuse est déjà remplie? s'inquiéta Élise.

— Oui, pour que l'eau ait le temps de se réchauffer au soleil.

— Mon doux, il faut aller les surveiller, s'exclama-t-elle en cherchant des yeux où déposer le cadeau qu'elle tenait dans ses mains.

— Exagère pas, Élise! Il y a deux pouces d'eau! lança Ghislain.

— J'y vais, maman, dit Geneviève en embrassant rapidement sa tante avant de courir rejoindre les deux petits.

— Oui, vas-y, accepta Élise en se détendant. Tenez, c'est pour votre nouvelle maison, dit-elle fièrement.

Marie-Andrée déballa quatre napperons beige et vert.

— J'ai choisi ces couleurs-là pour que les napperons aillent avec les murs de ta cuisine, ajouta Élise. Tu m'avais dit qu'il y avait des tons de vert.

– Tu les as tissés toi-même? s'exclama sa belle-sœur. Tu te débrouilles si bien que ça avec ton métier à tisser?

– Elle a même fait une grande nappe, précisa Hubert. C'est long à monter, un grand ouvrage, sur le métier.

– Il le sait, il m'a aidé, dit tendrement la jeune femme qui semblait revivre depuis qu'elle était amoureuse. Alors, c'est ça, votre maison? dit-elle ensuite en regardant la demeure un peu comme son beau-frère l'avait fait, quatre ans auparavant, dans le cas de la vieille maison de campagne.

Ghislain, qui avait manifestement changé d'avis sur le fait d'être propriétaire, se rengorgea comme un paon et détailla sa maison pour la centième fois. C'était un bungalow jumelé d'une douzaine d'années, sans étage, en briques gris pâle. Les entrées des deux maisons étaient accessibles par cinq marches. Le rez-de-chaussée ainsi surélevé permettait une meilleure fenestration au demi-sous-sol. De chaque côté des portes d'entrée, de grandes fenêtres panoramiques éclairaient la façade. Leur portion des demeures jumelées était celle de gauche.

Un sentier de dalles de ciment gris conduisait, vers la droite, de l'entrée d'auto au perron et, vers la gauche, à l'arrière de la maison d'où provenaient des cris de joie des trois enfants. À part l'entrée d'auto, tout le terrain était en pelouse. Les deux petits arbres, un lilas et un érable de Boston aux feuilles vert et blanc, semblaient perdus au milieu de cet espace délimité par une clôture en forme de L, partant de la rue jusqu'à l'arrière de la maison et bifurquant vers la droite, sans doute pour rejoindre la clôture de l'autre maison. L'arrière de toutes les maisons de ce côté-ci de la rue donnait sur un boisé de feuillus d'une dizaine de mètres de hauteur.

— Comme ça, t'es pris pour tondre? commenta Élise d'un ton amusé. Finalement, l'expérience que t'as prise chez moi te sert aujourd'hui!

À cette évocation de l'été 1975, il y avait quatre ans à peine, Marie-Andrée eut pourtant l'impression de remonter à un siècle auparavant. C'était avant la mort de sa mère... C'était avant la naissance de sa fille... Le temps qui passe lui fit apprécier encore davantage l'instant présent. En cette belle journée, elle souhaita que cette maison soit un point d'ancrage dans leur vie, un rempart contre les mauvais coups de la vie, un symbole de stabilité et de bonheur tranquille où ils vivraient heureux le reste de leur vie.

— Vous avez bien fait d'acheter maintenant, dit Hubert. Dans quelques années, les maisons ne seront plus achetables avec les taux d'intérêt qui n'en finissent pas de grimper. C'est vrai que, quand on est deux à payer, ça se prend mieux, ajouta-t-il avec philosophie.

— C'est l'avantage des femmes qui travaillent, qu'est-ce que tu veux! répliqua Ghislain, piqué.

— Et de celles qui ont suivi des cours et qui ont des promotions, ajouta Marie-Andrée sans fausse pudeur, en les quittant pour se diriger avec empressement vers Françoise et Patrice qui descendaient de leur vieille camionnette.

Le visage espiègle d'Élise s'assombrit et elle disparut sous prétexte d'aller surveiller les enfants. Marie-Andrée accueillit joyeusement les nouveaux arrivés, si contente de les revoir, eux et leur petit garçon qu'elle avait aperçu dix minutes seulement le lendemain de sa naissance.

Les deux grandes amies s'embrassèrent avec une affection qui ne se démentait pas même si elles se voyaient peu depuis quelques années, prises chacune de leur côté par le quotidien de leur vie familiale et professionnelle; de plus, Marie-Andrée habitait maintenant Anjou et Françoise, Joliette. Elles savouraient leur connivence instantanée qui les surprenait et les émouvait chaque fois. Pour Marie-Andrée, Françoise était une sœur, la compagne de ses années de jeune adulte, et maintenant elles étaient mères toutes les deux.

— Et notre cadeau, je le mets où? demanda Patrice.

Il venait de sortir de la camionnette une crédence antique absolument ravissante.

— T'as décapé ça toi-même? fit Ghislain. Une belle job! complimenta-t-il en la faisant poser sur l'herbe pour l'examiner sous les angles.

— T'aurais pu avoir un bon prix pour ça! s'exclama Marie-Andrée. C'est pas raisonnable, ajouta-t-elle, sachant qu'ils étaient serrés, financièrement, dans ce début de leur commerce. Mais c'est un beau cadeau, c'est vraiment magnifique, se reprit-elle en réalisant son manque de tact. Avec nos meubles modernes, ça va être d'un chic fou!

Déjà, Ghislain l'apportait à l'intérieur, mais Marie-Andrée avait un autre intérêt pressant.

— Donne-le-moi…, supplia-t-elle en prenant avec précaution le poupon de deux mois à peine. Qu'il est beau! Il ressemble à qui? demanda-t-elle en lui scrutant le visage.

— S'il est beau, c'est à nous deux, dit Patrice en passant amoureusement le bras autour des épaules de Françoise qui s'y blottit discrètement.

Il portait maintenant une barbe de quelques centimètres, mais les cheveux plus courts, à la nuque. Françoise avait raccourci les siens, elle aussi, et les portait aux épaules.

— Pas trop difficile, la vie avec un bébé?

— Patrice s'en occupe autant que moi; je suis gâtée, répondit-elle les yeux brillants, mais pâle et les traits un peu tirés.

— C'est normal. Il a deux parents, cet enfant-là, dit-il simplement.

« Normal mais pas courant… », se dit Marie-Andrée en soupirant.

Élise, qui adorait les bébés, revint à l'avant de la maison, ayant décidé de mettre fin à la bouderie qui l'éloignait du couple depuis qu'il avait quitté la vieille maison, l'année précédente. Pourtant, Françoise et Patrice avaient attendu qu'elle ait un ami avant de s'installer à Joliette et d'ouvrir leur boutique d'antiquités. Malheureusement, l'histoire amoureuse d'Élise n'avait pas duré et la jeune femme s'était retrouvée seule avec ses deux enfants et leur en avait voulu, considérant qu'ils l'avaient abandonnée. Mais ce grief tenait-il aujourd'hui? Hubert, son nouvel ami, était de plus en plus présent, de plus en plus épris. Le cœur à l'amour, Élise souhaita que tout le monde l'ait aussi. Aussi embrassa-t-elle très affectueusement ses amis, regrettant de s'être privée de leur présence depuis un an.

— Veux-tu coucher le bébé? proposa Marie-Andrée à Françoise quand Élise eut pris et contemplé le bébé à son aise. Il s'est endormi. Si Marie-Ève le voit, elle va le réveiller tellement elle a hâte de le prendre.

Elle conduisit les deux femmes à l'intérieur, si contente de leur montrer sa maison. La porte d'entrée ouvrait sur un corridor avec trois pièces fermées à gauche et deux aires ouvertes, à droite. À gauche, il y avait d'abord la chambre des parents, tapissée d'un papier avec d'immenses fleurs orange sur fond gris. Venait ensuite la salle de bains, dont les murs étaient recouverts d'un papier peint métallique et luisant qui ne laissait pas indifférent. Et finalement, une deuxième chambre, plus petite, celle de Marie-Ève, égayée par un papier peint aux motifs de grosses fleurs stylisées roses et jaunes, donnait sur l'arrière.

À droite, dans la salle à manger, le mur était tapissé d'un paysage de sous-bois dans les tons de vert clair à vert sombre qui faisait ressortir la table et les chaises modernes en bois blond. Sur les trois autres murs de la cuisine à aire ouverte, se succédaient en enfilade les armoires et les appareils électroménagers. Une demi-cloison séparait la cuisine du salon qui donnait sur la façade. Les murs orange brûlé faisaient ressortir les fauteuils modulaires à la mode, moelleux et bas, en velours synthétique gris-vert. Trois reproductions d'œuvres d'art et quelques petites tables basses, ici et là, ajoutaient un cachet raffiné à la pièce.

La porte d'entrée, vitrée à moitié, faisait face à la porte de la cuisine. Au milieu du long corridor au plancher de bois verni, un escalier ceinturé par une rampe de bois, orienté de l'avant vers l'arrière, descendait au vaste sous-sol non encore fini, où étaient installées les laveuse et sécheuse.

— Tu dois être bien, ici, dit Françoise, légèrement envieuse, elle qui, à Joliette, habitait l'étage d'une petite maison dont le rez-de-chaussée était réservé à la boutique d'antiquités. Tu l'as bien décorée, aussi, ta maison, dit-elle, réalisant que le niveau de vie de son amie était supérieur au sien.

Élise, inquiète, sortit surveiller les enfants. Le bébé fut déposé doucement sur le lit de la chambre principale et les deux femmes le regardèrent avec attendrissement.

– C'est comme tu pensais? demanda gentiment Marie-Andrée.

– Je le voulais tellement! Tu le sais, toi, combien j'ai voulu un enfant!

– Il est enfin là! Profites-en bien; tu le mérites, dit-elle du fond du cœur.

– Mais il dort tout le temps! C'est un bébé tranquille comme ça ne se peut pas! Tout le contraire de Pierre-Luc, ajouta Françoise avec lassitude au souvenir de tant de moments pénibles.

– Martin a son papa, lui…

– Et un papa qui est tout là! confirma Françoise en contemplant son fils d'un regard de pur bonheur, le cœur si amoureux de son Patrice.

Les mères avaient eu le temps d'enfiler les maillots aux enfants, les enfants de patauger dans l'eau et les hommes de prendre une bière quand Diane surgit, tenant son fils René d'un peu moins de trois ans par la main. Surprise! Elle était enceinte de plusieurs mois et semblait en pleine forme, beaucoup plus qu'à sa première grossesse. Sa maternité prochaine lui avait fait prendre un peu de poids, ce qui lui donnait un air moins anxieux sous ses cheveux bouclés. Gilbert, toujours aussi à l'aise, ouvrit le coffre de la voiture et lança joyeusement de la rue, en sortant deux valises :

– Le Saguenay vous envahit!

Il portait la barbe lui aussi, mais, comme il était trapu, cela ne lui allongeait pas la silhouette, au contraire. Après les présentations et les embrassades, Ghislain offrit son aide pour entrer les valises et conduisit les nouveaux arrivants à l'intérieur.

– Vous avez le choix. Le sofa-lit du salon ou le sous-sol. Il n'est pas encore fini, mais ce serait plus frais pour dormir et vous aurez toute la place pour vous installer pour les deux prochains jours.

– Inquiète-toi pas; on est tout équipés! le rassura son beau-frère en descendant au sous-sol. On a notre matelas autogonflant et nos sacs de couchage. Même René a le sien. Hein, mon grand?

L'enfant se tenait timidement contre la jambe de son père, regardant avec curiosité ce décor nouveau.

– Voyons donc! protesta Marie-Andrée. Diane est enceinte! Elle ne va pas dormir au sous-sol! Tu prendras le lit de Marie-Ève. Elle était si excitée de nous voir vous préparer le sous-sol qu'elle a décidé qu'elle y coucherait, elle aussi.

– René et moi, on va dormir au sous-sol, en hommes! lança Gilbert tout en appréciant la fraîcheur de la pièce. Tiens, mon grand, dit-il à son fils en sortant d'une valise un long tube enrubanné, donne ça à ma tante Marie-Andrée.

– Qu'est-ce que c'est? demanda-t-elle en tâtant ce qui semblait être du tissu. C'est certainement pas une statuette d'Afrique, en tout cas.

– Tu brûles, la belle-sœur, tu brûles…

– Une zazelle…, murmura l'enfant qui ne pouvait garder le secret plus longtemps.

– Une quoi? dit Ghislain qui décodait difficilement le langage enfantin, ce qui intimida le petit.

Enfin développé, le cadeau se révéla une pièce de coton écru d'un mètre sur un mètre cinquante environ. Elle était composée de bandes d'une vingtaine de centimètres de largeur sur lesquelles étaient tissés des dessins stylisés de gazelles de couleur brun sombre, fort jolis quoique un peu trop exotiques au goût de Ghislain.

— Ça vient de Korhogo, un village au nord de la Côte-d'Ivoire. On en a un qui fait la moitié d'un mur, dans notre appartement.

— Ça peut se poser tel quel sur le mur ou encore être encadré, ajouta Diane.

— Pourquoi c'est tissé en bandes? demanda Marie-Andrée.

— Parce que les hommes n'ont que des métiers de cette largeur-là.

— Ah oui? Et ceux des femmes?

— Les femmes ne tissent pas. En Afrique, c'est une profession réservée aux hommes.

— Élise devrait aller donner des cours aux femmes, lança Marie-Andrée sur un ton amusé.

— Il faudrait d'abord leur apporter un métier! précisa Gilbert avec son sens pratique.

Les femmes remontèrent au rez-de-chaussée. Diane, mine de rien, semblait chercher quelqu'un des yeux et ne paraissait pas totalement à l'aise.

— Non, ils ne viendront pas, dit Marie-Andrée.

Elle lui en voulait de sa dispute avec son père au sujet d'Yvonne Sansoucy qui, au dire de sa sœur, n'avait pas le droit de remplacer leur mère. À cause de ce désaccord navrant, qui durait depuis deux ans, leur père avait refusé de se joindre à eux aujourd'hui.

— Elle est toujours dans le décor? demanda Diane d'une voix ambiguë.

– Oui.

Il y eut un silence. Marie-Andrée but un grand verre d'eau et en offrit un à Diane, qui n'en avala que quelques gorgées et dit enfin :

– Tu trouves que j'ai exagéré ?

– Maman n'est plus là, répondit-elle tristement. Papa ne trompe personne.

– Mais il la remplace !

– Maman n'est plus là ! Là où elle est, tu crois vraiment que ça la dérange ? Ou bien elle… n'existe plus du tout, nulle part et alors c'est sûr que ça ne peut pas la déranger ! Ou bien, si le ciel existe, elle est au paradis, et c'est le bonheur total. Alors tu penses sérieusement qu'elle aurait du temps à perdre à nous surveiller et à se plaindre de ce qui se passe sur la terre ?

Diane la regarda, stupéfaite.

– C'est tout ce que ça te fait ?

– Quoi ? Que maman soit ailleurs ? Dans un monde qui doit être complètement différent d'ici, et heureuse ? Ça devrait me chagriner, ça ?

Sa sœur la dévisagea, étonnée. Vue sous cet angle, la situation de son père était évidemment… différente. Mais une émotion douloureuse balaya ce raisonnement trop simpliste à son goût. Elle avait mal pour sa mère. Elle avait mal, tout simplement.

– Maman méritait mieux que ça !

Marie-Andrée la regarda intensément. Cette fois, c'était à son tour de s'étonner. Avait-elle vraiment devant elle la fille qui avait suscité et vécu tant de confrontations avec leur mère ? Était-ce bien la même personne qui, depuis deux ans, s'indignait de ce qu'elle considérait comme une atteinte à la mémoire de la mère qu'elle-même avait tant critiquée ?

Elle soupira. Oui c'était la même personne. «La même souffrance, peut-être...», pensa-t-elle aussi. Elle n'ajouta rien; elle n'allait pas compliquer davantage la relation complexe, et qui semblait si douloureuse, que sa sœur continuait d'entretenir avec sa mère, au-delà de la mort. Diane devina les pensées non formulées de sa sœur et sa souffrance confuse s'exprima par ce moyen détourné.

— Je le sais que c'était pas toujours facile entre maman et moi! Mais ça ne te regarde pas, tu sauras!

— Ça a l'air que oui! répliqua Marie-Andrée, agacée et blessée de cette colère déviée sur elle. À cause de toi, papa n'est pas là, aujourd'hui. Puis lui, il est vivant! J'aurais aimé ça que ceux que j'aime soient ici, aujourd'hui, pour fêter l'achat de la maison, cette maison qu'on a enfin. C'est pas encore assez, un frère et une mère qui ne seront plus jamais avec nous autres?

Deux larmes tombèrent dans le verre d'eau vide.

— Marie-Andrée, j'ai tellement mal!

Les deux sœurs s'accueillirent l'une l'autre dans leurs deuils douloureux, leurs espoirs de bonheur, leurs expériences de maternité et leurs expériences de couple, si différentes de ce qu'elles avaient imaginé à l'été d'Expo 67.

— Aller à Valbois, dit faiblement Diane, ça ferait trop de voyagement pour moi avant de retourner à Chicoutimi.

— Combien de mois tu as de faits déjà? s'enquit sa sœur en se mouchant et en retrouvant son sourire.

— Cinq.

— Ça va mieux que pour René?

— Oui.

Au sous-sol, Ghislain décrivait à Gilbert ses projets d'aménagement de la vaste pièce. Fermer l'espace fournaise et chauffe-eau. «Une nécessité», se dit Gilbert. Installer des tablettes, un évier et peut-être une armoire près de la laveuse comme Marie-Andrée l'avait demandé plusieurs fois. «C'est évident que ça lui prend ça. C'est même étonnant que ce ne soit pas déjà fait.» Et possiblement ajouter une chambre d'amis. «Il n'a même pas pensé à un atelier, donc c'est des projets en l'air.»

Ghislain n'avait jamais été intéressé par des travaux de ce genre. Avant de vivre en couple, il avait loué des appartements vieillots peu onéreux et ne s'était aucunement soucié de rénover des lieux qui ne lui appartenaient pas. Le logis qu'il avait ensuite loué avec Marie-Andrée était neuf, moderne; là encore, aucune modification n'avait été justifiée. Maintenant dans sa maison, l'aventure de la rénovation commençait à le tenter, et il se sentait encouragé dans cette expérimentation par les nombreuses revues et les émissions de télévision sur le sujet pour les bricoleurs amateurs.

Gilbert, quant à lui, souhaitait toujours retourner dans le tiers-monde et cette seconde grossesse de Diane, dont il se réjouissait, lui semblait cependant un coup monté par sa femme pour retarder leur départ pour l'Afrique. De son côté, il refusait d'acheter une maison, lui signifiant ainsi qu'il maintenait ouverts ses projets de coopération.

Ne recevant pas de commentaires sur ses plans de rénovation, Ghislain se dirigea vers la porte du sous-sol et déboucha sur la pelouse arrière encombrée de chaises pliantes, d'une table à pique-nique en bois, des balançoires, de la barboteuse et de jouets que les parents avaient apportés pour distraire leur progéniture. Cela ne semblait toutefois pas suffire parce que Marie-Ève poussa soudain un cri :

– C'est à moi !

Pierre-Luc lui disputait un ballon tricolore qu'elle essayait rageusement de reprendre.

– C'est mon ballon !

Son père intervint d'une voix autoritaire.

– Marie-Ève, laisse le ballon à ton cousin !

La fillette le regarda, étonnée d'être ainsi abandonnée par son père, et, humiliée de se faire réprimander, donna le ballon en réprimant ses larmes. Elle alla jouer ailleurs, toute seule. À quatre pattes dans le carré de sable, elle s'occupa dans un silence lourd. Les adultes reprenaient leurs conversations quand un second cri les figea : le ballon que Pierre-Luc avait exigé venait, comme par hasard, de percuter la construction que sa cousine essayait d'ériger. Élise réprimanda mollement son fils.

– Fais attention, mon bébé.

Marie-Ève, furieuse, lança le ballon près des balançoires. Pierre-Luc poussa alors délibérément sa cousine qui tomba sur la bordure de bois du carré de sable en hurlant de douleur. Ghislain se leva d'un bond et attrapa le petit garçon par un bras.

– Hé là ! Ça va faire !

Il allait le relâcher, quand le gamin, furieux de se faire gronder, commença à lui donner des coups de pied et des coups de poing. Insulté, son oncle lui rabattit une tape vigoureuse sur les fesses.

– J'ai dit : ça va faire !

L'enfant en eut le souffle coupé, ne sachant pas si le pire était la tape douloureuse ou l'ignominie de se faire punir. Quoi qu'il en soit, il hurla à tue-tête, couvrant les pleurs de Marie-Ève, dont le dos était marqué d'un trait bleu soulignant le point de chute, les cris indignés d'Élise qui défendait son fils et les pas précipités de Marie-Andrée qui accourait au secours de sa fille.

— Je rêve de faire la même chose depuis que je le connais, cet enfant, murmura calmement Hubert.

— Il était temps que je parte : j'en pouvais plus, marmonna Patrice avec un sourire de connivence.

Les deux hommes, qui se rencontraient pour la première fois, se trouvèrent mutuellement sympathiques.

Françoise connaissait bien Élise et elle jugea prudent d'essayer de la raisonner avant qu'elle ne fasse un éclat et gâche la rencontre. Geneviève offrit spontanément un jus à son petit frère.

— C'est ça, récompense-le en plus! grogna son oncle.

— Maman fait toujours ça quand il se fâche.

— On voit ce que ça donne, grommela Ghislain.

Le petit René, à moins de deux ans, fut impressionné par la dispute entre les deux enfants inconnus et plus grands que lui. Il se colla à son père qui préféra le distraire et l'encourager à s'amuser.

— René, as-tu vu les balançoires? lui dit-il d'un ton enthousiaste. Viens, on va aller se balancer tous les deux.

Le gamin se laissa tenter et y courut de sa démarche enfantine.

— Wo! Gilbert! s'écria Ghislain en riant. C'est pas fait pour les poids lourds, ça!

— Les as-tu essayées? répliqua Gilbert en éclatant de rire.

Marie-Andrée regarda son beau-frère avec incrédulité. Il avait perçu que son fils de deux ans était traumatisé par la querelle de ses deux cousins qu'il ne connaissait pas. Qu'un père comprenne avec autant de justesse un si petit enfant lui fit presque mal. Ghislain ne décodait pas encore sa fille et elle avait trois ans. «Peut-être que s'il avait eu un fils, il le comprendrait mieux, lui aussi», se dit-elle.

— Ouais, on s'ennuie pas ici! lança Yvon qui était arrivé avec Louise au beau milieu du drame et qui avait attendu quelques minutes que les choses se tassent. On se croirait revenu quinze ans en arrière quand nos enfants étaient plus petits.

Les visiteurs créèrent une diversion heureuse et ils rassurèrent les uns et les autres : trois ans, c'était l'âge du refus du partage et des crises à l'allure dramatique, aussi vite commencées que terminées.

— Et les vôtres, ils sont où?

— Partout sauf avec les parents, soupira Louise. Nathalie a dix-neuf ans, Johanne en a dix-sept et Simon, a quinze. À cet âge-là, ça ne suit plus les parents! Et les parents s'absentent de moins en moins longtemps! conclut-elle. Profitez-en pendant qu'ils sont petits, même si c'est mouvementé de temps en temps, ajouta-t-elle en riant. Tenez, c'est pour votre maison.

Elle tendit à leurs hôtes une boîte rectangulaire. C'était un baromètre hygromètre et Yvon se lança dans des explications complexes. Louise ajouta d'un ton acerbe :

— Mais ça ne mesure pas les humeurs d'un couple.

— Ça a l'air d'un beau quartier, commenta Yvon tout en décochant un regard contrarié à sa femme.

Ghislain fit la publicité d'Anjou, tout à côté de Montréal où Marie-Andrée et lui travaillaient, mentionnant, entre autres, le centre commercial. Les Galeries d'Anjou qui, avec sa centaine de magasins, leur donnait accès à un éventail impressionnant de produits.

– On en arrive, dit son beau-frère avec de l'admiration dans la voix. Ça va pousser comme des champignons, des centres de même, c'est moi qui vous le dis. Mais gros de même, ça sera pas facile à battre !

– C'est vrai que t'as vu neiger pas mal plus que nous autres, à l'âge que t'as, blagua Ghislain avec bonne humeur. Veux-tu une bière, le vieux ?

– Hé, le jeune, un peu de respect pour les plus vieux ! insista Yvon qui, au début de la quarantaine, grisonnait légèrement aux tempes et dont la barbe, déjà poivre et sel, le vieillissait et lui conférait un certain air de patriarche.

Tout en consolant sa fille blottie contre elle, Marie-Andrée vanta plutôt l'environnement sécuritaire de cette ville où les enfants pouvaient quasiment jouer dans la rue, les écoles bien situées, les activités pour enfants dans les parcs, etc.

– En fait, on a choisi la ville d'Anjou pour Marie-Ève.

– As-tu eu de la difficulté à trouver une gardienne ? demanda Élise, revenue de ses émotions maternelles et qui déplorait parfois que, vivant à la campagne, Pierre-Luc n'ait pas l'occasion d'aller en garderie pour commencer sa socialisation.

– Pas du tout. Nicole demeure à deux rues d'ici et Marie-Ève l'adore. Tout ce que dit Nicole, c'est de l'or en barre ! Elle a deux enfants à peine plus vieux que la nôtre.

Françoise écoutait à demi, tendant l'oreille au cas où son fils se réveillerait. Patrice se pencha vers elle.

– Je vais l'entendre s'il pleure. T'es en congé aujourd'hui, lui dit-il en lui adressant un clin d'œil complice et recevant en retour un regard d'une telle tendresse qu'il en fut tout retourné encore une fois.

La phrase, même dite à voix basse, n'échappa pas à Marie-Andrée. Pour la seconde fois dans la journée, elle compara l'attitude d'un autre homme avec celle de Ghislain. Quand donc s'était-il soucié d'elle d'une telle façon? Quand donc avait-il offert de la décharger de la responsabilité de Marie-Ève, ne serait-ce qu'une heure? En observant ses amis, elle réalisa que cela pouvait exister, des couples où les responsabilités étaient partagées par les deux parents. Un profond soupir chassa cette vision. Dans son cas, il semblait n'y avoir qu'un seul parent : elle.

Un souvenir se superposa à sa réflexion : Patrice lui faisant l'amour le jour de sa promotion. Pour la première fois, elle se demanda si elle avait fait le bon choix. «Non. Je n'ai pas eu à faire de choix, rectifia-t-elle. Patrice ne m'a jamais proposé quoi que ce soit.» Elle les regarda, manifestement heureux ensemble, et elle serra contre elle sa petite fille aux cheveux roux.

Marie-Ève avait cessé de pleurer mais préférait rester sur les genoux de sa mère, fatiguée de l'après-midi chaud et mouvementé et de tous ces gens pratiquement inconnus pour elle. Marie-Andrée lui caressa les cheveux et s'occupa d'elle.

– Je viens de commencer mes vacances. On va planter de belles fleurs, hein, Marie-Ève?

– Rouges! s'écria l'enfant. Plein de fleurs rouges. Puis des fleurs bleues, aussi. Beaucoup, beaucoup de fleurs bleues!

– Où tu trouves le temps de faire tant de choses? demanda, admirative, Françoise qui vivait à son tour la difficile période d'adaptation avec un bébé au quotidien.

– Tu vas y arriver aussi. Rappelle-toi comment j'étais quand t'es venue m'aider. Ça se fait petit à petit, tu vas voir. Fais-tu toujours de la traduction?

– Comme pigiste, je n'avais pas de congé de maternité payé. Ce qui fait que j'ai travaillé le plus longtemps possible. Même à ça, j'ai moins de contrats maintenant. Quand on part, on nous oublie vite, dit-elle en soupirant. De toute façon, se reprit-elle, Patrice ne peut pas faire le tour des campagnes pour trouver des antiquités et s'occuper de notre petite boutique en même temps. La boutique, ça me tient pas mal occupée.

– Ouais, tu te démènes autant que moi, si je comprends bien! constata Marie-Andrée, un peu inquiète de sa pâleur.

Elle comprenait ce que sa grande amie vivait. Comme elle, elle avait spontanément accepté et assumé au quotidien les responsabilités et travaux inhérents à ses choix, sans trop s'en rendre compte, comme elle avait toujours vu sa mère le faire, sans doute. Ainsi, que ce soit dans ses études, au travail dans ses fonctions d'agent de crédit ou encore dans les soins et l'éducation à donner à sa fille, dans les travaux ménagers et dans la décoration de la nouvelle maison, Marie-Andrée se voulait à la hauteur en tout. Cela lui demandait de nombreux efforts et lui imposait une tension quotidienne, mais elle ne re-chignait pas devant la besogne, se trouvant privilégiée d'être autonome financièrement, même modeste-ment, et de pouvoir vivre la maternité en même temps. Cela tenait parfois de la haute voltige, elle le concédait; certains jours, il lui arrivait même d'envier Diane et Élise de rester à la maison, sans double tâche. D'ailleurs Ghislain lui avait maintes fois répété qu'au salaire qu'elle gagnait, ça ne valait pas la peine de payer une gardienne.

— T'aimerais mieux me faire vivre? lui avait-elle un jour répondu avec lassitude.

Il avait affiché un air horrifié et n'était plus revenu sur le sujet. Que devenait-elle, personnellement, dans tout cela? Elle n'avait guère le temps d'y penser. Tout ce qu'elle constatait, c'était qu'elle approchait de la trentaine et qu'elle avait l'énergie physique de mener toutes ses activités de front.

Monique arriva à son tour en tenant Sophie, sa fille d'un an, sur sa hanche. La maternité lui avait fait prendre un peu de poids et, comme elle était déjà rondelette, elle se dirigeait nettement vers l'em-bonpoint. Gaétan, au contraire, semblait maigrir au même rythme. Mais ils semblaient toujours aussi contents d'être ensemble. Monique offrit à son frère et Marie-Andrée un cadeau pour eux et non pour la maison : deux rendez-vous à son salon de coiffure.

— C'est pour ce que vous voulez : une coupe, une permanente, une teinture, ce que vous voulez, insista-t-elle.

— Hein? Moi, aller chez une coiffeuse? protesta son frère.

— J'ai des clients des deux sexes, lui apprit-elle. Tu le saurais si tu étais venu me voir.

— Si ton frère n'en veut pas, est-ce que je peux prendre les deux rendez-vous pour moi? demanda Marie-Andrée, amusée par la réaction de Ghislain.

— Wo! C'est mon cadeau! regimba-t-il si sérieusement qu'il en eut l'air un peu ridicule.

— Ouais, c'est rendu que les clients se battent pour aller à ton salon, ma belle! se réjouit Gaétan.

— On verra, on verra, bougonna Ghislain. Bon, en attendant, qu'est-ce que vous pensez de ma maison?

Il se transforma littéralement. La présence de sa sœur sembla lui donner le droit de laisser libre cours à une fierté qui parut d'abord excessive, puis qui se comprit mieux quand Monique lui dit d'un ton admiratif:

— Tu te rends compte? Tu es le premier Brodeur à avoir sa maison!

Marie-Andrée se rappela vaguement avoir entendu que les Brodeur étaient traditionnellement des locataires. Ni Ghislain, ni ses parents, ni ses grands-parents, paternels comme maternels, n'avaient été propriétaires, semblait-il. Même si aucun d'eux n'était là maintenant pour reconnaître son nouveau statut, Ghislain se comportait aujourd'hui devant sa sœur comme celui qui instaurait une nouvelle tradition familiale de propriétaire.

Les femmes entrèrent donner un coup de main à Marie-Andrée pour le souper, qui serait servi à l'extérieur, et Ghislain resservit de la bière à ses beaux-frères.

— Ce qui est bien avec une maison, affirma Yvon, qui avait beaucoup amélioré la sienne en une dizaine d'années, c'est que ça prend de la valeur. Elle est à toi. Personne ne pourra te l'enlever.

« Façon de parler ! » pensa Ghislain avec un ressentiment confus. Il avait souhaité – n'était-il pas l'homme du couple, et le père ? – être le seul signataire du contrat d'achat de la maison. Quand, enfant, il entendait son père caresser un projet semblable, il n'avait jamais été question de partager le pouvoir de signature. C'était l'affaire de l'homme.

– Et tu paierais la maison tout seul ? avait rétorqué Marie-Andrée, étonnée et méfiante.

Les paiements auxquels elle faisait allusion l'avaient ramené à la réalité. Si les taux hypothécaires avaient oscillé autour de six et demi pour cent en juin 1976, deux ans plus tard ils avaient presque doublé. Sur le contrat de prêt hypothécaire, cela ne voulait rien dire, mais la somme en dollars, ça, c'était concret. Ces considérations bassement financières lui avaient fait apprécier le fait de ne pas être le seul emprunteur et payeur. Effectivement, pourquoi paierait-il tout seul, puisque Marie-Andrée travaillait, elle aussi ?

Mais chez le notaire, quand deux signatures avaient été apposées au bas du document : *Ghislain Brodeur* et *Marie-Andrée Duranceau*, son ambivalence avait resurgit, d'autant plus que le notaire leur avait glissé, avant l'arrivée des vendeurs :

– Je dois écrire que vous êtes tous deux célibataires, mais je ne lirai pas ce passage devant monsieur et madame Thibault.

À tort ou à raison, Ghislain s'était senti regardé avec un certain mépris : il n'était pas le seul propriétaire et il faisait payer la moitié de la maison à une femme qu'il n'avait même pas épousée.

Malgré lui, il n'arrivait pas à se défendre d'un sentiment écorchant qui refaisait parfois surface, comme en ce moment. Marie-Andrée pourrait un jour, si cela ne fonctionnait plus entre eux, réclamer la maison au même titre que lui puisqu'elle en était à demi propriétaire, tout comme lui. C'était cela le problème : il n'était propriétaire qu'à demi. «Un demi-homme», se dit-il, confus.

Par la porte-moustiquaire de la cuisine, Marie-Andrée avait entendu la réflexion d'Yvon et cela l'avait ramenée, elle aussi, aux discussions avec Ghislain, au moment de l'achat. Elle aussi avait été confrontée à son ambivalence. Acheter et payer une maison, est-ce que ce n'était pas l'affaire de l'homme, dans un couple, au même titre qu'elle seule avait porté leur enfant pendant neuf mois, et qu'elle était la seule des deux à avoir accouché dans la douleur? «Des fois je me dis qu'être libérée, ça veut dire tout faire, finalement.»

Mais les conséquences de l'ancien système s'imposaient d'elles-mêmes. «S'il est le seul à la payer, la maison, elle serait à lui? Et moi là-dedans? Si ça n'allait plus entre nous, il pourrait me rappeler que c'est *sa* maison?» Cette anecdote avait rouvert la discussion des biens communs.

– Quand Jean-Yves a quitté Françoise, elle n'avait plus rien devant elle.

– C'était elle, l'idiote! avait rétorqué Ghislain. Elle n'avait qu'à prendre sa part!

– C'est ce que je fais! avait-elle répondu. La maison, on va la payer à deux et elle va nous appartenir à tous les deux.

– Parce que tu crois que je vais faire comme Jean-Yves? avait-il répliqué avec colère.

Elle l'avait regardé, le cœur battant. S'il n'avait pas l'intention de la quitter un jour, pourquoi n'étaient-ils pas encore mariés, tout ce temps après sa fameuse demande en mariage dans la baignoire? Sa déception s'exprima en une moue d'amertume. Cette demande bâclée ne signifiait rien, finalement, puisque quelques années plus tard rien n'était encore concrétisé.

Yvon, le propriétaire expérimenté, aborda ensuite le sujet des taxes foncières, sans doute plus élevées à Anjou que dans la région de Granby.

— C'était prévu dans le budget. Ça fait partie du jeu d'être propriétaire, dit simplement Marie-Andrée qui était sortie étendre une nappe sur la table à pique-nique et une autre plus petite sur la table des enfants, déjà installée à cet effet.

Elle avait vu ses parents payer ce genre de comptes et, pour elle, cela faisait partie du prix à payer pour avoir leur maison. Leur maison... Elle promena un regard heureux sur ce qu'elle appelait pompeusement leur «domaine». De l'espace, un grand sous-sol, quelques arbres, un bout de pelouse et une petite cour pour Marie-Ève. Le bonheur, quoi! En comparaison de tout cela, payer sa part de taxes n'était que justice à ses yeux.

— Budget ou pas, c'est de l'argent, une maison! grommela Ghislain. Quand j'ai eu le compte de taxes entre les mains, j'ai eu une vision : mon salaire était siphonné pour vingt-cinq ans à venir!

N'eût été le statut de propriétaire, qu'il imaginait prestigieux aux yeux de ses collègues, il aurait re-vendu la maison. Puis il avait abandonné cette idée en réalisant l'investissement qu'elle représentait, plus sûr, somme toute, que ses investissements boursiers dans ses REER.

— Et tu veux t'ajouter des rénovations? le taquina Gilbert avec un sourire en coin.

– Tu bricoles, maintenant? dit Patrice, étonné, en sortant de la maison avec son bébé dans les bras dans une attitude si naturelle que Marie-Andrée en fut émue et Ghislain, presque mal à l'aise de le voir dans une attitude qu'il jugeait féminine.

– J'ai pas le choix! répondit-il en s'esclaffant pour ramener l'attention sur lui. Marie-Andrée a décidé que le fait d'être devenu propriétaire m'avait subitement transformé en bricoleur. Avant-hier, il y a eu un problème avec le robinet de la salle de bains et elle trouvait ça exagéré d'appeler un plombier.

– Ah ça, renchérit Yvon, t'es aussi bien de t'y faire, les femmes sont comme ça. Parce qu'on est des hommes, on est supposés connaître la plomberie, la menuiserie, l'électricité, envoye donc! On est tous des *Monsieur Bricole* qui s'ignorent!

Louise, contrariée, déposa un énorme bol de salade sur la table en haussant les épaules.

– C'est le contraire! Si je t'ai acheté le *Manuel complet de bricolage*, de Sélection du Reader's Digest, c'est justement parce que je sais que tu ne peux pas tout savoir!

– Mais t'aimerais bien que je sache tout faire!

– Ah ben là, t'es fait! s'esclaffa Gaétan, le mari de Monique.

– Puis toi, Gaétan, toujours content de ta job de représentant? lui demanda son beau-frère. Toujours sur les routes?

Yvon et Gilbert, les deux beaux-frères enseignants qui s'étaient connus davantage quand le second, à l'insistance de Diane, était resté un an à Valbois, en vinrent naturellement à parler de leur profession.

– Vas-tu avoir ta permanence, à Chicoutimi? demanda Yvon.

345

– C'est parti pour ça, mais de justesse. Quand j'ai commencé à enseigner, au milieu des années soixante, il y avait tellement de postes ouverts qu'on choisissait quasiment l'école et le niveau. Maintenant, quand on a une place, on la garde.

– Comme ça, le tiers-monde, c'est fini?

Gilbert soupira.

– Plus j'y pense, plus je me dis que si je repars et que je ne me trouve plus de poste en revenant, c'est pas mieux. Mes deux enfants passent avant le tiers-monde.

Yvon s'étira les jambes et noua ses bras derrière sa tête.

– Ouais, on en fait des affaires pour nos enfants; puis quand ils grandissent, ils nous envoient promener.

– On l'a fait nous autres aussi, commenta Gilbert.

– Ça se peut, mais pas à ce point-là, protesta Yvon en repensant à des discussions acerbes avec ses deux adolescentes. On était trop pissous!

Gilbert, qui ne perdait pas son fils des yeux, hocha la tête.

– Je pense plutôt qu'on avait plein de projets; on mettait notre énergie là-dessus.

Yvon soupira en pensant à la piscine qu'il avait achetée et s'esquintait à entretenir depuis deux étés pour ses trois adolescents. «Mes parents m'auraient donné le dixième de ça et j'aurais été content. Eux autres… On dirait que tout leur est dû.»

– À table, les hommes! C'est prêt! dit Louise en installant les enfants à la petite table.

Le souper se déroula à merveille, dans les taquineries sans méchanceté, dans les fous rires des enfants réconciliés et fatigués, les bons vins et le pique-nique

346

savoureux qui les rafraîchissait après cette journée chaude, et qui goûtait bon l'été et les vacances. Avant le dessert, Diane accompagna Marie-Andrée à la cuisine.

– Ça te fait rien que je fasse un interurbain?

– Non, non, bien sûr. Pas en Afrique, quand même? la taquina-t-elle.

– C'est quasiment aussi loin. À Valbois…, ajouta-t-elle avec un frisson dans la voix.

Marie-Andrée l'encouragea discrètement :

– Va dans la chambre. Tu vas être plus tranquille.

– Je vais aller chercher René, avant.

Quand elle revint avec son fils, elle composa sans hésitation le numéro qu'elle croyait avoir oublié en deux ans. Le cœur battant, elle entendit décrocher.

– Papa? dit-elle aussitôt.

– …

– C'est Diane…, articula-t-elle péniblement. Papa, es-tu là?

– Oui, ma fille, je suis là, répondit son père du ton rauque qu'il prenait quand il était ému.

– Ça va bien?

– Oui. Ça va bien.

Il y eut un silence. René s'impatientait de se voir confiné dans cette chambre sans raison au lieu de manger le gâteau généreusement nappé de crème fouettée et couvert d'une épaisse couche de fraises rouges et juteuses que sa tante venait d'apporter dehors.

– Papa…, je suis enceinte.

– C'est un bien beau cadeau que tu me fais là, ma fille, répondit Raymond avec une émotion difficile à cacher.

Diane pleurait.

— René veut te parler, dit-elle avant de passer le récepteur à son fils. Dis à grand-papa que tu l'aimes, mon trésor, chuchota-t-elle.

L'enfant, habitué à téléphoner à son grand-père de Chicoutimi, qui habitait tout près d'eux, prit spontanément l'appareil.

— Allô, grand-papa. Je t'aime fort, fort, fort. Bye!

Il redonna l'appareil à sa mère en se dandinant.

— Oui, oui, va manger ton dessert, murmura-t-elle. Papa, tu es là?

— J'ai toujours été là…, dit la voix vieillissante.

— On se rappelle, O.K.? réussit-elle à articuler.

— O.K., murmura son père aussi ému qu'elle.

Diane ne pouvait pas raccrocher ainsi. Elle déglutit et ajouta, en raffermissant sa voix:

— Papa… Dis bonjour à Yvonne pour moi, veux-tu?

— C'est correct, ma petite fille. Je vais lui dire.

Elle raccrocha en pleurant, pleurant l'absence de sa mère, mais pleurant aussi de joie d'avoir le temps d'aimer ceux qui étaient encore là, de les aimer tels qu'ils étaient.

Patrice s'arrêta discrètement sur le seuil.

— Excuse-moi, je voulais changer Martin. Ses affaires sont ici.

— Je m'en allais, dit-elle en s'essuyant les yeux.

— Ça va? demanda-t-il, inquiet. Veux-tu que j'appelle Gilbert ou Marie-Andrée? Te sens-tu mal?

— Non, non. Ça va, répondit-elle avec plus de calme, touchée par sa sollicitude. Tu ne peux pas savoir comme je me sens bien. Enfin!

Les serviettes de plage et les maillots séchaient sur la corde à linge. Françoise et Louise finissaient la vaisselle. Diane, Élise et Marie-Andrée essayaient de coucher les trois enfants qui avaient presque le même âge. Monique berçait sa fille d'un an qui pleurait. Geneviève regardait le bébé dormir. Les hommes étaient dehors à fumer, à boire un digestif. Ghislain se retrouva près d'Hubert qui s'était assis un peu à l'écart quand la table avait été desservie.

– Il est mort comment, Luc? demanda soudain ce dernier à voix basse. Élise ne veut pas m'en parler. Je la comprends, mais ça m'aiderait d'en savoir un peu plus.

Ghislain le regarda comme s'il était un trouble-fête. Qu'est-ce que cela venait faire dans cette belle journée?

– Dans un accident de voiture. Bêtement.

– Oui, ça je le sais, mais comment? Dans quelles circonstances?

Luc avait piqué une crise sur la montagne et avait disparu dans la foule. Il était revenu dans la nuit, mais Ghislain ne savait pas grand-chose d'autre; il ne s'était pas réveillé.

– On avait bu pas mal ce soir-là.

– Il en piquait souvent, des crises? demanda Hubert.

Ghislain n'en savait rien; il l'avait peu connu, au fond.

– Je ne sais pas, répondit-il avec une certaine irritation.

Hubert jongla avec ses pensées. Élise l'attirait, le fascinait et elle lui donnait l'impression de l'aimer. Mais elle avait perdu son mari brutalement et, certains jours, Hubert avait l'impression qu'Élise avait idéalisé Luc. Comment remplacer un homme parfait? En plus de sa relation à construire avec Élise, il devait aussi gérer la présence de deux enfants, dont un petit garçon couvé par sa mère. Lui fallait-il en plus composer avec le fantôme d'un mari parfait?

Il était plus de vingt et une heures et la brunante tomba sans qu'ils s'en aperçoivent. Marie-Andrée, heureuse, radieuse, venait vers eux.

— Marie-Ève n'arrive pas à dormir parce que tu ne lui as pas dit bonne nuit, dit-elle à Ghislain en l'embrassant.

Le père se leva aussitôt, heureux d'échapper à Hubert et à ses questions.

— Elle est au sous-sol, précisa-t-elle, aussi étonnée de son empressement que de son silence.

Détendue, elle s'assit en poussant un long soupir de satisfaction et de soulagement; son travail était terminé.

— J'espère qu'Élise n'en voudra pas à Ghislain pour la tape sur les fesses de Pierre-Luc.

— Franchement, j'ai eu envie de le faire dix fois! dit Hubert.

Ils en rirent spontanément et Hubert évacua le poids des pensées qui l'habitaient.

— L'important, c'est le présent, ajouta-t-il pour rectifier l'impression qu'il avait pu laisser.

Elle respira de soulagement.

— T'as raison. Les as-tu vu faire, les deux petits? Dix minutes après, ils jouaient ensemble comme si rien ne s'était passé.

— Il faut peut-être faire comme eux, prendre la vie comme elle vient, dit-il, songeur. Veux-tu un digestif? lui proposa-t-il. T'as pas arrêté depuis l'après-midi.

Elle le réalisa, tout à coup, et accepta volontiers, le digestif offert.

— Un Amaretto. Sans glace!

Dans le bref instant de solitude de cette belle journée heureuse, Marie-Andrée leva la tête vers le ciel criblé d'étoiles et ses soucis lui apparurent dérisoires en comparaison avec le nombre et l'immensité des galaxies. Elle se demanda soudain si elle n'attendait pas trop de la vie en général et de Ghislain en particulier. «C'est vrai que je l'ai aimé comme il était… Peut-être qu'il me donne son maximum, au fond… Non, je suis sûre qu'il me donne son maximum. Il ne connaît rien aux enfants. Bon, et alors? On ne peut pas avoir toutes les qualités. Et puis, depuis deux ans, ça va bien entre nous…»

Elle savourait le bonheur d'avoir eu ce jour-là, autour d'elle, tous ces gens qu'elle aimait. Un équilibre semblait s'être recréé au fil des ans, dans leur vie comme dans la sienne, avec des hauts et des bas. «Des mailles à l'endroit et des mailles à l'envers…», se dit-elle.

«Je t'aime, Ghislain…», s'avoua-t-elle aussi, le ressentant profondément.

Et elle prit avec volupté une gorgée de l'Amaretto qu'Hubert venait de lui tendre.

10

— Maman! Papa! cria Marie-Ève, surexcitée. C'est tout blanc, tout blanc! Partout, partout!

La fillette courait d'une fenêtre à l'autre, pieds nus, soulevant un store ici, écartant un rideau là. Elle était éblouie.

— C'était donc pour ça qu'on dormait si bien, dit Marie-Andrée en se réveillant tout à fait.

— Ah merde! s'exclama Ghislain en ouvrant le store vertical.

Pour ne pas ajouter à sa déception, elle retint ses mots d'admiration devant la chute de neige qui, dans le silence de la nuit, avait tout recouvert d'un mètre de neige. Le soleil se levait plus tôt, en cette fin de février, et il faisait miroiter les cristaux devant la fillette toujours en pâmoison, les yeux rivés sur la fenêtre panoramique de la chambre de ses parents dans laquelle elle était revenue partager son émerveillement.

— C'est un cadeau pour toi, murmura sa maman. C'est pour fêter cette journée importante pour toi.

L'enfant trottina aux côtés de sa mère qui, après avoir enfilé sa robe de chambre chaude, régla le thermostat en passant dans le corridor, lissa ses longs cheveux et, en s'étirant, arriva à la cuisine pour préparer le déjeuner.

– On y va tout de suite après le déjeuner, maman? vérifia l'enfant.

– Où ça? demanda Ghislain en sortant de la salle de bains.

– À l'école, papa! C'est aujourd'hui!

L'entrée de sa fille à la maternelle, en septembre prochain, devint subitement réelle. Leur fille qui, hier encore, était un bébé, un petit bout de chou entièrement dépendant de ses parents, cette petite fille-là, l'automne prochain, quand elle aurait cinq ans à peine, allait entrer dans le monde scolaire!

Ghislain en ressentait une émotion désagréable qu'il avait eu du mal à identifier et qu'il attribuait maintenant avec dépit au *système* qui rattrapait sa fille. Jusqu'à maintenant, il s'était tenu le plus loin possible de toute forme d'engagement, ne s'étant impliqué dans aucune cause, sociale ou humanitaire, soucieux de jouir de la vie, de sa vie, libre de toute entrave. Et voilà que, dans son imagination, les grands doigts froids et impersonnels du système allaient venir agripper sa fille et, malgré lui, la récupérer à son profit. En somme, il réalisait que sa fille avait son existence à elle. C'était cela qui le désarçonnait : sa fille existait déjà sans lui et elle n'avait pas encore cinq ans!

– À quelle heure tu y vas, déjà? s'enquit-il en avalant son café plus rapidement que d'habitude devant la tâche qui l'attendait et qu'il trouvait pénible.

– Les inscriptions commencent à neuf heures. J'amène Marie-Ève pour qu'elle se familiarise avec l'école.

– Je la connais! s'écria l'intéressée. Nicole m'a amenée une fois avec elle.

— Tu y es déjà allée? fit Marie-Andrée, étonnée, en lui tartinant une rôtie.

— Mathieu était malade; Nicole est allée le chercher.

Le nez à la fenêtre, Ghislain essayait d'évaluer l'épaisseur des bancs de neige à pelleter.

— Sacrament, on en a toute une bordée!

Sacrant et tempêtant, il alla pelleter le strict minimum pour pouvoir accéder aux autos, heureusement l'une derrière l'autre, et à un mètre du trottoir. Ce n'était qu'un mètre de longueur, mais il y en avait bien deux de largeur, au bas mot, en plus de la bordure bien tapée laissée par la charrue.

— Je ne ferai pas cette job-là un autre hiver, certain! grogna-t-il en rentrant pour enlever son habit de motoneigiste.

Il regrettait son voisin de droite qui, l'hiver précédent, déneigeait leur côté de l'entrée avec sa souffleuse contre une somme des plus raisonnables. Mais il avait déménagé à l'été et les nouveaux voisins, un jeune couple avec deux enfants (seul le mari travaillait à l'extérieur la maison), n'avaient pas les moyens de s'acheter une souffleuse. Le voisin pelletait, et Ghislain aussi.

— On pourrait demander à quelques voisins s'ils connaissent des déneigeurs, suggéra Marie-Andrée.

— Ouais. Fais donc ça aujourd'hui puisque tu ne travailles pas, lui dit-il en jetant son habit de neige sur une chaise.

Marie-Andrée sursauta, stupéfaite.

— Non, je ne travaille pas, comme tu dis! J'ai pris l'une de mes trois journées de congé mobile pour inscrire Marie-Ève à la maternelle! Ensuite, je la conduis chez sa gardienne. Après je vais aller au salon de coiffure de ta sœur Monique pour une coupe de cheveux. Je vais dîner avec toi, si j'arrive à temps, sinon je te prends à ton bureau, en plein centre-ville un vendredi, à treize heures. On va au palais de justice, tu t'en souviens? Je te laisse à ton bureau vers quatroze heures. Tant qu'à être dans le centre-ville, je vais aller magasiner un peu à la Place-Bonaventure, pour faire changement, et ensuite aux Galeries d'Anjou. Mon magasinage fini, pas fini, à dix-sept heures, je dois reprendre Marie-Ève chez la gardienne. Après tout ça, je reviens ici pour nous faire à souper. Puis ce soir, j'essaie de faire trois ou quatre brassées de lavage pour m'avancer parce que demain, si tu te rappelles bien, on va chez le notaire à dix heures!

Elle le toisa, impressionnée elle-même de son horaire réglé au quart de tour. Elle se dit qu'elle aurait mieux fait, finalement, de ne pas décliner à haute voix la liste des tâches à accomplir, qui la décourageait. Mais toutes ces tâches étant justifiées par des événements heureux, pouvait-elle vraiment s'en plaindre?

Ghislain aurait voulu lui en décliner autant, mais il n'aurait pu que dire : «Je vais travailler comme d'habitude, puis rentrer souper, et, comme d'habitude, le repas sera servi dans mon assiette. Point.» Il aurait pu ajouter, exceptionnellement : «Et passer à l'agence de voyages après le travail pour payer les billets de nos vacances. Et demain, je vais pelleter l'entrée.» Prêt à partir, il l'embrassa et attendit d'avoir entrouvert la porte pour lui rappeler avec un ton moqueur :

— Quand on veut un enfant et se marier, faut faire ce qu'il faut! Byyyye!

Il sortit dans un éclat de rire et Marie-Andrée haussa les épaules; elle n'avait même pas le temps de protester.

Plus tard, habillée et peignée, l'enfant regardait sa mère se maquiller dans la salle de bains.

— Maman, je veux rester avec toi toute la journée...

— Ça ne t'intéressera pas, mon ange, répondit distraitement Marie-Andrée en se concentrant sur son mascara, joyeuse comme une enfant sage qui fera l'école buissonnière toute la journée.

— Je veux rester avec toi, répéta l'enfant avec un hochement de tête buté.

Sa mère résista avec fermeté à la demande mais, déconcentrée, elle fit une bavure avec son mascara, qu'elle corrigea difficilement. La fillette fronça les sourcils et changea de tactique. Elle rabaissa le couvercle de la cuvette des toilettes, grimpa dessus et, quand sa mère se tourna vers elle, elle lui prit carrément le visage entre ses deux petites mains et lui murmura d'un ton irrésistible :

— Ah! maman... Dis oui...

Marie-Andrée se sentit fondre devant la détermination de sa fille et la méthode de persuasion employée. Quand sa fille la regardait avec ces yeux-là, elle avait toutes les peines du monde à ne pas céder. Mais cette fois, délibérément égoïste, elle voulait ce temps pour elle seule, pour rêver de son mariage imminent en choisissant et en achetant jusqu'au moindre objet pour ce grand jour.

— Une autre fois, mon ange, lui dit-elle en appliquant son rouge à lèvres dans un geste familier d'aller et retour, et en espérant que sa fille s'intéresserait à autre chose le plus rapidement possible.

Marie-Ève, haute comme trois pommes, empoisonnait littéralement l'atmosphère de la maisonnée quand elle était vraiment contrariée. Prudente, la maman l'orienta sur sa réalité d'enfant.

— Tu n'as pas hâte d'annoncer à Nicole que tu auras été inscrite à la maternelle?

Un grand sourire illumina le visage de l'enfant... et celui de sa maman.

Un peu avant neuf heures, prêtes toutes les deux, elles se faufilèrent dans l'étroit sentier que Ghislain avait pelleté de la porte principale jusqu'à la petite Honda Civic grise de Marie-Andrée. Elle avait acheté cette voiture d'occasion deux ans auparavant. C'était une voiture beaucoup moins luxueuse que celle de Ghislain, qui avait les moyens de s'en offrir une neuve aux trois ou quatre ans. Mais c'était la sienne! Payée avec son salaire à elle. Et, comme avait insisté Ghislain, c'était à elle d'aller au garage avec sa voiture.

— C'est ton auto, lui avait-il dit, offusqué, un jour qu'elle lui avait demandé de lui rendre ce service. Je n'ai rien à voir avec ça.

— Et c'est ton linge que je lave et que je repasse! Et c'est tes repas que je prépare, jour après jour, avait-elle précisé.

— Tu mêles tout! s'était-il écrié. Quelques morceaux de linge de plus ou de moins quand tu laves, une portion de plus quand tu te fais tes repas de toute façon, tu trouves pas que c'est exagéré de comparer ça avec le temps que je perdrais à aller au garage avec ton auto?

Loin des pensées de sa mère surgies inopinément, l'enfant s'amusait à gambader dans ce couloir de neige aussi haut qu'elle.

— Allez, Marie-Ève, presse-toi un peu!

— Je veux jouer dans la neige, maman!

— Tu joueras cet après-midi chez Nicole.

— La neige va être encore là, après l'école?

Marie-Andrée éclata de rire.

— Oh si! T'aurais dû demander ça à ton père; il le sait bien, lui, que la neige va rester là!

«C'est comme la poussière dans une maison; elle nous attend bien sagement», ajouta-t-elle pour elle-même.

— On va faire un bonhomme de neige, chez Nicole? cria l'enfant, maintenant installée dans la voiture, à sa mère qui déneigeait le pare-brise. Maman! On va faire un bonhomme de neige chez Nicole?

La maman s'engouffra dans l'auto à son tour et prit un instant pour souffler.

— Je ne sais pas, moi, répondit-elle distraitement, absorbée par son horaire chargé. Oui, probablement, ajouta-t-elle gentiment devant le regard déçu de la petite, l'enviant de pouvoir profiter de cette belle neige toute blanche.

Les abords de l'école étaient heureusement bien dégagés, comme en attestaient d'énormes bancs de neige de plusieurs mètres. La mère et l'enfant, main dans la main, franchirent avec émotion le seuil de l'institution, presque silencieuse à cette heure-là, tous les élèves étant en classe, sauf quelques gamins tur-bulents qui attendaient devant le bureau du directeur.

Marie-Andrée eut la sensation presque physique de perdre son bébé, son enfant qui, jusqu'à ce matin, vivait en marge de la société, d'une certaine façon, protégée par son amour et les soins attentifs qu'elle lui prodiguait depuis sa naissance. Quand elle la conduisait chez sa gardienne, elle avait la certitude que tout se passerait bien, que rien de fâcheux ne pourrait atteindre sa fille. Mais en septembre, quand elle franchirait officiellement les portes de cette école, qui deviendrait son école, pour entrer en maternelle, elle échapperait à sa protection.

Sa réflexion la surprit. Essayait-elle de garder sa fille sous sa protection comme Éva l'avait tant fait avec ses propres enfants? Si c'était vrai, répétait-elle les comportements maternels sans même s'en rendre compte? Était-elle surprotectrice, voire étouffante? Cette seule pensée sema la confusion en elle. Comment pouvait-elle aimer sa fille et ne pas se soucier d'elle? Où se trouvait la limite entre protéger et surprotéger? Comment apprenait-on à être une bonne mère, à prendre les bonnes décisions?

Une maman bénévole la dirigea vers la table d'inscription où Marie-Andrée sortit avec émotion le certificat de naissance de sa fille et répondit aux questions d'usage (adresse, numéros de téléphone où joindre les parents, etc.). Ensuite, elles furent toutes deux conduites à la classe de maternelle pour que l'enfant s'en fasse déjà une idée.

– Allô, Marie-Ève!

Le fils de leurs voisins d'en face lui faisait de grandes salutations de la main. L'enfant, intimidée de se faire ainsi interpellée devant toutes ces personnes inconnues, serra plus fort la main de sa maman.

– C'est ton amie? demanda l'enseignante au garçonnet. Va la chercher pour nous la présenter.

La petite fille rougit jusqu'aux oreilles et se laissa guider par Benoît qui l'amena au centre d'un tapis rond, autour duquel les enfants étaient assis.

– C'est Marie-Ève, dit-il sobrement avant de la planter là, retournant vivement à sa place, intimidé lui aussi par les parents qui entraient.

Marie-Andrée esquissa un mouvement pour aller chercher sa fille, abandonnée au milieu de tous ces bambins, mais l'enseignante s'occupa de sa future élève.

– Je m'appelle Mélanie. En septembre, ce sera ta classe, ici. Est-ce qu'elle te plaît? Veux-tu jouer avec nous?

Marie-Andrée dut attendre que le jeu, qui amusait sa fille, soit terminé, non sans consulter sa montre devant le temps qui fuyait. Elle n'eut pas à demander à l'enfant de revenir, celle-ci avait affronté suffisamment de nouveauté pour le moment et elle l'avait rejointe, prête à s'en aller chez sa gardienne, en terrain connu.

Dans la voiture, retenue par la ceinture de sécurité, Marie-Ève disparaissait presque sous son habit de neige et babillait, parlant aux flocons qui continuaient de s'écraser sur le pare-brise. Elle leur expliquait que, un autre jour, elle reviendrait ici et elle fabulait sur les autres enfants qui y seraient, sur son enseignante, etc. La maman ne fut pas dupe et sourit. «Si on pouvait faire ça, nous autres aussi, pour évacuer nos peurs…»

– Tu veux, maman?

Hein? Vouloir quoi? Marie-Andrée, ramenée à la réalité, réalisa son manque de présence à sa fille.

– Quoi, Marie-Ève? J'étais distraite. Qu'est-ce que tu m'as demandé?

L'enfant la regarda, déçue, mais la femme se concentrait sur les rues enneigées, attentive à une fausse manœuvre toujours possible, autant de sa part que de celle des autres conducteurs qu'elle croisait ou suivait. Elle jeta aussi un coup d'œil à sa montre, puis aperçut la maison jumelée que la gardienne et son mari possédaient. Le mari de Nicole avait déblayé l'entrée piétonnière et les larges paliers de ciment qui menaient à la porte d'entrée. «Il n'en est pas mort, lui!» songea-t-elle spontanément en revoyant Ghislain maugréer. Puis elle sortit pour aller ouvrir la portière du côté de l'enfant.

– Bonne journée, mon ange.

Déjà l'enfant montait les marches et Nicole lui ouvrait, saluant joyeusement la maman qui refermait la porte du passager.

– Une belle bordée à matin!

– Marie-Ève aimerait bien faire un bonhomme de neige.

– La neige devrait être bonne pour ça; le temps radoucit.

Arrivée avec une demi-heure de retard à cause des rues enneigées, Marie-Andrée abandonna ses longs cheveux aux mains de Monique.

– Comme ça, c'est le Sud? dit sa belle-sœur, envieuse, en lui lavant les cheveux avec un shampooing qui sentait bon.

La tête renversée au-dessus du bassin, Marie-Andrée n'aimait pas converser dans cette position inconfortable mais, aujourd'hui, Monique s'occupait de sa belle-sœur avec un soin particulier. Son frère et elle allaient enfin se marier et elle ne serait plus mal à l'aise de parler d'eux en cherchant toutes sortes de synonymes pour ne pas prononcer le mot *accotés*.

– *Conjoints de fait*, l'avait un jour reprise Ghislain, heurté par le mot péjoratif.

Quoi qu'il en soit, c'était chose du passé.

— Les Bahamas…, dit en soupirant Monique qui avait commencé à couper le bout des longs cheveux dans un cliquetis de fins ciseaux. La mer… les requins…

— Les requins? s'exclama Marie-Andrée.

— Ben… loin dans la mer, c'est sûr! précisa Monique, s'amusant de la crainte de sa belle-sœur. C'est tellement exotique, le Sud! J'y suis jamais allée, dit-elle en soupirant encore, et ce sera pas pour demain. Quand je pense que ta petite Marie-Ève va faire un beau voyage de même, à son âge.

— Marie-Ève? On part en voyage de noces, Monique, on n'amène pas la petite! Elle va rester chez Françoise et peut-être chez Élise quelques jours.

Monique se pencha vers elle et lui confia à voix basse, pour que l'autre cliente, même sous le séchoir, n'entende pas.

— Gaétan a perdu son emploi.

— Ah oui? Comment ça?

Monique lui apprit que son mari n'était pas en forme depuis quelque temps et que son métier de représentant en produits pharmaceutiques, qui l'amenait constamment sur la route, l'épuisait trop.

— Il a autre chose en vue?

— Oh, il faudrait que ce soit moins fatigant. Heureusement que j'ai mon salon, sans ça on serait mal pris.

— Et ta petite Sophie?

Le regard de la mère s'éclaira, puis redevint soucieux.

— J'ai plus les moyens de la faire garder, tu comprends bien. De toute façon, Gaétan est à la maison.

S'il a affaire à sortir, il me la laisse. À trois ans, tu connais ça, les enfants sont pas mal plus autonomes.

– Mais ils ne partagent pas! rappela Marie-Andrée en riant.

Sous le casque du séchoir, elle se détendit enfin, pour la première fois de la journée. Feignant de lire une revue, elle pouvait se laisser aller, s'accorder un répit. Mais elle n'en profita pas trop longtemps, trop fébrile pour se détendre vraiment. Sortant un carnet et un stylo de son sac à main, elle griffonna la liste des vêtements et produits qu'elle souhaitait trouver ce jour-là.

Elle n'eut pas le temps de dîner avec Ghislain et se contenta d'arrêter dix minutes dans un *fast-food*, ce qu'elle aimait parfois l'été mais certainement pas en hiver. Finalement, elle dut l'attendre quinze minutes, garée en double et se faisant klaxonner dix fois plutôt qu'une.

– Tu devineras jamais qui je viens de croiser, lui dit-il en entrant rapidement dans l'auto.

Elle poireautait à l'attendre pour aller régler, au palais de justice, les arrangements en vue de leur mariage et lui, il prenait le temps de bavarder avec quelqu'un rencontré par hasard. Elle en fut blessée.

– Tu ne l'aurais pas reconnu, toi non plus, dit-il, inattentif à sa compagne, attachant sa ceinture et lui disant où tourner et quand, dans ce quartier qu'il connaissait par cœur, y travaillant depuis une quinzaine d'années. À droite. Un vrai fantôme, je te dis. Tourne à gauche après deux rues.

Marie-Andrée prêtait toute son attention à la conduite dans ces rues qu'elle connaissait mal. Aussi fut-elle brutalement ramenée à la réalité quand le nom de la personne en question fut enfin prononcé : Francis. Francis, le premier amant de son frère Luc, costaud et blond. Cela remua tant de souvenirs de toutes sortes qu'elle rata le coin de rue.

– J'avais dit à gauche après deux coins de rue! s'exclama Ghislain, irrité. Bon, on va essayer autre chose.

«Pourquoi je lui ai pas donné le volant?» ronchonna-t-elle.

– Bon, laisse faire. Stationne. Là! Là! Il y a une place! On marchera un peu, c'est tout.

Heureusement qu'ils eurent à marcher deux coins de rue; Marie-Andrée eut ainsi le temps de reprendre ses esprits. Francis était malade, très malade, et beaucoup amaigri, au dire de Ghislain même s'il ne l'avait entrevu qu'une fois, aux funérailles de Luc. Le diagnostic n'inquiéta pas vraiment Marie-Andrée. Cette nouvelle maladie dont on commençait à peine à parler – comment s'appelait-elle, déjà? Sedo, seda, non, sida –, on en savait si peu de chose, de toute façon. «Et puis, on est en 1981; toutes les maladies peuvent se soigner, de nos jours», se dit-elle.

– Il va peut-être en mourir, tu te rends compte?

– En mourir? T'exagères, protesta-t-elle.

– T'as pas entendu ça à la télé? Il y en a qui disent que ça ne pardonnera pas, cette maladie-là.

Elle eut de la peine pour Francis. Elle l'aimait bien, autrefois, quand elle l'avait rencontré, à peine sortie de l'adolescence. Il était resté le meilleur ami de son frère et c'était de lui qu'elle avait appris que Luc avait encore un amant au moment de sa mort, se rappela-t-elle avec une tristesse qui assombrit sa journée.

– Cette maladie-là, demanda-t-elle, tout le monde peut l'attraper?

– Non! répondit-il avec indignation. Ça touche juste les homosexuels. Non, mais, tu te rends compte s'il fallait risquer d'attraper ça chaque fois qu'on baise?

Il se tut, moins parce qu'il ramenait le sujet de ses aventures occasionnelles, mais plutôt parce qu'il venait d'imaginer, comme dans un cauchemar, que cette maladie aurait pu lui être refilée par une femme, à un moment ou à un autre, sans avertissement. Il se félicita d'en être protégé du seul fait d'être hétéro-sexuel.

– On est arrivés, dit sèchement Marie-Andrée en apercevant le palais de justice de Montréal.

Le mariage civil, auquel assisterait une quarantaine de personnes, avait déjà été fixé au samedi 14 mars. Les documents exigés furent remis et consignés, et le couple ressortit prestement. Marie-Andrée soupira. «Avec une cérémonie dans une salle de même, on aura plus l'air d'aller payer des taxes que de se marier!» s'avoua-t-elle avec déception.

– Je vais prendre un taxi pour retourner au bureau, déclara Ghislain, le bras déjà levé pour en héler un. Ça va aller plus vite.

Il allait s'y engouffrer quand Marie-Andrée le retint par le bras.

– Non! Je t'écoutais me parler de Francis et je n'ai pas remarqué où je suis stationnée.

Les deux hommes échangèrent un regard macho et Marie-Andrée, humiliée, se fit raccompagner par Ghislain, mécontent.

À la Place-Bonaventure, elle ne trouva rien à son goût et fut effarée du coût élevé des vêtements.

Même si son salaire était de plus en plus intéressant, elle avait quand même une part d'hypothèque à verser chaque mois, une enfant à habiller, une gardienne à payer, etc.

Au bout d'une heure, elle renonça à trouver ce qu'elle cherchait et se dirigea vers l'ascenseur. Trois hommes et une femme conversaient joyeusement, travaillant vraisemblablement dans le même bureau à l'un des étages. Quand l'ascenseur s'ouvrit, elle s'y engouffra distraitement, elle aussi, pour réaliser trop tard qu'elle venait de prendre celui qui montait au lieu de celui qui descendait.

Une déception d'une tout autre nature l'affligea alors. Les quatre personnes, francophones, parlaient maintenant en anglais parce qu'un autre homme, sans doute l'un de leurs collègues, était anglophone. À quatre contre un, les cinq s'exprimaient en anglais, comme s'il s'agissait de l'attitude la plus naturelle du monde.

Issue d'un milieu francophone, travaillant dans une caisse populaire, habitant un quartier francophone, Marie-Andrée avait peu d'occasions, depuis de nombreuses années, d'être confrontée à ce genre de situation. Indignée, elle n'arrivait pas à comprendre par quel mécanisme, par quelle aberration quatre personnes s'alignaient instantanément sur la langue d'une cinquième personne !

La Charte de la langue française, adoptée en 1977, à peine quatre ans auparavant, s'imposa à son esprit. « Ça sert à quoi de voter des lois si on est trop gnochons pour parler notre langue ? » s'interrogea-t-elle, humiliée de l'attitude insouciante ou lâche ou servile, elle ne savait plus, qu'elle venait de constater.

Elle appuya rageusement sur le bouton pour redescendre, prêtant maintenant l'oreille aux bribes de conversations d'un arrêt à l'autre de l'ascenseur. En sortant de l'édifice, elle conclut amèrement qu'il s'agissait peut-être là du malentendu séculaire entre les francophones et les anglophones. «Pour un francophone, parler anglais, une autre langue, c'est montrer son savoir-faire, c'est une forme d'accueil et d'hospitalité. Pour un anglophone, ne parler qu'anglais, c'est se montrer supérieur. Et la preuve qu'il a raison d'agir comme ça? Les autres, pas plus fins, lui parlent dans sa langue!» Ce quiproquo désastreux, si lourd de conséquences, lui apparut triste à pleurer. «Comment on peut se comprendre, comment on peut se respecter si on perçoit la situation de deux manières aussi différentes?»

Quand elle parvint à son auto, une contravention ornait son pare-brise, le parcomètre indiquant que le temps de stationnement était écoulé. «Il ne manquait plus que ça!»

Aux Galeries d'Anjou, elle dénicha enfin, après avoir cherché dans trois boutiques, un maillot qui la mettait en valeur et un bikini seyant ainsi qu'un ensemble après bain : paréo et jupe-portefeuille. Mais elle ne trouvait pas son vêtement de noce. Elle le voulait blanc, une toquade : on se mariait en *blanc*. Elle le voulait aussi en lainage parce qu'on était en hiver, et d'une coupe pas trop excentrique pour qu'elle puisse le porter encore l'hiver prochain.

À la sixième boutique, elle commença à s'énerver. Le temps passait : il lui restait à peine une heure avant d'aller chercher Marie-Ève et moins de trois semaines avant le mariage. Quelle idée avait-elle eu d'accepter ce mariage en mars? «C'est de ma faute aussi.» Effectivement, à la Saint-Valentin, peu de temps auparavant, elle en avait eu assez, tout à coup. À quoi rimait la fameuse demande en mariage puisque rien n'était encore concrétisé cinq ans plus tard? Bien sûr, en 1976 elle était en deuil de sa mère, puis Marie-Ève était née à la fin de juin et elle était retournée au travail en septembre. L'année avait été suffisamment chargée sans y ajouter un mariage.

Après, eh bien, elle avait voulu terminer son certificat universitaire qui lui pesait de plus en plus, puis il y avait eu la recherche et l'achat de la maison et, d'un événement à l'autre, d'une année à l'autre, le mariage n'avait pas été une priorité. Marie-Andrée avait finalement réalisé que, durant ces cinq années, elle avait attendu que Ghislain décide du moment où leur union allait se célébrer. Et qu'elle pourrait attendre encore longtemps. Aussi lui avait-elle brusquement demandé, le soir de la Saint-Valentin, une fois Marie-Ève couchée :

– Ta demande en mariage, en mars 1976, c'était une blague ou une vraie demande en mariage?

Pris de court ou acculé au pied du mur, ou peut-être content, qui sait, Ghislain avait lancé impulsivement, comme il savait si bien le faire :

– Comme ça, ça fera cinq ans pile à la mi-mars? Qu'est-ce que tu dirais de nous marier à la mi-mars? Une sorte d'anniversaire, si l'on veut.

– Dans un mois? s'était-elle exclamée avec incrédulité.

– Quoi? T'as pas eu assez de cinq ans pour te préparer? avait-il ajouté, frondeur.

Elle espérait ce moment depuis cinq ans, allait-elle risquer que cet événement heureux soit encore reporté? «Cinq ans? s'était-elle demandé? Non, pas depuis cinq ans, avait-elle admis ce jour-là. Depuis que je le connais, je pense…»

— Un mois! avait répété Ghislain. C'est à prendre ou à laisser! avait-il ajouté de son ton bluffeur indéfinissable.

«Un mois! On va se marier dans un mois!» se répétait-elle, le cœur battant. Alors elle avait décidé de jouer le jeu. Pourquoi pas, après tout?

Ils souhaitaient tous deux un mariage simple. Marie-Andrée l'aurait préféré religieux, pour le décorum lié à la cérémonie traditionnelle. Ghislain, par contre, considérait avoir fait une énorme concession en faisant baptiser sa fille. Il fut inflexible; ce serait un mariage civil, rien de plus. Elle céda. De toute façon, ce mariage était pour elle un engagement formel, quel que soit le lieu où il serait prononcé.

Mais c'était court, un mois, réalisait-elle cet après-midi, fatiguée de sa journée qui n'était pas encore finie, et déçue de ne rien trouver à son goût. Ayant besoin d'un répit, elle s'acheta une tablette de chocolat qu'elle dévora en prenant une pause sur un banc de parc dans une allée du centre commercial. Au milieu d'une bouchée, son regard se posa sur un ensemble dans la vitrine du magasin en face d'elle. Blanc, écru et caramel. En lainage. Et très chic…

Mais… il était hors de prix! Du moins pour elle. Elle ouvrit son portefeuille en espérant un miracle. Pour ces achats particuliers, elle avait retiré une somme raisonnable de son compte à la caisse, ajoutant même quelques dollars à la dernière minute. Mais ses prévisions s'avéraient nettement en dessous de la réalité. De plus, même en le payant plus tard ou par versements, pouvait-elle raisonnablement s'offrir cet ensemble? «On ne se marie qu'une fois…», se dit-elle en se décidant.

Elle proposa alors de payer par chèque; le magasin n'accepta pas. Une fois de plus, elle se heurtait à la contrariété de ne pouvoir effectuer un achat parce qu'elle manquait de liquidité! «Qu'est-ce que j'attends pour avoir une carte de crédit? Je ne deviendrai pas plus dépensière pour autant!» maugréa-t-elle. Elle était réticente à adopter ce mode de paiement encore peu répandu, craignant l'endettement à plus ou moins court terme parce que les achats en seraient trop facilités. C'était d'ailleurs la philosophie des Caisses Desjardins qui considéraient que cette pratique financière allait à l'encontre des idées de gestion du fondateur et qui avaient retardé la conclusion d'une entente avec une compagnie de cartes de crédit jusqu'en 1978. «J'ai toujours géré sérieusement mes revenus et mes dépenses depuis ma première paie chez Field & Sons. Qu'est-ce que j'ai tant à craindre?»

Elle regretta que Ghislain ne soit pas avec elle parce qu'il disposait d'une carte de crédit depuis l'année précédente. Même si elle l'aurait entièrement remboursé, elle s'irrita aussitôt de son réflexe. «Si je veux une carte de crédit, je n'ai qu'à m'en procurer une!» Il ne lui restait plus qu'à verser un acompte et à revenir chercher le vêtement au début de la semaine suivante.

Quoi qu'il en soit, elle planait d'avoir enfin trouvé son vêtement de mariage! Avec une fébrilité joyeuse, elle imagina toutes sortes de subterfuges pour cacher l'ensemble au futur marié jusqu'au matin de ses noces. «Un futur marié?» Ce terme l'amusa, comme s'il s'accolait mal à Ghislain.

Elle eut tout juste le temps de reprendre Marie-Ève. Quand elle stationna devant la maison de la gardienne et que sa fille s'élança vers elle, heureuse, elle se promit de tout son cœur d'être une bonne mère, et de profiter de chaque instant de sa vie avec elle, et avec Ghislain qu'elle aimait tant.

Maintenant impatiente d'avoir enfin les billets pour le Sud, elle commençait à s'inquiéter du retard de Ghislain quand elle le vit arriver enfin dans la cour enneigée, puis sortir péniblement du coffre arrière de sa Renault 5 une souffleuse à neige.

— Tu l'as empruntée à un voisin? lui demanda-elle en l'accueillant.

— Achetée!

— Hein? T'as acheté ça? Vite de même? s'exclama-t-elle presque contrariée, se rappelant un client à la caisse qui s'endettait régulièrement pour des achats impulsifs.

— C'est pas un coup de tête! Patrice en a une de cette marque-là; on en a parlé l'automne dernier. Il paraît que c'est du solide et que ça part à tout coup, conclut-il avec la fierté de coq qu'il affichait de temps en temps.

«Mais il faut quelqu'un derrière pour la pousser!» se dit-elle, le sachant très peu enclin aux travaux, quels qu'ils soient.

— Tu dis rien? demanda-t-il d'un ton irrité.

— Euh... je me disais que c'est sûr que la cour devait être déneigée, mais...

Cette phrase ambiguë lui déplut; il s'attendait à l'épater avec son achat. Au lieu de cela, il recevait un accueil tiède.

— Mais quoi?

– Eh bien, on a déjà beaucoup de dépenses à faire pour le mariage. Je suis un peu coincée, financièrement, avoua-t-elle.

– Ça se peut, mais comme c'est moi qui pellette, c'est à moi de décider.

– Je vais quand même en payer la moitié ! répliqua-t-elle.

– Évidemment que tu vas en payer la moitié ! C'est normal : c'est un achat pour la maison. J'ai assez de faire la job tout seul, je ne vais quand même pas m'occuper du paiement tout seul, en plus !

– Sauf que je gagne pas mal moins que toi, protesta-t-elle en soupirant, humiliée, et se reprochant déjà l'achat de sa toilette de noce, si chère.

Il s'assit à table et elle servit une soupe en conserve ; cela la dépannait quand elle était serrée dans le temps. « Avoir su qu'il rentrerait à cette heure-ci, j'aurais fait une soupe maison ; c'est tellement meilleur. » Elle rinça sommairement le chaudron par habitude, avec une mauvaise conscience diffuse d'avoir gâché la joie de Ghislain.

Puis elle se ravisa. Elle avait lu cent fois dans *Protégez-vous* qu'il fallait planifier les achats importants et le moment de les effectuer. En fait, elle avait exprimé une réflexion saine chez un consommateur qui voyait à ses dépenses. Si elle payait la moitié d'un achat de cette importance, elle aurait pu être consultée ! Non pas sur la marque de commerce ou les performances techniques de la souffleuse – cela, elle n'y connaissait rien –, mais sur la pertinence d'acheter cet outil coûteux à ce moment-ci ! Avec la maison, le mariage, le voyage dans le Sud auquel Ghislain tenait mordicus, son budget était déjà serré; elle gagnait beaucoup moins que lui, depuis des années, mais il en tenait si peu compte. Peut-être auraient-ils pu se contenter d'engager un jeune voisin étudiant, par exemple, pour finir l'hiver?

– Boudes-tu? demanda-t-il. Une souffleuse, ce n'est pas la fin du monde.

– Non, répondit-elle en choisissant d'oublier l'incident et se détendant à la vue de Marie-Ève qui tombait de sommeil dans son assiette. Regarde-la, ajouta-t-elle tout attendrie. Elle a dû tellement jouer dans la neige, aujourd'hui, qu'elle va s'endormir dans la baignoire si je lui fais prendre un bain. Elle se lavera demain, ça fera pareil. Viens te coucher, mon ange.

Elle déshabilla et coucha la fillette qui en eut à peine conscience, et resta quelques instants à la regarder dormir à poings fermés. «Dans quelle sorte de monde vas-tu vivre, plus tard, mon bel ange?» Observer sa fille, l'enfant née d'elle, l'apaisait. Par cette enfant, Marie-Andrée Duranceau continuait le fil de la vie que lui avait transmis sa mère, sa grand-mère, et ses autres aïeules. Elle souhaita Marie-Ève heureuse, confiante en elle, en la vie, qui lui serait certainement plus facile que la sienne, même si la sienne l'était plus que celle de sa mère.

Elle se demanda, pour la première fois, si elle était tout bonnement dépendante de son époque, tout comme Éva avait dépendu de la sienne, celle des années trente, quarante et cinquante, faites de renoncement et d'oubli de soi, doublées d'une dépendance quasi totale au mari dans les domaines financier et juridique.

La jeune femme était consciente d'avoir profité et de profiter encore du grand vent de changements des années soixante et soixante-dix. Sa vie était tellement plus... Elle hésita, puis choisit le mot *libérée*. Sa vie était tellement plus libérée que celle de sa mère. «Plus épanouie!» corrigea-t-elle ensuite. Cela faisait et ferait d'elle, sans aucun doute, une mère plus compréhensive et plus aimante. «Plus aimante que maman?» Cela, elle ne pouvait l'affirmer. Sa mère avait aimé ses enfants de tout son cœur, certainement autant qu'elle-même aimait Marie-Ève. Peut-être le démontrait-elle davantage à sa fille, tout simplement, comme toutes les autres mères de sa génération : Élise, Pauline, Françoise, Diane, et probablement même Louise, quoiqu'elle n'en savait pas grand-chose au fond, la voyant si peu.

Un peu dépitée, Marie-Andrée réalisait qu'elle n'était pas la seule responsable de son style de vie, même si dans l'ensemble il correspondait à ses attentes. La conclusion s'imposait d'elle-même : la vie quotidienne de sa fille serait, elle aussi, intimement liée à son époque. Et en quoi l'époque de sa fille serait-elle différente de celle de sa maman?

«Tu n'auras pas à te battre comme nous autres, les femmes, on est obligées de le faire maintenant, mon bel ange. Sur le plan du travail, tu auras autant de chances que les garçons, avec un salaire égal, c'est certain : ça ne peut pas continuer longtemps comme ça! Tu auras le choix des emplois, avec un bon diplôme. L'université, tu pourras y aller à temps plein, pas comme moi en cours du soir en plus de tout le reste.»

— Bon, je vais nettoyer la cour, dit Ghislain qui avait avalé son souper avec appétit.

Quand elle le vit enfiler son habit de motoneigiste, elle eut l'impression de voir un enfant se dépêcher d'aller jouer avec son nouveau jouet. Il lui tardait de démarrer son nouvel outil, déjà tout prêt à fonctionner, le réservoir déjà rempli du combustible approprié. «Comme moi, cet après-midi, avec mes vêtements de noce et de voyage...», admit-elle honnêtement, heureuse.

– Ah oui, j'ai les billets pour le Sud! J'ai pris d'autres dépliants parce que j'ai changé de catégorie d'hôtel. On va être installés plus confortablement.

– Hein? C'est combien plus cher? demanda-t-elle, s'affolant déjà.

Il la dévisagea et lui dit lentement :

– Et depuis quand on demande le prix d'un cadeau? Le voyage, c'est mon cadeau de noce à madame Ghislain Brodeur...

Elle en oublia ses soucis financiers et se nicha dans les bras de l'homme qu'elle aimait, dans les craquements caractéristiques du tissu synthétique de l'habit de motoneigiste. Ce soir, les yeux de Ghislain brillaient de l'éclat coquin qu'elle aimait et elle goûta le bonheur d'être bien au chaud, à la fin d'une des dernières bordées de neige de l'hiver sans doute, dans leur maison, dans ses bras.

Dans le bureau du notaire, le lendemain matin, ils réalisèrent bien plus que la veille, au palais de justice avec un vague fonctionnaire, que leur couple serait officiellement reconnu par la loi. Les implications légales de leur mariage tombèrent sur Marie-Andrée comme une douche froide. Jusque-là, elle l'avait envisagé sous l'aspect d'un engagement d'amour l'un envers l'autre. Maintenant, il était question d'argent, et surtout de séparation d'argent.

Dans ses fonctions d'agent de crédit, elle constatait, avec étonnement et compassion, à quel point certaines femmes se désintéressaient de ces questions. Dans les faits, la majorité des épouses restaient à la maison pour élever les enfants; quels biens personnels pouvaient-elles effectivement vouloir gérer ou protéger? Mais certaines femmes allaient jusqu'à considérer anormal qu'une femme se préoccupe de l'aspect financier de son couple, comme si cela était incompatible avec l'amour et leur rôle de femme. Marie-Andrée s'était crue plus avertie, plus éclairée, du moins dans cette dimension de sa vie d'adulte autonome. Et voilà qu'elle déchantait ce matin. Ghislain ne voulait pas entendre parler du régime matrimonial de la société d'acquêts, régime qui serait automatiquement appliqué si les futurs époux n'en choisissaient pas un autre, par contrat de mariage. Selon ce régime, tous les biens acquis après le mariage étaient reconnus appartenir aux deux conjoints à parts égales. Pour Marie-Andrée, cela devait aller de soi. Il était vrai qu'elle gagnait moins, mais elle travaillait autant que lui à l'extérieur et beaucoup plus que lui dans la maison et pour tout ce qui concernait Marie-Ève.

Mais Ghislain exigeait un autre contrat. Quelque part en lui-même, plus ou moins confusément, il doutait que leur mariage puisse durer toute leur vie et, dans le doute, il prenait ses précautions. Il ne voulait surtout pas que Marie-Andrée puisse un jour profiter de ses avoirs et les dépenser avec un autre homme.

Elle le décoda avec lucidité. Il n'avait pas besoin de lui préciser ses réticences, elle les devinait. Et cela lui fit mal. «Quand on aime une femme, on n'arrange pas son contrat de mariage en fonction de la possibilité d'une séparation.» Lui aussi devina ses pensées et il précisa :

– Un contrat, c'est pas fait pour quand ça va bien; dans ce temps-là, on n'en a pas besoin. C'est fait pour les cas où ça irait mal; et quand ça va mal, on ne voit pas les affaires de la même façon.

Elle refusa la peine et le sentiment de rejet qui montaient en elle et prit les devants.

– Oui, c'est pour ça que, moi aussi, je choisis le régime de séparation de biens, énonça-t-elle d'une voix ferme.

«Comme ça, je ne me ferai pas avoir comme Françoise avec Jean-Yves.» Les acquis de Ghislain et de Marie-Andrée avaient toujours été personnels et leurs seuls biens d'importance, la maison et le mobilier, avaient légalement été achetés à parts égales. Le notaire leur demanda de dresser la liste de leurs biens communs et celle de leurs biens personnels et de les lui remettre la semaine suivante, quand ils viendraient signer leur contrat de mariage. Il leur suggéra aussi de faire la liste détaillée de leurs REER, pour qu'on puisse les distinguer de ceux qui seraient acquis après le mariage.

Ghislain en énuméra une liste approximative qui fit réaliser à celle qui était sa compagne depuis huit ans qu'il était nettement mieux nanti qu'elle pour ses vieux jours. «C'est normal, il est fonctionnaire», se dit-elle. Mais le décalage était si grand entre leurs avoirs que Marie-Andrée en fut estomaquée. Dépensait-elle à ce point? Elle tenait pourtant les comptes de leur vie en commun, de même que les siens, avec soin. Était-elle négligente sans le savoir, sans le vouloir? «C'est sûr que j'achète bien des petites choses à Marie-Ève sans les inscrire dans les dépenses communes, mais…» Elle n'eut pas besoin de calculer longtemps pour se rendre compte que ces *petites choses*, à la longue, représentaient une somme importante. Mais ce n'était pas tant cela. Ils gagnaient surtout un salaire très différent tout en payant les dépenses à parts égales, et depuis des années. Effectivement, l'écart n'avait pu que s'agrandir d'une année à l'autre.

Un poids tomba sur ses épaules. «Je travaille sans arrêt! Qu'est-ce qu'il faudrait que je fasse de plus?» À l'idée d'être moins payée seulement parce qu'elle était une femme, une humiliation sourde faillit lui gâcher la situation entière.

Le notaire leur suggéra aussi de rédiger leur testament.

— Un testament? On est bien trop jeunes pour faire un testament! s'exclama Ghislain comme s'il avait été superstitieux et croyait que le seul fait d'en parler entraînerait sa mort à brève échéance.

— Vous allez dans le Sud bientôt? rappela le notaire. Et votre fille ne sera pas avec vous, n'est-ce pas? On ne sait jamais ce qui peut arriver. Vous savez, un testament, c'est fait pour protéger ceux qui restent, pas pour vous.

Une seconde fois, Françoise fut choisie comme tutrice de Marie-Ève, si cela s'avérait nécessaire. Finalement, en sortant du bureau du notaire, Marie-Andrée eut peine à se rappeler qu'un mariage pouvait être aussi un événement romantique.

Elle avait oublié tout cela le matin du mariage. Françoise avait amené sa filleule chez elle la veille, avec ses bagages pour deux semaines, pour laisser le temps aux futurs mariés de se retrouver un peu en amoureux.

Au palais de justice, Marie-Ève vit arriver sa maman dans un joli ensemble de lainage blanc et écru. La jupe était légèrement évasée et tissée avec des fils blancs et écrus de différentes grosseurs, avec ici et là une ligne caramel en laine bouclée, pour ajouter une note de fantaisie. La veste, longue aux hanches et tissée de façon identique à la jupe, s'ornait d'un large capuchon que Marie-Andrée releva sur ses cheveux le temps de la brève cérémonie. Ghislain était très fier d'elle.

– T'es vraiment une belle femme, lui avait-il murmuré en la voyant sortir de leur chambre, parée pour le mariage.

Pendant la cérémonie, Marie-Andrée s'attendait à une émotion presque insoutenable même si le décor ne se prêtait décidément pas à des épanchements inhabituels. Elle réalisa qu'elle était heureuse, simplement heureuse, et se moqua gentiment d'elle-même. « Être heureuse, c'est si simple, au fond. »

Le reste se passa vite. Ghislain avait réservé quelques tables au *Château Champlain* et les invités y dînèrent simplement avec eux. Préparer un mariage en un mois ne leur avait pas permis davantage. Marie-Andrée regarda son père accompagné d'Yvonne Sansoucy, qui cohabitait avec lui, en concubinage.

– C'est pour pas remplacer votre mère, avait-il dit à Louise.

La femme était d'une taille moyenne, semblable à celle de leur mère. Mais elle était plus en chair, dans de justes proportions. Elle n'avait pas, et de loin, la prestance de leur mère, mais elle s'accrochait au bras de l'homme qui partageait maintenant sa vie comme s'il était une bouée. «Peut-être qu'il aime ça, une femme dépendante…», se dit-elle.

Puis ils s'envolèrent vers le Sud. Quelque jours plus tard, étendue à plat ventre sur une chaise longue sur la plage, dans un décor si différent de celui du Québec, sous d'énormes parasols de paille ou de chaume, elle ne savait trop, Marie-Andrée constatait une fois de plus à quel point Ghislain et elle étaient différents. Il se considérait en vacances et elle, en voyage de noces.

— Voyons donc, on ne va pas jouer au petit couple qui vient de se marier! Ça fait des années qu'on vit ensemble! lui avait-il rétorqué avec un rire désinvolte quand elle y avait fait allusion.

«Ce doit être comme ça pour tous les couples, se dit-elle. Une femme et un homme, mon Dieu que c'est donc pas pareil!» Il était toujours aussi indépendant, mais cette indépendance-là était-elle compatible avec la notion de couple, du moins avec sa notion à elle?

Le soleil tapait fort et Marie-Andrée se retourna, étendit sa crème solaire avec soin pour ne pas brûler, releva légèrement le dossier de sa chaise longue et rabattit son grand chapeau sur ses yeux, s'offrant au soleil.

Sa fille lui manquait. S'empêcher de téléphoner au Québec pour lui parler exigeait un effort de plus en plus difficile. Pourtant, Marie-Ève s'amusait sans doute beaucoup avec Martin ou Pierre-Luc et Geneviève.

Elle regarda Ghislain jouer au volley-ball sur la plage, ses cheveux roux flottant au vent ou contre ses joues rasées de près puisqu'il ne portait plus la barbe depuis quelques mois. Son corps musclé était souple et il courait dans le sable, se baissant, se relevant avec habileté, faisant ressortir ses muscles sous sa peau déjà bronzée. Elle soupira. Elle avait peu attendu d'un voyage de noces, mais, malgré tout, elle n'avait jamais imaginé voir ainsi son conjoint parader comme dans une vitrine.

– Viens avec nous, Marie-Andrée, lui cria-t-il.

Elle était tentée, mais elle se trouvait tellement moins sexy, à presque trente-deux ans, après un accouchement, que les filles de dix-huit ou vingt ans aux bikinis suggestifs et aux jambes longues et effilées. Mais ne pas y aller, n'était-ce pas livrer Ghislain en pâture?

Cette image lui parut si ridicule qu'elle éclata de rire. Sa joie de vivre fut la plus forte. Elle courut se jeter dans la mer, se laissa porter par les vagues et ramener au bord, s'abandonnant à ce plaisir, se libérant même des pensées de sa fille.

Sur la crête mouvante d'une vague, elle jeta un coup d'œil vers la plage : Ghislain n'y était plus. Elle déglutit, refusant la jalousie qui se pointait. Profitant de son moment d'inattention, la mer la culbuta sur le sable de la plage dans un bouillon magistral et douloureux. Des bras musclés la relevèrent crachant et toussant, et un rire sonore couvrit le roulement des vagues contre le rivage.

– Je te fais tant d'effet que ça, madame Brodeur? lança en s'esclaffant Ghislain venu la rejoindre dans l'eau.

Madame Brodeur! Marie-Andrée pensa à sa sœur Louise, madame Yvon Mercier. Elle éclata de rire et il la fit tournoyer, la tenant collée contre lui.

— Je t'aime…, lui dit-il.

Le désir monta en elle. La soif de bonheur, le besoin de bonheur l'envahirent tout entière et elle se laissa glisser sur les vagues avec Ghislain.

Ce volume a été achevé d'imprimer
sur les presses de l'imprimerie L'Éclaireur
à Beauceville en octobre 2002.

Imprimé au Canada.